Tarw Pres

ALUN COB

Tarw Pres

Gomer

Cyhoeddwyd yn 2012 gan Wasg Gomer, Llandysul,
Ceredigion SA44 4JL.

ISBN 978 1 84851 540 6

Dymuna'r cyhoeddwyr gydnabod cymorth
Cyngor Llyfrau Cymru.

Argraffwyd a rhwymwyd yng Nghymru gan
Wasg Gomer, Llandysul Ceredigion.

*Er cof am
Wmffra
annwyl*

M.S.

Ab inĭtio

O'r cychwyn

Diwedd haf 2008

EDRYCHODD OSWYN FELIX i lawr y stryd, ei wefus isaf yn gwlychu'i wefus uchaf ac yn cosi bôn ei drwyn. Cydiodd yn olwyn-lywio ei VW Golf a gorffwys ei ben ar ei freichiau. Dyma lle roedd o ers rhai munudau, yn ei gar yn llonydd ar ben 'rallt, yn edrych i lawr ar dŷ ei dad. Dwylan, twll o le, meddyliodd. Meddyliodd wedyn faint oedd o'n ysu am gael tanio'r peiriant a llusgo'r Golf ar y siwrnai awr, 'nôl am Fangor. Nid oedd y tafarnwr mewn tymer dda. Canodd ffôn; sŵn digymeriad, cyffredin, ffôn symudol rhad.

'Ffyc,' mwmialodd Felix, gan neidio 'nôl yn ei sedd mewn braw. 'Ffycin ffyc ffôn ffwc.'

Chwilotodd yn ei bocedi a darganfod y Samsung pinc tu mewn i'w siaced denim ddu. Sleidiodd y teclyn ar agor, ac er ei fod yn gwybod pwy fyddai yno, edrychodd ar y rhif cyn siarad.

'Helo,' dywedodd yn swrth.

'Lle ufflwm wyt ti, Oswyn?' Llais blin, benywaidd.

'Traffic, Helen; ceir, loris a shit, ti'mbo?'

'Faint fyddi di?'

'Pam?'

'Achos dwi'n goro' mynd cyn hir. 'Nôl y plant.'

'Ia, iawn dos di, fydda i'n iawn.'

'Ti'm 'di cyfarfod Heddwyn naddo?'

'Naddo, wrth gwrs fod fi ddim, ond ma pwy-ti'n-galw-fo, Murray, y cyfreithiwr 'na, wedi warnio fi.'

'Dio'm yn cîn ar streinjyrs,' meddai hi mewn llais rhybuddiol.

'Jyst gad y goriad yn rwla Helen; mi 'na i gym'yd 'n tshansus.'

'Na, 'na i aros jyst rhag ofn. Faint fyddi di?'

'Hannar awr, 'bach mwy, ella.' Celwydd noeth.

'O na, rhaid i fi fynd, Oswyn. Ddo i heibio chdi bora fory.'

'Be? I bigo 'nghorff i i fyny?'

'Ha, ha. Doniol iawn, Oswyn. Gwatsia di bod y geiria du 'na ddim yn dod i dy frathu di ar dy ben-ôl.'

Canodd y geiriau ia, ia, ia, ym meddwl Felix, a'r cymylau duon cyfarwydd yn dechrau casglu. 'Lle ga i'r goriad?' gofynnodd.

'Dan y potyn bloda gwag wrth y drws ffrynt, iawn?'

'Tip top,' meddai'n or frwdfrydig, mewn ymgais i roi terfyn ar y sgwrs.

'Wela i di fory, Oswyn.'

Oswyn, Oswyn – byth Osh neu Oz, byth bythoedd Felix. Roedd Felix wedi anghofio cymaint roedd o'n casáu'r ffordd roedd ei chwiorydd yn mynnu ei alw wrth ei enw cyntaf.

'Iawn.' Caeodd y ffôn a'i luchio ar y sedd wag wrth ei ochr. Ysgydwodd ei ben, ffycin tîtshyrs, meddyliodd.

Roedd rhes hir o dai – ugain, pedwar ar hugain efallai – yn arwain i lawr yr allt ar yr ochr dde i'w gar. Gwelai tua hanner dwsin o dai moethus ar y chwith, gyda'u gerddi taclus a ffrwythlon. Yna eto ar y chwith, wrth droed yr allt, safai Cefni; tŷ Rhydian Felix. Tŷ tipyn llai na thai ei gymdogion, hen fwthyn Cymreig o garreg leol. Doedd Felix erioed wedi tywyllu drws tŷ ei dad; yn wir doedd o ddim wedi siarad efo Rhydian Felix ers degawd a mwy.

Mae'n rhy hwyr rŵan, meddyliodd gan chwerthin yn dywyll.

Roedd o eisoes wedi bod heibio'r tŷ, gan nodi ei union leoliad, a hynny ar-lein trwy ddefnyddio map StreetView Gŵgl y noson cynt. Edrychai rŵan ar y fersiwn go iawn.

Drws nesaf i Cefni, yng nghanol gwŷdd fechan o goed pinwydd aeddfed, safai eglwys. Bu rhywrai, ryw dro, ar ei do yn dwyn plwm, ac roedd y llechi o gwmpas y clochdy bychan wedi dechrau dod yn rhydd. Roedd y gloch hefyd, ar ryw adeg, wedi magu traed. Câi brigau'r coed eu hysgwyd gan wynt cryf a chynnes mis Medi, a'r dail eu chwipio mewn rhythm mesmeraidd. O'r un cyfeiriad deuai sŵn fel llanw'n rhuthro am y traeth i mewn drwy ffenest cilagored y Golf, ond roedd y traeth agosaf yng Nghricieth, bum milltir i'r gorllewin.

Gwelodd Oswyn ei chwaer Helen yn dod allan drwy'r drws ffrynt ac yn ei gau ar ei hôl. Dyma hi'n plygu yn ei hanner, o'r golwg dan ffens bren ddu yr ardd fechan o flaen y tŷ. Suddodd Felix ychydig yn ei sedd, er ei fod yn ddigon pell i ffwrdd i fyny'r stryd. Roedd yn eitha sicr y byddai ei chwaer yn ei basio ar y stryd, gymaint roedden nhw wedi colli nabod ar ei gilydd. Ti un ai'n feichiog neu'n farus, meddyliodd Felix wrth edrych arni'n brysio'n herciog o glun i glun am ei Range Rover gwyrdd. Teimlai'n euog yn syth am greulondeb plentynnaidd ei feddyliau. Roedd Felix yn gwybod yr ateb gan fod ei chwaer bron bymtheg mlynedd yn hŷn na fo ac yn agosáu at ei hanner cant. Gyrrodd y Range Rover heibio'r eglwys ac allan o bentref Dwylan. Trodd Felix y goriad yn *ignition* y Golf.

Teque piācula nulla resolvent
Ni wnaiff unrhyw iawn eich gollwng

YR WYTHNOS CYNT, roedd Oswyn Felix – perchennog y Penrhyn Arms ym Mangor Uchaf – wedi derbyn alwad ffôn gan Jeremy Murray o'r cwmni cyfreithwyr Brice, Murray & Reece yng Nghaernarfon yn rhoi gwybod iddo bod ei dad, Rhydian Felix, wedi marw. Roedd yn sefyll tu ôl i'r bar ar y pryd, dwy ddarten yn ei law, un yn y bwrdd dartiau yr ochr arall i'r bar, a Dyl Mawr yn disgwyl iddo ailymuno â'r gêm.

'Diolch am adal fi wbod,' meddai Felix wrth y llais, a dywedodd yntau fod mwy ganddo i'w drafod gyda'r mab. A fyddai dydd Gwener yn gyfleus? Dydd Gwener, iawn.

'Cymrwch sedd, Mistyr Felix.'

'Jyst Felix,' dywedodd Oswyn Felix wrth y cyfreithiwr main mewn siwt lwyd daclus a thei lliwgar. Eisteddodd ar gadair bren anghyfforddus yn wynebu desg drefnus Jeremy Murray. Gwenodd y cyfreithiwr canol oed yn swta arno, mwy fel pe bai tic ganddo yn hytrach na'i fod yn trio bod yn gyfeillgar, meddyliodd Felix.

'Alla'i gynnig panad?'

'Dwi'n iawn diolch, Misdyr Murray. Be sy 'na i drafod?'

Roedd y tymheredd yn y swyddfa'n ddigon cyfforddus ond roedd y chwys yn casglu fel dagrau ar dalcen y tafarnwr. Teimlai Felix yn nerfus heb wybod yn union pam.

'Ewyllys eich tad, y-hym, Felix. His lâst wìl and testyment.'

'Be nelo hynna â fi?' gofynnodd Felix gan ysgwyd ei ben. 'Dwi'm 'di siarad efo Rhydian ers dros ddegawd.'

'Wel, mae'n amlwg 'i fod o wedi cofio amdanoch chi. Mae holl eiddo eich tad nawr yn eiddo i chi, Mistyr, y-hym, Felix.'

Gwthiodd Murray y darn papur o'i flaen at ochr Felix o'r ddesg ac yna'i droi i'w wynebu. Gwelodd Oswyn Felix ysgrifen unigryw a blêr ei dad, oedd yn debycach i Sansgrit nag unrhyw iaith ddwyreiniol, meddyliodd. Edrychodd ar Murray.

'Be mae o'n ddeud, Misdyr Murray?'

'Fel dwi wedi'i ddweud, y-hym, Felix. Popeth sydd yn nhŷ ac ar dir Cefni, tŷ eich tad yn Dwylan, mae Rhydian Felix wedi'i adael i chi, ei unig fab.'

'Pam uffar fysa fo'n gneud hynna? Dwi'm hyd yn oed yn gwbod lle ma'r ffycin tŷ, Misdyr Murray. 'Sgusodwch fi am regi.'

'Ma pobol yn gwneud y pethau rhyfedda, y-hym, Felix. Credwch chi fi, tydi hyn ddim yn anghyffredin o bell ffordd.' Cymerodd Murray'r papur yn ôl a gosod sbectol ddarllen, oedd yn hongian ar gortyn lliwgar o gwmpas ei wddf, ar flaen ei drwyn main. 'Mae 'na rai amodau sydd angen eu dilyn.'

'O, dyma ni, ma'r gêm yn dechra rŵan. Ffaiyr awê.' Taflodd Felix ei fraich chwith allan yn ddramatig tuag at y twrnai.

'Eto, dim byd anghyffredin, Mis . . . y-hym. Fel rydych chi wedi sylwi, efallai, tydi'r tŷ ddim yn rhan o'ch etifeddiaeth. Dim ond ei gynnwys.'

'Olwen a Helen,' dywedodd Felix.

'Y-hym, mae'r ewyllys yn caniatáu mis i chi, fel perchennog y cynnwys, i wagio'r tŷ cyn y bydd perchnogion newydd yr eiddo yn derbyn cyfrifoldeb amdano.'

'Olwen a Helen,' mynnodd Felix eto.

'Os buasai modd i mi gael eich rhif mobail chi, Felix, os gwelwch yn dda? Bydd angen trefnu i chi gael mynediad i'r tŷ.' Agorodd y cyfreithiwr ei lyfr nodiadau Moleskine o'i flaen.

'Pwy sy 'di ca'l y tŷ, Misdyr Murray? 'N chwiorydd, Helen ac Olwen, ia?'

'Y-hym, ia Felix. Dwi wedi cael caniatâd eich chwaer Helen i gadarnhau, neu wadu, rhai cwestiynau. Bydd angen iddi hi gysylltu. Ga i'r rhif?'

'Geith hi afal yn'a fi'n y Penrhyn, Misdyr Murray.'

'Mae cael rhif ffôn symudol gymaint yn haws.' Roedd llifbin Waterman Jeremy Murray yn hofran yn ddisgwylgar uwchben y llyfr nodiadau.

'Does gynna i ddim mobail; dim mobail, dim rhif.'
Teimlodd Felix ei hun yn gwrido ryw ychydig.

'Wedi'i golli? Wedi'i ddwyn?'

'Wedi ddim cael ei brynu yn y lle cynta, Misdyr Murray. Dim yn bodoli, 'rioed wedi bodoli.'

Doedd hyn ddim yn fanwl gywir, gan i Felix daflu'i ffôn symudol diwethaf, yn flwydd oed, yn erbyn wal gefn y Penrhyn pan gafodd newyddion arbennig o ddrwg mewn tecst ym mis Ionawr 2005. Chafodd o mo'r awydd wedi hynny i gael un arall.

Ochneidiodd y cyfreithiwr yn araf a hir, gosod y llifbin yn nyffryn y llyfr nodiadau ac agor drôr ei ddesg. Estynnodd focs bychan a thynnu ffôn symudol Samsung pinc allan ohono'n ddi-lol. Pwysodd Murray fotymau'r peiriant i'w danio, yna cododd ei lifbin ac ysgrifennu yn ei lyfr bach du. 'Cymerwch hwn, Mistyr, y-hym, Felix, ma'n ddrwg genna i.'

Teimlai Felix yn llywath a phlentynnaidd wrth godi'r ffôn pinc a'i roi yn ei boced.

'Chewch chi ddim trafferth hefo hwnna, idiot prŵff, fel ma nhw'n ddweud.'

'O, diolch am hynna,' atebodd Felix.

'Ffigyr o' sbîtsh, Felix. Ffigyr o' sbîtsh.' Gwenodd Murray ar Felix gan gynnig y bocs iddo. 'Ond ma'r instrycshiyns yn y bocs, jyst rhag ofn.'

'Diolch eto, Misdyr Murray,' meddai Felix yn wawdlyd. Chwarddodd y ddau'n ysgafn.

'Bydd Helen, eich chwaer, yn trefnu i chi gael mynediad

i'r tŷ, a dyna fydd yn nodi cychwyn eich mis i wagio'r eiddo. Hapus hefo'r trefniadau, Felix?'

'Digon teg, siŵr o fod. Ddudodd o ddim byd arall? Jest hynna?'

'Bron i mi anghofio.'

'O.'

'Heddwyn. Mae cyfarwyddyd pendant yn yr ewyllys mai chi fydd yn derbyn cyfrifoldeb am Heddwyn. Feri sbysiffic.'

'Heddwyn? Pwy ta be ydi Heddwyn?' Edrychodd Felix yn syn ar y cyfreithiwr a chafodd y teimlad bod y dyn yn mwynhau'r elfen amwys yn ei ddatganiad.

'Schnauzer, Felix. Jaiynt Schnauzer, a bod yn fanwl gywir.'

Diflannodd gwddf Felix wrth i'w ysgwyddau godi. Crychodd ei dalcen. 'Be? Ci?'

'A hanner. Ci a hanner, Felix. Ac yn ôl eich chwaer, mae o'n gallu cymryd yn erbyn dyn yn ddigon hawdd.'

'Grêt!' dywedodd Felix. 'Dwi'n licio cŵn, cofia. Ond ci sy 'di ca'l 'i fagu gan Rhydian Felix?'

'Rhan o'r fargen, ma arna i ofn. Wrth edrych ar lythyr eich tad, ganwyd Heddwyn yn nwy fil a thri. Felly mae'r ci yn bump, chwech oed?'

'Dwi'n gwbod be 'di Schnauzer, ci bach du efo tash cŵl; ond be 'di Jaiynt Schnauzer, yn union?'

'Fersiwn ychydig bach yn . . . fwy, am wn i. Gewch chi wybod yn ddigon buan. Mae eich chwaer wedi gwneud amcangyfrif o werth yr ystad ac mae'r tŷ a'i gynnwys yn dod o dan y threshold treth, sy'n dri chan mil o bunnoedd. Felly, y newyddion da ydi, fydd arnach chi 'run geiniog i'r dyn treth.'

'Llyfra a llunia, dyna fydda i'n ffeindio.'

'Sori?'

'Dyna'r oll oedd Rhydian yn lecio. Llyfra, a cwpwl o Kyffins – os dwi'n lwcus.'

Rhwbiodd Murray gefn ei ben â chap ei lifbin. 'Rydach chi'n nabod eich tad yn reit dda, Felix, ond mae arna i ofn fy mod i wedi gwerthu ei gasgliad o luniau – wotyrcylys ac oiyls, yn cynnwys tri Kyffin – llynedd.'

'Blwyddyn dwytha?' gofynnodd Felix yn ddistaw, bron â bod dan ei wynt, gan ysgwyd ei ben.

'Pan wnaeth eich tad ffeindio allan am y canser.'

'O,' meddai Felix fel pe bai'n gallu dilyn y rhesymeg, a'i derbyn.

'I dalu am driniaeth breifat, efallai? 'Nath o ddim esbonio pam, dim wrtha i beth bynnag.'

'Faint ga'th o?'

'Gan y doctor? Dwi ddim yn gwybod.'

'Na, am y llunia, Misdyr Murray.' Teimlodd Felix ei fochau'n cochi rhyw fymryn wrth gyfaddef i'r dieithryn hwn nad oedd ganddo fawr o ddiddordeb yn ffawd ei dad.

'O, reit. Wel. Dwi'n adnabod pobol Bonhams yng Nghaer, ac mi gafodd o bris da os dwi'n cofio'n iawn. Gadewch i mi weld.' Agorodd Murray lyfr Moleskine arall maint A4, a dechrau troi tudalennau'n gyflym. 'Dyma ni . . . wedi comisiwn . . . Am wyth o luniau, derbyniodd eich tad siec am un cant saith deg ac wyth o filoedd o bunnoedd.'

'Wan sefyn eît grand?' Chwibanodd Felix yn hir a daeth darlun o Wile E. Coyote o Roadrunner i'w feddwl, yn disgyn yn hir i waelod ceunant ddofn dan bwysau bocs ac 'ACME' wedi'i sgwennu arno. Bwff!

'Swm sylweddol. Cafodd chwe deg un o filoedd am un Kyffin yn unig, *Welsh Black Bull with Farmer*. Mae'r rhan fwyaf o'r pres wedi'i wario, dybiwn i.'

'Pam dach chi deud hynna, Misdyr Myr . . .?'

'Inherityns tacs. Buasai raid i'ch chwaer fod wedi cymryd y swm yma i ystyriaeth os oedd Mistyr Felix, eich tad, wedi'i roi fel rhodd neu etifeddiaeth.'

'Bron i ddau gan mil? Pa fath o gansyr oedd o?'

'Bydd raid i chi holi'ch chwaer. Dwi ddim yn gwybod yr ateb, mae'n ddrwg gen i.'

Cododd Felix, gan deimlo'r rhyddhad ar ei ben-ôl esgyrnog. Cynigiodd ei law dde i Murray, 'Diolch, Misdyr Murray.'

Ysgydwodd yntau flaen ei fysedd yn llipa. 'Croeso, y-hym, Felix. Gobeithio bydd popeth yn mynd yn esmwyth gyda'r clirio. Ffoniwch i drefnu apwyntiad os byddwch chi angen unrhyw beth.'

'Siŵr o neud,' meddai Felix gan wybod ei fod yn dweud celwydd. Roedd ganddo ffrind, y bersawrus a'r hunanfeddiannol Alys Campbell, oedd yn gyfreithwraig ym Mangor. Ac mae hi'n ysgwyd llaw fel dyn go iawn, meddyliodd Felix.

Distrăhit ănĭmum librōrum multitūdo
Mae llu o lyfrau'n tynnu sylw'r meddwl

CODODD FELIX y pot blodau'n ofalus ar ongl. Roedd Helen wedi sôn ei fod o'n wag ond doedd hynny ddim yn gywir. Roedd y potyn yn llawn pridd, a thyfai perlysieuyn annymunol – un melyn, coesiog – ynddo, gan ymestyn i gyfeiriad haul y prynhawn. Persli, tybiodd Felix. Doedd Rhydian Felix yn fawr o arddwr yn amlwg. Gafaelodd yn y goriad Yale a chodi o'i gwrcwd. Syllodd ar y clo pres a symud y goriad yn araf am ei darged. Caeodd Oswyn Felix un llygad yn dynn gan achosi i ochr ei wefus godi'n wên anystwyth, annaturiol. Tynnodd anadl ddofn a llenwodd ei ysgyfaint cyn troi'r goriad yn y clo. Agorodd drws ffrynt Cefni'n llydan o'r chwith i'r dde ac edrychodd Felix yn syth i mewn i'r stafell fyw. Roedd hi'n olygfa ryfedd o gyfarwydd, o feddwl mai dyma'r tro cyntaf erioed iddo'i gweld. Llifodd atgofion dryslyd o'i blentyndod a'i fachgendod yn ôl ato'n syth. Roedd soffa fawr yn wynebu'r agoriad yng nghefn yr ystafell ac arni gorweddai anifail anferth, du. Llenwai'r dodrefnyn cyfan, ond ymatebodd yn syth wedi i Felix agor y drws. Cododd ei goesau blaen a'u sythu fel dwy ffon i godi ar ei eistedd. Syllodd ar y gwagle gwyn lle safai Oswyn Felix, ei glustiau'n codi'n drionglau du. Dechreuodd Heddwyn ysgyrnygu o'r tu ôl i'w fwstás helaeth, rhodresgar. Roedd ei lygaid ynghudd mewn ogofâu dwfn a thywyll, ac arnynt fantell o aeliau 'run fath â gwair hir, wedi glaw, dros dyllau cwningod – ond eu bod nhw'n ddu bitsh.

Camodd Felix i'r tŷ a chau'r drws ar ei ôl. 'Helo Heddwyn, sut mae'n hongian, bydi?' holodd yn ysgafn.

Symudodd yn hamddenol tuag at y bwystfil o gi, ei fraich chwith allan ar ongl o bedwar deg pum gradd, a'i law yn llipa. Trodd Heddwyn ei ben i'r ochr wrth glywed ei enw a gwnaeth ei glust dde ryw chwarter tro.

'Os ti'n mynd i 'mrathu fi, g'na hynny'n reit handi a ga i fynd adra 'nôl i Fangor 'li.' Eisteddodd Felix wrth ochr y ci ar y soffa, wyneb yn wyneb, ei law dan drwyn gwlyb y Schnauzer. 'Cwpwl o stitshys gan y nyrs siapus 'ma dwi'n digwydd 'i nabod a 'nôl i'r Penrhyn am last ordyrs. Noc iorselff awt, Heddwyn bach.' Ond roedd y ci wedi stopio chwyrnu. Eisteddai'n gwbl llonydd a syllu ar y dieithryn wrth ei ochr. Penderfynodd Felix roi ei law chwith ar ei lin, yn gwmni i'r llaw dde. Edrychodd o gwmpas yr ystafell.

Yn ôl arfer Rhydian, fel y cofiai Felix, roedd yr ystafell fyw wedi'i gormesu gan lyfrau. Roedd y silffoedd a phob arwyneb wedi'u llenwi â chyfrolau o bob math – nofelau, clawr caled yn bennaf. Eisteddai teledu bychan 'run maint a siâp â meicrodon ar fwrdd o dan y ffenest, hanner y sgrin wedi'i chuddio gan bentwr o hunangofiannau'r

Ail Ryfel Byd o waith Churchill. Roedd y bwrdd coffi isel wrth ymyl y soffa wedi'i orchuddio â bwndeli twt o gylchgronau a llyfrau am gelf, ffotograffiaeth a phensaernïaeth. Helen wedi bod yn tacluso, meddyliodd Felix. Safai darn pum modfedd sgwâr o bren, gyda sgiwer yn golofn yn ei ganol, hefyd ar y bwrdd. Roedd nifer o ddarnau o bapur wedi'u brathu drwy'i ben saeth di-fin. Gwelodd Felix mai papurau betio un o'r cwmnïau bwci mawr oedden nhw.

Pentwr go lew, pryd 'nest ti adio gamblo at dy restr hir o ffaeledda, Rhydian? meddyliodd Felix. Edrychodd ar y llosgwr coed Villager du yn yr aelwyd agored; roedd un o'r ddwy ffenest wydr ar goll, ei do onglog yn dechrau rhydu. Sylwodd fod peipiau gwres canolog copor yn sgleinio ar wyneb y waliau cerrig trwchus. Newydd gael gwres canolog, ac wedi stopio iwshio'r lle tân, meddyliodd. Gwelodd gysgod llun ar y wal yn un o'r ychydig fylchau lle nad oedd silff lyfrau. Sgwâr gwyn gydag ymyl ychydig yn dywyllach, lle yr arferai llun hongian. Cafodd Felix ei atgoffa am y ffortiwn a dderbyniodd ei dad am y lluniau. Bron i gant wyth deg o filoedd o bunnoedd. Cant wyth deg . . .

'Wyn hyndryd an êiti' dywedodd gan ddynwared tôn llais y sgôr-floeddiwr dartiau, ond heb ddim o'r angerdd.

Daliodd Heddwyn ei ben ar ongl eto wrth wrando ar y dieithryn ar ei soffa. Casglodd deigryn, yn ddirgelwch llwyr, yn ymyl llygad dde Felix gan ddisgyn yn unig, fel

hunanladdwr dros ddibyn, i lawr ei foch. Ysgydwodd
Felix ei ben yn gyflym gan guchio. 'Be uffar oedd hynna,
Heddwyn? E? Llwch yn y tŷ 'ma, ella. Dyna ti'n ddeud?'
Plygai pen y Schnauzer anferth bob sut wrth geisio dilyn
sgwrs Felix. 'Ti'n dallt dipyn o Gymraeg, dwi'm yn ama,
yn dwyt Heddwyn bach?' Ar hyn dyma'r ci yn hanner
cyfarth, yn newid ei feddwl ar ôl cychwyn efallai. Nid
oedd ei anadl yn bersawrus. 'Ocê, ocê, Heddwyn mawr,
be am hynna?' Edrychodd y ddau ar ei gilydd am amser
hir fel dau ddelw, neu ffotograff. Teimlodd Felix ei hun
yn ymlacio yng nghwmni'r anifail. 'Dwi'n mynd i weld
os oes 'na bîyr yn y ffrij. Tisho rwbath?' Sylwodd Felix
fod pen Heddwyn yn bywiogi, yn arbennig wrth iddo
ddweud tisho. Hwnna 'di'r gair, meddyliodd. 'Tisho,
Heddwyn?' gofynnodd yn ddisynnwyr. Neidiodd y ci oddi
ar y soffa gan syllu ar ei ymwelydd, a'r hanner cyfarthiad
unwaith eto yn bradychu'i ddelwedd dawel, sylwgar.

'Wrth gwrs bod chdi isho. Be tisho? Bwyd?'

'Wwyff!' atebodd Heddwyn ar ei union.

'Tydi'n chwaer i ddim yn dy fwydo di, dwad?' Cododd
Felix oddi ar y soffa a chynffon fer Heddwyn yn ysgwyd
fel bys athro blin. 'Awn ni i weld be sydd yn y gegin
'ma.' Dilynodd Felix synau cyfarwydd yr oergell a'r ffan
sugno aer o tu ôl i'r soffa gan gerdded i lawr coridor byr
a silffoedd llawn llyfrau ar y ddwy wal. Roedd ei reddf
yn gywir; yng nghefn Cefni roedd cegin fodern foethus
gyda dwy ffenest yn edrych allan dros ardd aeddfed a
thaclus, ar yr olwg gyntaf, o leiaf. Roedd yr ystafell yn

amlwg yn estyniad eithaf diweddar ar yr hen fwthyn, dim mwy na deng mlwydd oed tybiodd Felix, a'r to fflat gyda dwy ffenest gwydr dwbwl ynddo'n rhoi golygfa o'r cymylau gwynion yn crwydro'r awyr las. Ychwanegai'r topiau marmor tywyll elfen o foethusrwydd anghyffredin mewn bwthyn bach cefn gwlad. Tipical Rhydian Felix, meddyliodd Oswyn. Roedd oergell Smeg lliw gwaed coch wrth y drws cefn, ond tynnwyd ei sylw gan ddarn o bapur ar y cownter marmor. Roedd neges gan ei chwaer arno.

Oswyn

Mae pizza yn y freezer. Fydd raid i chdi ddefnyddio'r popty – tydi'r microwave ddim yn gweithio am ryw reswm!

Tydi'r ci ddim wedi bod yn bwyta llawer ers i Dad fynd. Mae'i fwyd o wrth ochor y sinc, tri llond cwpan, un pryd yn y bore a'r llall tua 6.

Helen

'Pob hwyl i chditha hefyd, Helen,' dywedodd Felix.

Wedi troi, gwelodd Heddwyn wrth agoriad llydan y gegin yn syllu arno. 'Reit ta bŷd, tisho bwyd?' Gwelodd Felix fod bowlenni'r ci wrth ymyl y cwpwrdd ger y sinc ac mewn chwinciad roedd Heddwyn yno'n syllu i wacter gwyn ei bowlen fwyd seramig. Rhoddodd Felix dair cwpanaid o'r bwyd sych yn y bowlen wrth i Heddwyn oruchwylio'n amyneddgar. Am y tro cyntaf, rhoddodd

Felix fwythau i'w ben fflat ac edrychai Heddwyn fel pe bai'n falch o'u derbyn.

'Ffrindia?' gofynnodd Felix. Dechreuodd Heddwyn larpio'i swper. 'Os ti off dy fwyd, fyswn i ddim yn licio cyfarfod chdi pan ti ar lwgu, Heddwyn bach, sori, mawr.'

Agorodd ddrws yr oergell, dim cwrw. Grêt. Un potel o lefrith, potel o ddŵr ffynnon a photel o Sauvignon Blanc Villa Maria o Seland Newydd. Stwff go lew, meddyliodd Felix, ail go dda i botel o gwrw oer. Agorodd y botel cap sgriw, a chan afael yn dynn yn ei gwddf llaith cymerodd lymaid ddofn ohoni, yr hylif yn oeri'i geg ac yna'n disgyn yn gyffur llesmeiriol, rhynllyd i lawr ei gorn gwddf ac i'w stumog wag.

'Www,' meddai, 'jyst y peth.'

Agorodd y rhewgell yn nhop yr oergell ac estyn y *pizza*. Pepperoni. Nid dyna beth fuasai Felix yn ei ddewis, ond, digon derbyniol. Taniodd y nwy yn y popty wrth ddarllen y cyfarwyddiadau ar gefn y bocs. Aeth trwy gwpwl o gypyrddau gan dynnu plât allan o un a gwydryn gwin crisial, drud yr olwg, o un arall. Llenwodd y gwydryn yn agos i'w frig a rhoi'r *pizza* yn y popty. Cerddodd yn ôl am yr ystafell fyw. Erbyn hyn, roedd Heddwyn wedi darfod ei swper ac wedi dechrau hel dŵr i'w geg yn swnllyd â'i dafod pinc hir o bowlen arall.

''Nest ti injoio hwnna, Heddwyn? Hogyn da,' meddai wrth basio. Syllodd y ci arno gan ddiferu dŵr ar y teils lliw hufen.

Edrychodd Felix ar y llyfrau ar y silffoedd wrth

ddilyn y coridor byr yn ôl am yr ystafell fyw. Roedd yn gyfarwydd â'r rhan fwyaf o'r awduron – chwaeth ei dad yn amlwg. Roedd rhywun yn cael argraff dda o gymeriad dyn wrth edrych ar ei lyfrgell.

'Pwy s'gynnon ni?' sibrydodd Felix. Dostoevsky, Conrad, Melville, Vonnegut, Henry Miller, Hemingway – Hemingway, wrth gwrs, meddyliodd Felix, pob gair sgwennodd o, siŵr o fod. Bukowski. Ddy iwsial, syspects, meddyliodd Oswyn. Cormac McCarthy – rŵan ta, meddyliodd, dwi'n lecio McCarthy'n iawn. *Blood Meridian*, clasic.

Estynnodd y llyfr trwchus oddi ar y silff, ei siaced yn goch fel eiliadau olau'r machlud. Yn wir, is-deitl y llyfr oedd *The Evening Redness in the West*. Agorodd y gyfrol, argraffiad cyntaf 1985. Roedd y llyfr fel newydd. Roedd copi clawr meddal Felix, 'nôl ym Mangor, yn agor allan yn llac fel mop gan ei fod o wedi'i fyseddu cymaint. Gwenodd Oswyn Felix mwyaf sydyn wrth sylweddoli mai fo, bellach, oedd yn berchen ar lyfrgell Rhydian Felix, yn cynnwys y gyfrol arbennig oedd yn ei law. Agorodd y llyfr eto ac edrych ar y dudalen deitl lle roedd sglefriad o lofnod. Mwy fel awgrym o enw'r awdur. Copi wedi'i lofnodi.

'Ma petha'n gwella bob munud yma,' sibrydodd.

Rhwbiodd Heddwyn yn erbyn ei ben-ôl wrth basio ac aeth y ci i orwedd gan ymestyn yn flinedig, ar y rỳg Indiaidd. Tynnodd Felix *The Old Man and the Sea* allan, roedd hi wedi'i gwasgu'n dynn rhwng dwy gyfrol arall gan Hemingway. Siaced lwch, 1952 ac argraffiad cyntaf. Roedd gorchudd o blastig clir yn arbed cloriau rhan fwyaf o'r llyfrau. Chwifiodd ei law ar antur ar hyd y silff, heb edrych am enw awdur, a glaniodd ar *The Winter of Our Discontent*, Steinbeck. 1961 – argraffiad cyntaf o America ar Viking. Dyma slaes ormodol y J ac yna ohn Steinbeck. Blydi hel, meddyliodd. Roedd ei ddwylo wedi dechrau crynu, dim llawer, ond roedd tudalennau agored y gyfrol yn ysgwyd yn amlwg yn ei ddwylo. Gosododd y Steinbeck yn ôl rhwng *Cannery Row* a *Tortilla Flat*, y naill a'r llall wedi'u cadw yn y plastig arbennig. Cofiodd Felix am y mwynhad a gafodd o ddarllen *Tortilla Flat* yn ei arddegau, a'r Mecsicans meddw hynaws ynddo'n malio dim am weithio nac am eiddo. Alcoholics trist oedden nhw mewn gwirionedd, ond bod Steinbeck yn eu portreadu fel athronwyr a beirdd.

Cymerodd gam yn ôl ac amcangyfri'r nifer o lyfrau oedd yn y coridor. Pum silff, pob un yn chwe troedfedd o hyd. Rhyw bedwar deg o lyfrau ymhob rhes. Dau gant o lyfrau.

Trodd yn ei unfan. Roedd y silffoedd gyferbyn yr un fath yn union. Llyfrau mwy modern, mwy Prydeinig, efallai. Amis, y tad a'r mab. Barnes, McEwan, Rushdie a Graham Swift – a rhai eraill nad oedd Oswyn yn gyfarwydd â hwy.

Gwnaeth swm sydyn yn ei ben. Dyweder fod pob un ar silff yr Iancs a gweddill y byd werth can punt, a rhai'n werth llawer iawn mwy. Ond can punt, dyweder. Faint 'di hynna? Dwy fil o bunnoedd?

Na, Felix. Twenti ffycin grand!

Twenti.

Ugain mil o bunnoedd, minimym. Haleliwia.

Dechreuodd Felix chwerthin yn hysterical a chododd Heddwyn ei ben i gyfarth ei hanner cyfarthiad cyfarwydd.

Ocê, meddyliodd Felix. Hanner cymaint – naci, chwarter cymaint – am y Brits. Pum mil arall.

'Hei, Heddwyn. Ti'n gwbod ar be dwi'n edrych yn fama?' Trodd y ci ei ben mawr du ar ongl a chodi un o'i glustiau'n gopa serth. 'Pỳb ri-ffyrb. Pum mil ar hugian o bỳb renoféshions, dyna be.' Teimlai fel Philistiad yn rhoi gwerth ariannol ar y campweithiau o'i flaen, ond dim ond Heddwyn oedd yn dyst i'w ystyriaethau cwrs.

Rhoddodd glec i'w win ac aeth at yr oergell i ail-lenwi'i wydryn. Cerddodd drwy'r coridor – y *coridor aur*, meddyliodd – a thrwy'r stafell fyw. Heibio drws ffrynt y tŷ roedd agoriad arall, ei ddrws pren yn agored led y pen. Swyddfa Rhydian Felix. Yno roedd desg a chyfrifiadur, papurau a phrintar anferth. Y tu ôl i ddrws yr ystafell, gwelai risiau troellog haearn yn ymestyn am y llofft. Wrth ymyl agoriad arall ym mhen draw'r stafell safai gwely sengl â blancedi a gobennydd arno. Rhoddodd ei ben drwy'r drws pellaf a gweld stafell 'molchi gyda chawod a thoiled ynddi. Glân. Tapiau a chawod fodern. Gwaith teilsio proffesiynol a chwaethus.

Gadawodd ei wydryn gwin ar y ddesg a dringo i fyny'r

grisiau serth. Tybiai fod Rhydian wedi'i orfodi, oherwydd ei salwch, i symud ei fywyd yn llwyr i lawr isaf y tŷ. Nid oedd fawr ddim i'w weld yn y llofftydd. Gwely dwbwl mewn un stafell, gyda wardrob fechan Edwardaidd, a dim ond cwpwrdd dillad a chist ddillad fodern gyfatebol yn yr ail stafell. Dim gwely. Roedd stafell 'molchi, gyda bath bychan, sinc a thoiled – ynghlwm wrth y stafell lle roedd y gwely.

Edrychodd Felix ar y fatres noeth. Fy nghartref am y noson, meddyliodd.

Clywodd sŵn bŵm bas fel magnel yn tanio. Rhywle i lawr y grisiau cyfarthodd Heddwyn ddwywaith. Deuai'r twrw o'r tu allan, o ran flaen y tŷ. Edrychodd Felix allan o ffenest y llofft, ond doedd neb o gwmpas a doedd dim byd anghyffredin i'w weld. Wrth iddo agor hanner uchaf y ffenest gwydr dwbl, daeth ergyd arall. Teimlai'n bur sicr eu bod yn dod o ochr y tŷ, o gyfeiriad yr hen eglwys efallai? Gwyrodd allan o'r ffenest gan edrych ar ochr yr eglwys.

BŴM.

Caeodd Oswyn y ffenest a mynd i lawr y grisiau'n ofalus a chyflym. Edrychodd Heddwyn arno, pan aeth heibio iddo, a sefyll yn ddisgwylgar wrth y drws ffrynt. 'Be 'di'r twrw 'na, Heddwyn?' sibrydodd wrth y ci mewn ymgais i'w gynhyrfu dipyn. Agorodd Felix ddrws ffrynt Cefni ac aeth y Schnauzer anferth allan yn syth gan gyfarth yn egnïol a swnllyd. Dilynodd Felix, ei law fel cap pig yn cysgodi ei lygaid rhag golau llachar yr haul isel.

BŴM.

Unwaith eto, deuai'r sŵn yn ddigamsyniol o gyfeiriad porth yr eglwys.

Aeth Felix at y wal gerrig bedair troedfedd o uchder oedd yn gwahanu'r ddau eiddo gan weiddi'n uchel 'Hei!' Doedd neb arall wedi dod allan o'u tai. Ella fod neb wedi clywed, meddyliodd Oswyn, neu ella fod neb adra.

BŴM.

'Hei, helo, pwy sy 'na?' gofynnodd Felix eto. Gwelodd wyneb am amrantiad yn sbecian o borth yr eglwys. Hogyn ifanc. 'Pwy bynnag sy 'na, dwi 'di gweld chdi.'

Neidiodd y llanc i'r golwg, ei gorff tal yn heglog fel ebol blwydd. 'So,' meddai'r bachgen. 'Gynno fi hawl.'

'Be ti'n neud?'

Pwniodd y llanc flaen ei drwyn â'i fys bawd, 'Meindia hwn.'

'Meindia di dy fanyrs, y diawl bach. Be ti'n neud? Torri fewn?'

'Ma'r lle'n wag. Ffyc otsh gyn neb am y lle 'ma.'

'Tasat ti'n mynd o gwmpas dy fusnas yn ddistaw, fysa ddiawl o ots gynno fi chwaith. Ond blaen troed ar ddrws ffrynt, mewn portsh mawr? Ti'n gwbod pa mor swnllyd ydi hynna yn fama?'

'Jyst dos 'nôl i dy dŷ, hen ddyn,' dywedodd yr hogyn gan dynnu cyllell gegin. Roedd ei llafn arian dair modfedd yn adlewyrchu pelydrau'r haul diwedd dydd. 'Ma *Pobol y Cwm* yn cychwyn i chdi cyn bo hir.'

'Gwranda'r cwdyn bach, os ti'n mynd i dynnu

cyllall allan pan dwi o gwmpas dwi'n gobeithio 'na'r peth nesa ti'n neud ydi tynnu afal o dy bocad a dechra plicio.'

Ar hyn trodd y bachgen i'r ochr a phwyntio blaen y gyllell tuag at Felix; cododd ei fraich chwith uwch ei ben y tu ôl i'w gefn, gan ddynwared un o'r tri Musketeer, tybiodd Felix. Collodd Oswyn Felix ei dymer yn syth a dechrau pawennu top y wal yn fyrbwyll. 'Reit!' meddai, ond nid oedd y wal wedi'i chodi i ddringo drosti. Dechreuodd ddymchwel yn syth a glaniodd un garreg swmpus yn boenus ar flaen troed esgid Nike Felix. Dyma'r hogyn yn chwerthin yn uchel a neidio yn ei unfan fel cellweiriwr o'r canol oesoedd. 'Paid â symud, diawl bach.' Neidiodd Felix dros y ffens bren wrth flaen Cefni a llamodd yr ychydig gamau at giât fawr gaeedig yr eglwys. Gwelodd yr hogyn, drwy fariau haearn rhydlyd y giât, yn diflannu heibio'r porth ac o amgylch ochr dde'r eglwys. Gafaelodd Felix yn y giât, cyn daled ag yntau, a sylwi'n syth ei bod wedi rhydu'n solad i'w cholynnau. Pwyllodd am eiliad, wrth edrych eto drwy'r bariau, a dechreuodd chwerthin. Daeth y clochdar, a'r wên ar ei wyneb, â rhyddhad sydyn o'i dymer. Teimlodd gynnwrf difrifol yn ei frest ac ysgydwodd ei ben.

'Ma dy dymer di'n mynd i roi chdi'n jêl un o'r diwrnoda 'ma, Felix,' sibrydodd wrtho'i hun gan gofnodi symboliaeth y bariau. Sylwodd hefyd fod ei droed dde wedi mynd o flaen ei feddyliau ac yn barod wedi darganfod gafael i fedru dringo'r giât. Daeth yn ymwybodol fod Heddwyn yn cyfarth, â bwlch cyson o ddwy eiliad rhyngddynt, yn benderfynol o gael lleisio'i farn. 'Olreit Heddwyn, olreit.'

Stopiodd y cyfarth.

Aeth Felix at ei ffrind newydd du a blewog gan gau'r llidiart bren ar ei ôl. Rhoddodd fwythau i'w ganol. 'Ty'd,' meddai gan gerdded am gefn Cefni, dilynodd Heddwyn ef, ac yna'i oddiweddyd, heb frysio. Roedd fel pe bai'n awyddus i ddangos y ffordd. Yng nghefn y tŷ roedd perllan afalau a choed aeddfed, bob ochr i lawnt hir a chul. Nid oedd y gwair wedi gweld y peiriant torri ers rhai wythnosau tybiai Felix, a gwelodd ambell i batshyn tywyll ble roedd Heddwyn wedi bod yn gwneud ei fusnes. Neis, meddyliodd, fi sy pia rheina hefyd, rŵan, siŵr o fod.

Aeth yn ofalus ar flaenau'i draed i lawr canol y lawnt yn dilyn Heddwyn. Cymerai'r lawnt hanner tro i'r chwith wedi ugain llath a gwelodd Felix y wal gefn frics ddeg llath o'i flaen. Cerddodd yn nes at y wal a gweld dôr bren ddu yn ei chanol, roedd y wal yn saith troedfedd o uchder yn hawdd. Cyfarthodd Heddwyn ei hanner cyfarthiad arferol ac edrychodd Felix arno yn syllu ar dop y wal i'r chwith o'r ddôr. Daeth dwy law i gydio yn y cap concrid hanner crwn ar dop y wal frics, a dyma Felix yn cyrraedd, ac yn agor y ddôr fel yr ymddangosodd y bachgen, un goes bob ochr, ar dop y wal. Edrychodd Felix arno o'r tu allan i'r eiddo ar y wal a oedd hanner troedfedd, step arall i lawr, yn uwch nag yn yr ardd.

Gwelodd fod y tir yn disgyn yn eithaf serth i lawr at afon fas a llydan ac yn codi drachefn yn goedwig drwchus, llawn drain ac eithin yr ochr draw. Roedd wal arall, gyda pholion a ffens arni, yn arwain yn gyfochrog â ffin chwith yr ardd, i lawr am yr afon. Rhedai tair weiran bigog wedyn ar hyd ei thop i ddarbwyllo tresmaswyr rhag mentro. Mewn geiriau eraill, meddyliodd Felix, mae D'Artagnan yn fama wedi rhedeg i mewn i *cul de sac.*

'Ti'n stỳc rŵan,' dywedodd Felix yn bryfoclyd. 'Be ti'n mynd i neud?'

Edrychodd y llanc o'i gwmpas ar y dewisiadau. Felix o'i flaen, Heddwyn yr ochr arall i'r wal a choeden bîn drwchus y tu ôl iddo. 'Meindia dy . . .'

'. . . Fusnas. Ia, ia dwi'n gwbod. Be 'di dy enw di?

'Neville. Be 'di o i chdi?'

'Be 'di dy oed di, Neville?' Neville! meddyliodd Felix, cradur druan. Roedd o'n gwybod am dreialon cael magwraeth gydag enw anffasiynol.

'Ffortîn.'

'Ti'n lwmp mawr am ffortîn,' meddai Felix gan edrych ar y llanc yn eistedd yn grwn fel Humpty Dumpty, ei goes chwith eiddil yn hongian fel rhaff dros y wal.

'Ti'n lwmp hyll am ffiffti hefyd. A ma dy gi di'n ffrîc.'

Digon teg, meddyliodd Felix, heblaw am yr hanner cant, ond 'na i adal i hynna fynd. 'Lle ma dy gyllall di, Neville?'

'Yn 'y mhocad i.'

'Tyn hi allan cyn dod i lawr, ia? Tafla hi yn fama, 'li,' dywedodd gan bwyntio at y glaswellt wrth ei ochr.

'Be? I chdi ga'l molestio fi? Now wei.'

Rhoddodd Neville ei law ym mhoced ei drywsus polyester llwyd. Hen drywsus ysgol, tybiodd Felix.

'Neville, Neville, Neville. 'Sgyn ti ddim byd dwi isho, mêt. Ti'r secs rong, ti'r oed rong, ti'n rhy dew ac yn rhy dena 'run pryd. A fel tasa hynna ddim yn ddigon, ti'n hymian fel twlc mochyn.'

Disgynnodd y gyllell ar y gwair wrth draed Felix. Cododd yntau hi, roedd angen ei hogi, aeth i mewn i ardd gefn Cefni gan gau'r ddôr. 'Yli,' dywedodd gan ddangos y gyllell i Neville. Taflodd hi, llafn yn gyntaf, i drywanu'r lawnt lle safai'n syth fel carreg fedd. 'Dwi, a Heddwyn yn fama,' pwyntiodd at y ci oedd yn sefyll, heb symud, yn syllu ar y bachgen, 'am fynd 'nôl am y tŷ a gei di ddod i lawr ochor yma, nôl dy sôrd yn fama a gadal pan ti'n barod. Ocê?'

'Ffycin tric 'di o,' meddai Neville.

'Gwranda. Neville . . . gad fi gesio, ma dy dad yn Efyrtyn ffan?'

'Do's gynna i ddim tad. Mam oedd yn ffan o apîsmynt, i chdi ga'l gwbod, ffycwad.'

Mawredd, ma'r gwas 'di bod yn gweithio ar honna, meddyliodd Felix gan sylwi wrth chwerthin iddo'i hun nad oedd ei gwestiwn yn un gwreiddiol. 'Ma genna i bitsa yn y popty a dwi ar lwgu. Rho lonydd i ddrws yr eglwys 'na a gei di ddim byd ond llonydd gynna i, iawn?'

Cododd ei law a'i chwifio unwaith tuag at Neville cyn troi a cherdded am y tŷ, yn fwy gofalus fyth yn yr hanner gwyll. Dilynodd Heddwyn heb wahoddiad gan syllu'n chwilfrydig i mewn i'r coed oedd bob ochr wrth fynd.

Gafaelodd Oswyn yn ffrâm goncrid drws ffrynt Cefni ac archwilio sodlau'i Nikes – rhag ofn – pan ymddangosodd Neville, ei lygaid yn holltau drwgdybus. Roedd y bachgen ar fin neidio'r ffens bren ddu pan ddywedodd Felix, 'Giât.'

Stopiodd Neville ar ganol ei symudiad a sythu'i ysgwyddau i gyfeiriad Felix.

'Dwi'm isho chdi impeilio dy hun wrth ddringo dros ffensys. Cau hi ar dy ôl. O, a tria peidio stabio neb ar dy ffordd adra, 'nei di?'

Ar hyn, â sodlau tamp ei draed yn glir o unrhyw faw'r ci mawr, aeth Oswyn Felix i'r tŷ a chau'r drws.

Rai eiliadau'n ddiweddarach, ei wydryn gwin yn ôl yn ei feddiant, clywodd Felix, 'Hei, taid.' Neville, o ochr arall y stryd. Agorodd Felix y drws ffrynt. 'Iô'r ded!' bloeddiodd y llanc, y gyllell unwaith eto wedi'i phwyntio tuag ato. Ysgydwodd Oswyn ei ben ac aeth i gau'r giât fach bren.

Aeth i mewn i'r tŷ a chau'r drws eto. Byddaf, ryw ddiwrnod, meddyliodd yn dywyll.

Non enim potest quæstus consistĕre, si eum sumptus supĕrat

Ni all elw fod, os yw'r gwariant yn fwy nag ef

EISTEDDAI FELIX ar y soffa yn bwyta hanner y *pizza* oddi ar blât mawr. Roedd y teledu ymlaen, a chyfrolau Churchill wedi'u disodli ar y llawr o'i flaen. *Pobol y Cwm*. Roedd Felix wedi chwerthin iddo'i hun pan ymddangosodd y rhaglen ar y sgrin wrth gynnau'r bocs. Nid oedd y sain ymlaen. Eisteddai Heddwyn o'i flaen yn glafoerio wrth ddilyn pob brathiad o'r *pizza* yn diflannu i geg Felix. Cafodd ei wobrwyo am ei amynedd gan grystyn pob un o'r trionglau, wedi i Oswyn weithio'i ffordd o big y *pizza* tuag ato. Cymerodd Heddwyn y bara ganddo mor oddefgar a thyner fel yr atgoffwyd Felix o offeiriad pabyddol yn perfformio gwasanaeth y Cymun.

Gyda'r ail ddarn o grwst cafodd ei hun yn dweud yn ei feddwl, ddy bodi of Craist, wrth gynnig y bara. Ti'n mynd ar dy ben i uffern, Oswyn Felix, meddyliodd yr anffyddiwr wedyn gan wenu. Gorffennodd y ddau y *pizza* a diffoddodd Felix y teledu. Doedd o ond wedi rhoi'r set ymlaen er mwyn gweld sut lun oedd i'w gael, ac efallai oherwydd ei arferiad amser bwyd 'nôl yn ei fflat uwchben y Penrhyn. Roedd o'n teimlo fel rhyw hen nain wrth feddwl am hyn. *Mae'r teledu yn gwmni iddi, tydi.* Tynnodd blwg y teledu allan o'r wal hefyd. Ban'd, dywedodd wrtho'i hun.

Yfodd yr ychydig win oedd yng ngwaelod ei wydryn ac edrych ar y ci mawr du yn gorwedd ar y rỳg o'i flaen. Roedd yn rhyfeddol pa mor gyfforddus y teimlai yn ei gwmni, fel pe baen nhw'n adnabod ei gilydd ers blynyddoedd. Ers i Shepp farw rai blynyddoedd ynghynt, doedd Felix ddim yn dda am gofnodi amser, roedd o wedi colli cwmni ci; ei ffydd yn ei ffrind – nid meistr, byth meistr – ei ymddiriedaeth a'i frwdfrydedd am fywyd, am yr eiliad hon. Efallai fod cŵn yn gallu synhwyro'r agwedd gariadus hon, pwy a ŵyr, meddyliodd. Ond roedd un peth yn sicr, roedd tymer ddrwg Oswyn bellach wedi diflannu, roedd o'n dechrau mwynhau ei noswaith. Aeth i'r gegin ac agor cwpwl o ddroriau, a darganfod y bagiau plastig. Estynnodd ddau ac aeth at y drws ffrynt lle roedd o wedi hongian ei siaced ysgafn ar fachyn ar y wal. Wrth stwffio'r bagiau i'w boced, dywedodd, 'Tisho mynd am dro, Heddwyn? Dangos fi rownd dy bentra?'

Neidiodd y cawr i'w draed a throi ei ben ar ongl ryfedd, fel pe bai'n methu credu'r hyn roedd newydd ei glywed.

'Lle ma dy lîd di?'

Cyfarthodd Heddwyn yn siarp nes achosi poen i glust Felix. Aeth Heddwyn heibio iddo a drwodd at swyddfa

Rhydian Felix. Syllodd y ci ar ddrôr ochr dde y ddesg oedd yn gyfochrog a'i ên. Agorodd Felix y drôr a gweld tennyn coch, byr a thrwchus yno.

'Hogyn da,' meddai gan roi mwythau i'r ci a bachu'r gliced ar ei goler, oedd bron o'r golwg yn ei gôt drwchus. Trodd y ddau am y drws ffrynt.

Roedd Felix yn falch o weld bod Heddwyn yn gwybod sut i fynd am dro ar dennyn. Dim tynnu gwyllt, dim symudiadau sydyn annisgwyl. Pen i fyny, camau cyson a phwrpasol, a dod i stop, pan deimlai'r awydd, yn raddol. Dim imyrjensi stops, meddyliodd Felix.

Roedd Dwylan yn nodweddiadol o bentrefi'r ardal wledig hon, nid yn annhebyg i Bantcyll lle magwyd Felix, gydag ardaloedd yn cyfuno, ac yn y canol roedd yna wastad gapel a'r strydoedd gwreiddiol hynaf. Strydoedd â bythynnod bychain, tai'r gweision fferm a'r chwarelwyr. Yna'r tai cyngor mwy modern a'r waliau wedi'u chwipio, wastad, â'r cerrig mân llwydaidd annymunol. Ar y cyrion wedyn, y tai ar wahân neu'n ddau gyda'i gilydd. Tai pobl pres y pentref ran amlaf, ond weithiau roedd tŷ, fel Cefni, â thai'r crach naill ochr iddynt. Tyddynnod fyddai'r rhain gan amlaf, yn cael eu llyncu gan y pentref wrth iddo ymestyn tuag allan. Yna wedyn roedd y ffermydd o bob maint, fel lloerennau o amgylch y pentref. Ambell ddyddyn, ambell fferm fynydd, a defaid yn pori'r caeau'n noeth i'r elfennau, heblaw am gysgod hen gloddiau cerrig a'u gwlân trwchus. Edrychai mynydd bychan Craig-y-lan dros y pentref, nid oedd yn ddim ond talcen blin tywyll yn erbyn yr awyr yng ngolau'r hanner lleuad lawn heno.

Gwyddai Heddwyn ei ffordd o gwmpas Dwylan, roedd pwrpas a phenderfyniad yn ei gerddediad. Ac roedd Felix yn gallu dweud fod Heddwyn fel yntau'n mwynhau ei hun yn iawn wrth droedio'r tarmac mewn cylch o gwmpas troed Craig-y-lan.

Wedi dychwelyd i Cefni daeth yr hen arferiad yn ôl iddo o archwilio traed y ci am unrhyw fudreddi ar ôl bod am dro yn y tywyllwch. Roedd Heddwyn fel petai wedi hen arfer â'r drefn hefyd. Agorodd Felix y drws, ac aeth Heddwyn yn syth am y gegin. Diod o ddŵr siŵr o fod, meddyliodd Felix. Aeth i'w gar ac agor y bŵt. Tynnodd fag lledr brown golau allan a sylwi fod rhywbeth rhyfedd ynglŷn ag ongl cist y car wrth iddo'i chau.

Be ddiawl, meddyliodd.

Roedd ochr dde y car yn gwyro am i lawr, fel pe bai wedi suddo ychydig i mewn i'r lôn. Edrychodd Felix ar y llawr, ar ochr dde'r car.

Y bastad bach.

Dau bynctiar. Y ddwy olwyn a'u canol metel yn cyffwrdd y llawr, heblaw am haenen denau o rwber. Edrychodd o'i gwmpas, ond doedd dim golwg o neb. Aeth i mewn i'r tŷ gan regi Neville dan ei wynt yr holl ffordd.

Roedd wedi rhoi clec i'r gwydriad olaf o'r Villa Maria cyn i'w ben stopio nofio mewn rhegfeydd gwyllt. Roedd Neville wedi cael ei alw'n bob enw dan haul – ac ambell un tu hwnt hefyd – cyn i Felix ddechrau chwerthin yn ddistaw bach. Ysgydwodd ei ben yn ysgafn. Neville, Neville.

Aeth drwodd o'r gegin a gweld Heddwyn ar y soffa yn gorwedd, ei ben ar y bag lledr brown.

'Dod ydw i, dwi'm yn mynd i 'nunlla.' Rhoddodd Felix fwythau iddo ar y darn hir du, o flaen ei drwyn hyd at ei lygaid, a chymerodd y bag oddi wrtho. 'Yli be s'gynna i yn fama.' Eisteddodd wrth ymyl y ci a gosod y bag rhwng ei draed ar lawr. Agorodd y zip. Ar dop y dillad, fel baban mewn crud, gorweddai potel o wisgi Bunnahabhain bum mlwydd ar hugain oed o Ynys Islay yn yr Alban.

'Cỳm tw papa.'

Gafaelodd Felix yn y botel a darllen y label, gwên falch ar ei wyneb. Roedd wedi prynu'r botel yn siop y distyllty ar Islay, pan aeth ar wyliau i'r Alban gyda'i gariad Mair, am ymhell dros gan punt, a hynny hyd yn oed gyda'r disgownt masnachol. Roeddynt wedi achub ar y cyfle i ddianc o Fangor am wythnos ar ddiwedd tymor y myfyrwyr ym mis Mehefin a'r Penrhyn wedi distewi, fel pe bai prohibishyn wedi'i gyhoeddi dros nos, meddai Mike Glas-ai. Dilyn eu trwynau wnaethon nhw, gan aros mewn gwestai bychan neu ambell i lety gwely a brecwast. Bwyta yn y tai bwyta gorau, nosweithiau yn ymlacio yn y tafarndai ar ôl bod yn cerdded cefn gwlad ac arfordiroedd bendigedig gogledd-orllewin yr Alban am oriau yn ystod y dydd. Amser da. Cafodd Felix ei hun hyd yn oed yn meddwl am ofyn i Mair ei briodi, ond fe ddaeth at ei goed cyn mentro ar y ffolineb hwnnw.

Diolch byth am hynna, meddyliodd Felix wrth dynnu'r top oddi ar wddf y Bunnahabhain. Doedd y gwyliau ddim wedi bod yn fêl i gyd, chwaith, a Mair yn bigiadau coch, brwnt yr olwg drosti wrth i'r gwybed brathog bondigrybwyll gael blas arni. Roedden nhw wedi gadael llonydd i Felix ac roedd hyn wedi gwneud iddo deimlo'n euog am beidio â rhannu yn y boen roedd Mair yn ei dioddef. Doedd y galwyni o hylif ymlid pryfed a brynwyd, hanner dwsin o wahanol fathau, yn fawr o werth chwaith er yr honiadau mawrion ar y bocsys.

Aroglodd Felix y corcyn a rhoi ei drwyn dros dop gwddf y botel wisgi. Tynnodd anadl ddofn drwy'i drwyn. 'O, ma hwn yn mynd i fod yn sbeshal,' meddai wrtho'i hun.

Stwffiodd y corcyn hanner ffordd i mewn i wddf y botel a'i gosod ar y bwrdd wrth ochr y pentwr o bapurau betio. Aeth drwodd i'r gegin i chwilio am wydryn addas ar gyfer y ddiod gostus. Sylwodd, am y tro cyntaf, ar fin sbwriel wrth ymyl yr adwy i'r *coridor aur*. Gwelodd ei fod yn dri chwarter llawn o ddarnau papur unffurf wedi'u crychu bob sut. Gwyddai Felix yn syth beth oedden nhw. Rhagor o gamblo aflwyddiannus. Tynnodd rai o'r darnau allan a'u hagor. Ffotocopi o'r slip gwreiddiol gan y bwci William Hill yng Nghaernarfon. Dyna'r drefn erbyn hyn mae'n rhaid, dyfalodd Felix – nad oedd wedi tywyllu drws siop fetio ers blynyddoedd – cyn i'w lygaid agor yn fawr.

Haydock Park
04.06.2008 18.40
Crazy Horsey 33–1
£500 win

'Rhydian Felix, ti'n tynnu 'nghoes i,' mwmialodd Oswyn, gan syllu'n anghrediniol ar y tamaid papur di-werth, ond drud i'w brynu, yn ei law. Tynnodd un arall allan ar hap. William Hill eto.

Ascot
11.07.2008 13.40
Mad Frankie Time 28–1
£425 win

Daeth rhyw sŵn griddfan i lenwi ceg Oswyn yn ddiwahoddiad. Tydi cant wyth deg o filoedd, hyd yn oed, ddim yn mynd i bara'n hir at y rêt yma, meddyliodd. Rhoddodd ei law am y trydydd tro i mewn i'r tombola trajic, fel y galwodd y bin, wrth chwilota yn ei waelod am slip arall.

Great Leighs
29.05.2008 16.30
Jewellers Request 33–1
£425 win

Craist Olmaiti, be ti'n neud? Be ti'n neud, y diawl gwirion? Dwi'm hyd yn oed 'di clywed am Great ffycin Leighs. Lle uffar ma Great Leighs?

Gwagiodd Felix y bin sbwriel ar y gadair freichiau wrth ochr y teledu, clywodd sŵn tincial wrth i ddwsin neu fwy o gregyn alwminiwm gwag dal canhwyllau bychain fyrlymu allan o waelod y bin ar ben y papurau. Rhoddodd y cregyn yn ôl a rhoi'r bin ar lawr. Anelodd unwaith eto am y gegin i nôl y gwydryn, yn dal i ochneidio'n ddiarwybod iddo'i hun.

Dwi angen drinc. Un ffycin mawr.

Awr yn ddiweddarach roedd Felix yn eistedd unwaith eto, wrth ymyl Heddwyn ar y soffa fawr. Ar y bwrdd wrth eu hymyl roedd cyfrifiannell, anarferol o fawr, a thu ôl i honno dri bwndel ar wahân o'r papurau betio. Roedd lled bys o wisgi yn y gwydryn crisial, a dau arall ym mol y tafarnwr. Cosodd Felix gefn clust y ci, ei feddwl ymhell. Syllodd ar y cyrtans glas tywyll caeedig o'i flaen fel pe bai'n gwylio ffilm yn rhedeg arnynt.

Pedwar deg dwy o filoedd o bunnoedd.

Pedwar DEG a dwy o FILOEDD o bunnoedd.

PEDWAR DEG DWY o FILOEDD o bunnoedd.

Edrychodd i lawr ar wyneb Heddwyn, ac yntau'n gorwedd, ei ên ar ei glun, yn edrych i fyny arno. Buasai Felix yn taeru bod ei ffrind newydd yn cydymdeimlo ag o. Crafodd ei ddannedd aur blaen ag ewinedd ei law chwith, a syllu unwaith eto i blygiadau tywyll y cyrtans. Pwysodd ymlaen ac edrych ar y cyfanswm du ar sgrin lwyd y gyfrifiannell.

Pedwar deg dwy o filoedd, saith cant wyth deg a

thair o bunnoedd, chwe deg tair o geiniogau. Nid bod tueddiadau cybyddlyd yn Felix, ond buasai'n flin pe bai archfarchnad yn anghofio rhoi'r disgownt cyhoeddedig, dweder chwe deg tri o geiniogau, iddo wrth fynd â'i siopa drwy'r til. Gwastraff arian. Byddai'n hapus i dalu am bryd o fwyd, neu rownd o ddrincs i'w ffrindiau, meddyliodd. Ond am wast o bres, Rhydian Felix, iw idiyt. Ysgydwodd ei ben am y canfed tro ers dechrau'r cyfrif, a daliwyd ei lygaid gan rywbeth yn y lle tân. Rhywbeth gwyn yng ngrât y Villager, drwy'i ffenest ddi-wydr.

Ochneidiodd.

Roedd yn amau y gwaethaf.

Cododd ac agor drws bach du y llosgwr coed, a hwnnw'n gwichian fel mochyn mewn lladd-dy. Rhagor o'r papurau bach gwyn bondigrybwyll wedi'u hanner llosgi ar fariau noeth y grât.

Distroi-ing ddy efidyns, ia Rhydian? Daeth cur i dalcen Oswyn a rhoddodd flaenau ei ddau fys bawd i orwedd yn oer, am eiliad, ar ymylon esgyrnog tyllau'i lygaid.

'Ocê, Felix. Anghofia am hyn,' meddai gan ysgwyd ei ben.

Gafaelodd yn ei wydryn a'r botel wisgi a mynd drwodd i'r swyddfa. Cododd y ffôn oddi ar ymyl y ddesg ac eistedd yn y gadair swyddfa ledr foethus. Arhosodd yno am rai eiliadau'n ceisio cofio rhif ffôn y Penrhyn, ei ben yn llawn o ffigurau. Yna deialodd y rhif, canodd y ffôn yn ei glust, ac atebwyd ei alwad.

'Helo, Penrhyn Arms?'

'Naci, gwd gès ddo,' meddai Felix. 'Landlord y Penrhyn sy 'ma.'

'Felix, nym nyts,' dywedodd Mags Weiwei, un o'i dri gweithiwr, a chymydog oedd yn byw ar draws y lôn, mewn llais blin smalio bach.

'Hai gorjys, ti'm on heno nad w't?' gofynnodd.

'Os ti'n meddwl ydw i ar fy mhiriyd – yndw. Os ti'n gofyn os ydw i'n gweithio – nadw. Jys' ca'l drinc dwi – ma Dyl yn syrfio.'

'Tw mytsh inffo, Mags, wei gormod.'

'Ella 'na dyna pam ma nhw'n galw fi'n Mags Weiwei?'

'Ha! Ti on fform heno, ti'm ar y slamyrs, nag w't?'

'Na, jyst fy iwshiwyl.'

'Wait Ryshyn. Y caffîn yn y ffycin Kahlúa 'di'r cylprit felly.'

'Wi-hî,' ffrwydrodd Mags i mewn i'r ffôn. 'Ti'n iawn allan yn y stics yn fanna, Felix?'

'Go lew, amball syrpréis,' dywedodd Felix. 'A, tipical o fi, dwi 'di manijio pisio off y local craimlord yn barod.'

'Pam 'di hynna ddim yn synnu fi?' gofynnodd Mags heb feddwl am holi'n bellach. ''Ma Dyl i chdi, lyf iw!'

'Lyf iw, tŵ,' atebodd Felix.

'Pryd ti'n mynd i brynu modrwy i fi ta?' gofynnodd Dyl Mawr. 'Neud o'n offishal.'

'Hei Dyl, ti'n brysur?' gofynnodd Felix gan anwybyddu'r tynnu coes.

'Stedi Edi.'

'Wbath werth 'i riportio?'

'Ti'n bôrd, dwyt? Bôrd allan o dy ben yn Pen Llŷn.'

'Dim cweit.'

'Pam ti'n ffonio ta?'

'Tydi Dwylan ddim cweit ym Mhen Llŷn. Ond ti'n iawn am y bôrd shitlys bit.' Doedd hyn ddim yn wir, angen tynnu'i sylw oddi ar anturiaethau Rhydian oedd Felix.

'Ti angen ffonio'r Llyn. 'Nest ti ddim gadal rhif ffôn chdi'n fanna, so nes i ddeud fyswn i'n ca'l chdi i ffonio fo os fysa chdi'n galw.'

''Nath o sôn am be?'

'Na, ond oedd o mewn uffar o fŵd da. Rhywun hefo fo, dwi'n meddwl.'

'Of ddy ffêryr secs?'

'Dwi'm yn meddwl mai'r Rait Refyrynd Ian Paisley oedd yn giglo yn y cefndir ac yn rhoi pep yn 'i lais o.'

'Diddorol,' meddai Felix.

'Dim felly,' dywedodd Dyl. 'Be wyt ti, hen ferch?'

'Llundain, Caerdydd, 'ta ar 'i fobail oedd o?'

'Mobail ddudodd o i chdi ffonio. Sut ma'r inherityns yn shapio?'

'Swings and rowndabowts, Dyl. Swings and rowndabywts. 'Na'i siarad efo chdi fory 'li.'

'Bi cŵl, Felix,' meddai Dyl Mawr yn ei lais Top Cat gorau.

Rhoddodd Felix y ffôn yn ôl yn ei le – dw-ry-ly, canodd y peiriant yn wichlyd – heb godi o'i sêt tynnodd ei waled allan o boced pen-ôl ei drywsus. Tynnodd ei gerdyn rhoi organau allan a chwilota yn llawes y cardiau credyd. Cafodd afael ar ddarn carpiog o bapur a'i agor. Rhif ffôn y Llyn. Doedd Felix erioed wedi ffonio'r rhif gan fod y Llyn wastad naill ai adref yn Llundain neu Gaerdydd, yn aros ym Mangor, neu dramor yn gweithio. Ac roedd gan Felix ofn cael rhyw fil anferthol am alwad i Kazakhstan neu rywle. Cododd y ffôn a phwnio rhif unwaith eto.

Disgwyliodd am funud, y teclyn du yn canu'n blagus wrth ei glust chwith. Ateb y ffôn, Llyn, ateb y ffôn.

Diffoddodd y ffôn a phwyso'r botwm ailddeialu. Ateb y ffôn, *Fi* sy 'ma, meddyliodd.

Dychmygodd y Llyn yn edrych ar y rhif diarth ar ei ffôn symudol ac yn ei anwybyddu. Ocê, plesia dy hun.

Pan oedd y ffôn droedfedd i ffwrdd o'i glust, a'i fys bawd yn codi i'w ddiffodd, clywodd gyfarchiad digamsyniol ei ffrind.

'Helo, fi yn siarad!'

'A fi yn ateb,' meddai Felix gan glywed sŵn bwrlwm pobl yng nghefndir yr uned sain. 'Lle wyt ti, Llyn?'

'Yng ngwesty'r Ffêri Ffôls yn Nhrefriw, lle daaa, Felix.'

'Tu allan i Llanrwst yn fanna?'

'Dyna chdi,' atebodd y Llyn. 'Dwi 'di cael fy nghyfeiliorni braidd.'

''Di be?'

'Dwi 'di cael tynnu fy sylw oddi ar fy mhwrpas, Felix. Dal am eiliad . . .'

Roedd y Llyn yn gorfod codi'i lais i siarad, y bar yn amlwg yn brysur ond yn swnio'n waraidd i glust Felix, a dychmygodd ei ffrind yn symud yn ara deg oddi ar ei stôl wrth y bar.

Betia i chdi bod 'na farmeid secsi yn y stori 'ma'n rhywla, meddyliodd Felix. Roedd yn difaru meddwl hyn yn syth gan iddo'i atgoffa o ddrygioni ei dad. Ma'r peth yn catshing. Haint Rhydian Felix.

'Sori Felix, diolch am ffonio fi'n ôl. Ti'n iawn? Glywis i am dy dad.'

Oedd o yn gwybod yn well nag i gynnig ei gydymdeimlad, meddyliodd Felix. 'Yndw, dwi'n grêt, be ddiawl ti'n neud yn Trefriw?'

'Mynd i neud 'bach o ymchwil Eisteddfodol i fyny wrth Lyn Geirionydd oeddwn i, ond ces fy hun yn cael rhyw hanner bach ar ôl rhoi fy mag yn fy stafell . . .'

'. . . a wedyn dyma chdi'n dechra siarad efo'r ferch ddel 'ma tu ôl i'r bar.'

'Ti'n nabod fi'n rhy dda Oswyn Felix. Pam ti'n traffath gofyn a chditha'n gwbod y cyfan?'

'Ti ddim 'di symud oddi ar y stôl 'na ers dau o'r gloch pnawn 'ma, naddo? Heblaw i fynd am bisiad.'

''Sa gam'ras yn y lle 'ma, dwad? Hei, gwranda Felix, ti'n gêm am ryw drip bach fory?'

'Dwi'n cyfarfod Helen, 'n chwaer, yma yn y bora. Be sgin ti dan sylw?'

'Diwedd y bore. Trip i'r Bermo, wrth geg afon Mawddach. Fi sy'n prynu cinio. Be ti'n ddeud?'

'Chdi sy'n dreifio hefyd, s'gynna i ddim car am chydig.'

'Syrfis? MOT?'

'Mae o 'di ca'l 'i Nefilio.'

'Sori?' gofynnodd y Llyn fel pe bai wedi camglywed rhywbeth.

'Dduda i wrtha chdi fory. Hâff 'lefn?'

'Ddo i am un ar ddeg, na' i ddisgwyl amdanat ti os ti'm yn barod. Ca'l busnés rownd y tŷ. Cefni, ia?'

Roedd cof anhygoel gan y Llyn, ac ni fyddai Felix yn synnu dim mai fo oedd wedi crybwyll enw tŷ ei dad wrtho ddwy, efallai dair blynedd yn ôl. Ar y llaw arall efallai mai Dyl Mawr soniodd amdano ynghynt. 'Ti'n gwbod lle ma Dwylan?' gofynnodd Felix.

'Siŵr iawn. Steddfod dda yn arfer bod yn Dwylan stalwm. Dwi'm di bod ers blynyddoedd, cofia.'

'Wel 'di o'm 'di symud,' meddai Felix.

'Taw â dy gyboli. Dwi'n mynd 'nôl i mewn i weld os ydi Janis yn hiraethu amdana i.'

'Ffonia fi pan ti yn y pentra, i mi ga'l dy êr traffic controlio di i fewn, 'li. Hwyl, Llyn.'

'Tan y bora!'

Diffoddodd Felix y ffôn cyn mewnbynnu rhif ffôn symudol ei gariad, Mair. Syth i *voicemail*.

'Hai, fi sy 'ma. Ti'n gwaith, siŵr o fod. Dwi yn y tŷ yn Dwylan ar y rhif yma, os ti isho siarad wedyn. Sori am ddoe, bai fi. Dwi'm jyst yn deud hynna am dy fod ti ddim yna . . . 'na i ymddiheuro eto, yn iawn, pan wela i chdi. Dwi yn dy garu di, sdi. Hwyl.' Rhoddodd y ffôn yn ôl yn ei grud. Dw-ry-ly.

Ar y cyfan, roedd pethau'n dda rhyngddynt fel arfer. Ond pan oedd y ddau'n ffraeo – tân gwyllt go iawn. Diffyg uchelgais yn Felix oedd asgwrn y gynnen ran amlaf. Teimlai Mair eu bod yn crwydro'n ddiamcan ond doedd Felix ddim yn gallu gweld beth oedd o'i le. Cyn belled ag y gwelai ef – ac roedd yn fodlon cyfaddef nad oedd hyn ddim pellach na chyfnod agor nesaf y Penrhyn – nid oedd eisiau am ddim ar y ddaear hon arnyn nhw. Cafwyd cyflafan lwyr yn nhŷ Mair y noson cynt. Rhegi mawr a mân glustogau'n hedfan ar draws yr ystafell fyw. Felix yn derbyn y cyfan gan sefyll yn llonydd a distaw. Roedd hyn, wrth gwrs, yn cythruddo Mair yn fwy fyth hyd yn oed. Drws ffrynt yn cau wedyn, fel y Glec Fawr. Ac wedi elwch . . . heblaw am sŵn crio isel, crynedig, Mair a'i hwyneb piws yn ei dwylo.

'Be 'nei di Felix? Ma nhw i gyd yn nyts, sdi.' Dyna oedd mewnbwn athrylithgar Dyl Mawr ychydig yn hwyrach. 'Rho ddwrnod iddi, a deud 'na bai chdi oedd y cyfan – wyrcs for mî,' dywedodd wedyn wrth godi'i aeliau ar ei ffrind, ar y stôl ar ochr y cwsmeriaid i'r bar yn y Penrhyn.

A dyna oedd Felix yn ei wneud. Doedd ganddo fawr o syniad beth oedd wedi achosi'r ffrwydrad emosiynol gan ei gariad. Nid oedd dadansoddi teimladau a chymelliadau dynol yn un o'i gryfderau. Roedd ei natur yn llawer iawn mwy greddfol ac elfennol. Yn debycach i siarc na dyn, efallai, meddyliodd yn wamal wrth sipian ei wisgi a swiflo yn y gadair.

Meddyliodd wedyn am ddarganfyddiadau'r dydd. Y llyfrau gwerthfawr roedd wedi'u hetifeddu gan Rhydian Felix. Y ci hynaws, llawn cymeriad, oedd bellach o dan ei ofal. Yr holl arian – yr holl gant wyth deg o filoedd a gafodd am y gwaith celf – roedd ei dad wedi'i afradloni ar y ceffylau, mwy na thebyg. Diawl gwirion. Meddyliodd am Neville yn gollwng ei deiars. Diawl gwirion. Bydd raid sortio'r hogyn 'na allan, iddo fo gael deall bod 'na oblygiadau i'w ddrwgweithredu. Gwenodd wrth feddwl am ddylanwad da y Llyn ar ei Gymraeg.

Edrychodd ar ei oriawr Tissot. Deg munud wedi naw. Doedd hi ddim yn agos at amser gwely. Byddai llygaid blinedig Felix wedi taeru ei bod hi'n nes at un ar ddeg, a rhoddodd yr oriawr at ei glust. Twpsyn gwirion, meddyliodd wrth gofio mai oriawr batri heb fraich eiliadau oedd y Tissot, ac yn dawel fel y bedd. Estynnodd ei freichiau dros ei ben gan ddylyfu gên. Mwynhaodd rwbio'i gefn ar gefn y gadair swyddfa gyfforddus. Roedd y cyfrifiadur a'i sgrin o'i flaen ar y ddesg a phwysodd y botwm i danio'r PC. Cychwynnodd y ffaniau yn y bocs du, a daeth y sgrin yn fyw. Logo Microsoft i ddechrau ac yna ymddangosodd llun o Schnauzer yn gi bach, Heddwyn siŵr o fod, a dwsin o eiconau bach y ffeiliau gwahanol. Syth i mewn, meddyliodd Felix, dim paswyrd, dim syciwryti. Er, nid oedd hyn yn fawr o syndod iddo. Nid oedd Felix, chwaith, yn mynd i'r drafferth o gau ei gyfrif wrth ddiffodd ei gyfrifiadur. Mae'n siŵr bod neb llawer ohonan ni'r bygars diog yn, meddyliodd.

Gosododd saeth y cyrchwr dros y botwm *Start* gyda'r llygoden, a'i bwyso. Aeth yn syth i *My Documents*. Agorwyd sgrin newydd ac arni tua hanner cant o ffeiliau, y mwyafrif yn y ffolderi brown cyfarwydd gyda gwahanol deitlau. Archwiliodd y teitlau, gan weithio'i ffordd i lawr mewn rhesi o'r chwith i'r dde. Biliau Cefni 2003, Biliau Cefni 2004 . . . ac yn y blaen . . . Cyllideb 2003, Cyllideb 2004 . . . ac yn y blaen . . . Diweddgan, Gwaith ar Cefni, Gwaith Coleg, Gwaith Rhydian, Milfeddyg, Seminar Efrog Awst 05, Seminar Caerdydd Hyd 06, Semin . . . ac yn y blaen . . . Treth, Undeb, a'r ffolder olaf, Zeus. Cliciodd Felix ddwywaith ar y ffolder Diweddgan.

Be uffar 'di hwn ta, meddyliodd wrth weld dwsinau o ffolderi newydd ar y sgrin nesaf, a rhifau'n deitlau iddynt. Dyddiadau, efallai.

010607
150607
210607
280607
020707
060707

Fel hyn ymlaen mewn rhesi i lawr y dudalen. Agorodd y ffolder cyntaf.

Newcastle bet £450 colli £450.

Agorodd 150607, Chepstow bet £425 colli £425.

'Mam bach.' sibrydodd Oswyn. Aeth i waelod y dudalen.

040708

050708

150708

250708

Yna tair ffolder wahanol.

Cyllid

H

O

Agorodd Cyllid. Rhestr hir o rifau mewn colofnau taclus gyferbyn â dyddiadau'r ffolderi blaenorol, yn cychwyn gyda 010607 ac yn gorffen gyda 250708. Nid oedd symbol y bunt wrth y rhifau, ond gwyddai Felix mai'r rhif ar waelod y dudalen oedd cyfanswm holl golledion Rhydian Felix ers iddo werthu'i luniau. 183425. Nid oedd wedi ennill yr un ras, yn ôl rhythm di-dor cynyddol ei golledion. Mewn ychydig dros dri mis ar ddeg, roedd Rhydian Felix wedi colli cant wyth deg a thair o filoedd, pedwar cant dau ddeg a phump o bunnoedd. Heb ennill yr un ras.

'Ti'm yn meddwl bod rhywun yn trio deud rwbath 'tha chdi, Rhydian?' sibrydodd Felix cyn ateb yn ei feddwl, bo' chdi'n dda i ffyc ôl yn dewis ji-jîs.

Ella bod chdi ddim yn medru mynd â fo efo chdi, Rhydian, meddyliodd wedyn, ond siawns bod hi'n well 'i adael o i dy ferchaid ffyddlon nag ym mhoced gefn

William Hill. Meddyliodd wedyn eto am y ffolderi H ac O. H, Helen. O, Olwen? Beth am i ni weld?

Agorodd y ffolder H yn gyntaf. Un ddogfen Word oedd ynddi gyda'r teitl Heddwyn. Agorodd Felix y ddogfen.

Mae popeth fyddi di angen ei wybod am yr oberlander cïol yn y llythyr.

Un llinell gryptig a dirgel. Caeodd y ddogfen a mynd yn ôl i agor y ffeil O. Dogfen unig arall ar y cefndir gwyn gyda'r teitl Oswyn. Cliciodd ddwywaith ar ei enw.

Mae popeth fyddi di angen ei wybod gan Percy yn amddiffynfa Z.

Dyma ni, dyma ni, dyma ni, meddyliodd. Ma'r gêm wedi cychwyn go iawn rŵan. Sugno chdi fewn yn slo bach, dyna oedd tactics Rhydian wastad. Ac er bod chdi hefo dim diddordeb mewn chwarae 'i gêms seicolegol hedffycaidd o. Cyn pen dim a heb i chdi sylwi, dyna'n union ti'n ffeindio dy hun yn neud. Er dy fod yn meddwl am dy hun fel 'sgodyn gwyliadwrus, ma Rhydian wastad yn gneud yr abwyd yn ormod o demtasiwn. Mewn chwinciad, ti ar y cwch yn cael dy waldio ar dy ben.

Pwy ddiawl ydi Percy? A lle uffar ma amddiffynfa Z?

Rhoddodd weddill cynnwys ei wydryn yn ei geg a'i ddal yno am ychydig, nes i'r wisgi ddechrau llosgi waliau'i fochau. Agorodd y botel a gosod lled dau fys arall o'r dŵr tân yn y gwydryn. Llyncodd, a mwynhau hynt cynhesol yr hylif lledrithiol ar ei siwrnai o'i wddf i'w stumog. Cymerodd joch sydyn arall cyn codi o'i sedd a mynd â'i fag lledr i fyny'r grisiau. Aeth at y cwpwrdd dillad a dod o hyd i ddau obennydd a chwilt eithaf tenau heb orchuddion arnynt. Wedi iddo'u llusgo allan roedd y cwpwrdd yn wag. Iawn am noson, meddyliodd wrth eu gosod ar y gwely dwbl noeth. Edrychai'r cwilt sengl yn rhyfedd ar y gwely. Aeth Felix yn ôl lawr llawr at ei wisgi a gweld bod Heddwyn eisoes yn ei wely wrth ddesg y cyfrifiadur, gwely Rhydian Felix hyd yn ddiweddar.

Eisteddodd ar ymyl gwely'r ci, ei wydryn yn un llaw, gan roi mwythau i glust flewog, lipa Heddwyn â'r llaw arall. Pwy ydi Percy yn amddiffynfa Z? meddyliodd unwaith eto. Percy, amddiffynfa Z.

Doedd dim byd yn dod. Roedd o'n gwybod ei fod yn gwybod yr ateb i'r pos, fuasai Rhydian ddim wedi gosod cwestiwn amhosib iddo. Ble roedd yr hwyl yn hynna? Na, y syniad oedd gosod her oedd yn anodd a phoenus, ond nid yn amhosib.

Percy? Amddiffynfa Z?

Tynnodd anadl ddofn a sibrwd, na, wrth ei gollwng a chodi oddi ar y gwely.

'Does 'na'm byd yn dod heno, Heddwyn. Chdi sy'n iawn, gwely amdani dwi'n meddwl.' Diffoddodd Felix y cyfrifiadur a golau'r lamp Anglepoise. Deuai'r unig olau yn y tŷ fel heulwen drwy'r cymylau, i lawr o'r llofft drwy'r grisiau agored. 'Nos da, Heddwyn, wela i di'n bora.' Gwyliodd y ci ef yn dringo'r grisiau a'i wydryn hanner llawn yn ei law, heb godi'i ben oddi ar y gwely.

Diffoddodd Oswyn olau brwnt y bylb noeth uwchben y gwely a llifodd llewyrch llipa ac oren y lamp stryd i mewn drwy'r ffenest, i gymryd ei le. Doedd dim cyrten i'w gael ar y rheilen uwchben y ffenest. Cododd ei aeliau wrth sylwi ar hyn, roedd Oswyn yn ei chael hi'n anodd cysgu ar y gorau, a golau oedd gelyn pennaf yr anhunwr. Aeth at y ffenest ac edrych allan ar y stryd. Roedd yr awel wedi gostegu, gan adael noson fwyn a llonydd. Roedd y tawelwch byddarol yn creu tensiwn yn ysgwyddau dyn y ddinas. Sbonciodd ysgyfarnog ysgafala o'r chwith i ffrâm y ffenest. Edrychai'n gwbl hamddenol yn neidio i lawr y lôn o flaen Cefni. Daliodd Oswyn ei wynt ac yntau erioed wedi gweld ysgyfarnog yn y cnawd o'r blaen. Stopiodd yr anifail gan synhwyro, efallai, ei fod yn cael ei wylio. Edrychodd o'i gwmpas yn araf a gofalus, yna edrychodd i fyny ar Felix yn ffenest llofft y bwthyn. Edrychodd i fyw ei lygad am eiliad cyn sboncio ryw ychydig bach cynt, ail gêr meddyliodd Felix, heibio i gar y tafarnwr yn eistedd ar gam, trwy bwll golau oren y stryd a chael ei lyncu gan y gwyll. Swreal, meddyliodd gan edrych yn amheus ar ei wydryn wisgi. Jocian gyda'i hun roedd Felix, wrth gwrs, am ei fod yn gwybod mai dyna heb os oedd wedi digwydd. Yna cofiodd am y ffilm gyda Jimmy Stewart a'i ffrind Harvey ac edrychodd eto ar y gwydryn gan chwerthin drwy'i drwyn.

O wel, meddyliodd, a rhoi clec i'r gweddill.

Alter ipse amīcus

Mae ffrind yn hunan arall

DEFFRODD FELIX yn syth pan glywodd atsain clep y ffenest yn cau. Doedd dim syniad ganddo ble'r oedd o, wrth iddo godi ar ei eistedd yn y gwely wedi'i amgylchynu gan dywyllwch llwyr. Teimlodd ias wrth i'r chwys sychu oddi ar ei gefn a chofiodd, yn fwyaf sydyn, am y diffyg cyrtans yn yr ystafell wely. Gafaelodd yn y crys du oedd wedi'i rwymo o amgylch ei ben i gadw'r golau allan a gwasgodd ei lygaid yn gilagored wrth ei dynnu. Deuai goleuni gwan y wawr i wasgu'r düwch i ymylon yr ystafell; nid oedd yn ddigon cryf eto i beri unrhyw boen iddo. Edrychodd ar ei oriawr, hanner awr wedi chwech. Dim yn rhy ddrwg, meddyliodd, gan ddylyfu gên ac ymestyn ei freichiau bob sut nes bod esgyrn ei gefn yn crensian eu protest. Gwelai goed yn siglo i rythm awel gadarn y tu allan a sylweddoli mai'r gwynt yn hyrddio oedd wedi achosi'r ffenest i gau, a'i ddeffro'n sydyn.

Aeth i'r tŷ bach ac yna ymolchi cyn gwisgo'i ddillad ddoe amdano, tynnodd grib drwy'i wallt du trwchus ac edrych arno'i hun yn y drych ar wal yr ystafell wely. Nid oedd Felix yn gwneud hyn fel arfer gan ei fod yn casáu edrych mewn drych, hyd yn oed wrth ddefnyddio'i rasal drydan, felly roedd yr wyneb a edrychodd yn ôl arno'r bore hwn ym mis Medi 2008 yn eitha dieithr iddo. Sylwodd ar y mân rychau o amgylch ei lygaid, yr ambell flewyn gwyn yn y gwallt oddeutu ei arleisiau, a rhyfeddodd wedyn o weld blanced o farf undydd wen o dan ei ên.

'Ti'n mynd yn hen, Felix bach,' dywedodd y tafarnwr tri deg chwech mlwydd oed wrth rwbio'r farf fel pe bai hynny'n ddigon i gael gwared arni. Gor-wenodd arno'i hun ac astudio'i ddannedd aur, un ar y gwaelod a'r ddau ddant blaen uwchben. Dydi'r rhain byth yn heneiddio, meddyliodd, a chafodd syniad macâbr am rywun yn eu tynnu allan o'i geg ar ôl iddo farw. Blydi hel, Felix, byhafia, 'nei di, meddyliodd wedyn, ei lygaid fel soseri yn ei ben.

Aeth i lawr y grisiau. Roedd Heddwyn wedi symud i'r stafell fyw ryw dro yn y nos, a deffrodd wrth i'r drws pren wichian ychydig pan gerddodd Felix i mewn. Hanner cyfarthodd y ci anferth, fel roedd yn arfer ei wneud. Aeth y ci o edrych yn gysglyd i fod yn gwbwl effro mewn eiliadau, ac eisteddodd i fyny ar y soffa fawr.

'Brecwast, Heddwyn? Be ddudi di?'

Neidiodd i lawr yn osgeiddig a distaw am anifail o'i faint, a throtian o flaen Felix i mewn i'r gegin.

Ar ôl brecwasta aeth y ddau am dro o gwmpas y pentref. Dyma nhw'n cyfarfod â dau ddyn, ar wahân, yn mynd â'u cŵn hwythau am dro a dywedodd Felix helo wrthynt. Cafodd 'Good morning' digon cyfeillgar yn ateb gan y ddau, a meddyliodd Felix, am y canfed tro yn ei fywyd, siŵr o fod, pam nad oedd y mewnfudwyr yma'n cyboli hyd yn oed dysgu ambell air o gyfarchiad yn y Gymraeg. Pe byddai Cymro'n mynd i Ffrainc, 'Bonjour'; Llydaw, 'Demat'; yr Almaen, 'Guten tag'; yr Eidal, 'Salve. Ciao,' neu, efallai, 'Buon giorno'. Y pwynt oedd y bysa fo'n dysgu ambell air allan o gwrteisi, hyd yn oed ar gyfer penwythnos i ffwrdd. O wel, eu colled nhw oedd hynny.

'Nôl yn Cefni bu Felix yn chwilio ar y we am garej leol i drwsio'i gar. Ffoniodd Modurdy Port ym Mhorthmadog a threfnu iddynt gasglu'r car, unrhyw bryd oedd yn gyfleus iddyn nhw, gan y byddai'n gadael y goriad yng ngheg yr egsôst.

Canodd y ffôn symudol rywle yng nghrombil y bwthyn tra oedd Felix yn golchi llestri yn y gegin yn ei fenig Marigolds. Tipical, meddyliodd wrth ysgwyd y sebon ewynnog oddi ar ei fysedd melyn. Cerddodd drwy'r *coridor aur* yn pigo a thynnu ar flaenau rwber ei fenig.

Lle uffar dwi 'di rhoi'r ffôn 'na?

Cerddodd at y swyddfa a stopio wrth y drws. Deuai'r canu diflas o rywle ar ei ochr dde. Poced ei siaced ar y bachyn wrth y drws ffrynt. Bachodd y faneg chwith â'i law dde a mynd i chwilota yn y pocedi mewnol.

'Helo,' dywedodd o'r diwedd.

'Oswyn Felix, bore da!'

'Pwy sy 'na? Chdi, Llyn?' Eisteddodd Felix ar fraich

y gadair freichiau a wincio ar Heddwyn yn pendwmpian ar y rỳg o'i flaen.

'Lle wyt ti, yn dy wely?' gofynnodd y Llyn.

'Dwi fyny ers chwech, diawl digwilydd. Sa'm cyrtans yn y ffycin bedrwm.'

Clywodd dair cnoc ar ddrws ffrynt y tŷ, a bwlch bygythiol rhyngddynt fel pe bai Angau ei hun yn galw, meddyliodd Felix.

'Wyff,' hanner cyfarthodd Heddwyn.

'Ma 'na rywun wrth y drws,' cododd Felix a sylweddoli'n sydyn yr un pryd. 'Pan dwi'n agor y drws 'ma mewn eiliad, ti'n mynd i fod yn sefyll yna a gwên smỳg ar dy wynab, yn dwyt?'

'Be ti'n feddwl?' gofynnodd y Llyn yn daer.

Agorodd Felix y drws a dyna lle safai'r Llyn, iPhone yn ei law dde, a'i ddwylo wedi'u codi oddeutu ei glustiau, fel petai am ddangos ei fod yn ildio. Gwisgai sbectol haul a gwên rhy lydan, uwchben ei wisg arferol o grys du a chôt dri-chwarter lwyd tywyll. Yn wahanol i'r arfer, roedd hefyd yn gwisgo trywsus tri-chwarter oedd yn ymladd i gyrraedd top ei sanau du. Cwblhawyd y drosedd arbennig hon yn erbyn ffasiwn gan ei esgidiau lledr du arferol.

'Bore da. O's 'na jans am banad?'

Chwarddodd Felix cyn dweud, 'Ffycin 'el Llyn, ti'n edrych fel bod chdi newydd ymuno yn yr Hitler Iwth.' Chwarddodd eto. 'Not y gwd lwc, wir yr.'

Daeth Heddwyn at y drws a chyfarth yn uchel a phwrpasol ar y Llyn. Gafaelodd Felix yn ei goler a chymerodd y Llyn gam yn ôl, rhywbeth arall oedd yn anghyffredin i'r bardd a'r newyddiadurwr ei wneud.

'Ma Heddwyn yn amlwg yn cytuno, ti tua tair modfedd o ddefnydd i ffwrdd o ga'l getawê hefo hwnna, mêt.'

'Beth bynnag, pwy bia'r Hawnd of ddy Bascyfil yn fanna?'

'Ci Rhydian. Fi sy'n watshiad ar 'i ôl o rŵan, am wn i.'

'Heddwyn, ddudest ti? Enw da. Iawn, gyfaill?' Gwyrodd y Llyn ymlaen ychydig a thynnu ei sbectol haul i waelod ei drwyn hir er mwyn cael cyswllt llygad â'r ci anferth.

'Heddwyn, "Ffrindia",' dywedodd Felix.

Cyfarthodd Heddwyn yn ei ffordd ddiawydd arferol.

'Dwi'n meddwl bod hynna'n arwydd da,' meddai Felix gan roi crafiad sydyn i dop pen y ci. Tynnodd Heddwyn, gerfydd ei goler, i mewn i'r bwthyn a dweud, 'Ty'd i fewn. Ma hi'n saff, dwi'n meddwl.'

'Fysa chdi'n gallu argyhoeddi dyn ychydig yn fwy na hynna, Felix,' meddai'r Llyn.

'Dwi 'mond yn nabod y ci 'ma ers ddoe, Llyn. Dwi'n nabod chdi ers ugain mlynadd a dwi dal ddim yn siŵr os ti'n brathu neu ddim.'

'Dim ond os bydd hi'n mynd i'r pen, Felix,' dywedodd y Llyn.

'Gofia i hynna. Pam ti yma mor fuan?' Edrychodd ar ei oriawr – chwarter wedi naw.

'Oherwydd bod Janis 'di syrthio i gysgu,' atebodd y Llyn yn gryptig.

'Os ti'm isho deud 'tha fi . . .'

'O ddifri. Neithiwr ar ôl y – ti'n gwbod, doctyrs-an-nyrsys – dyma Janis yn syrthio i gysgu yn lle mynd adra at ei gŵr, oedd yn gweithio shifft nos yng ngorsaf yr heddlu yn Llandudno.' Roedd y Llyn yn dal wrth geg y drws a Felix 'nôl yn eistedd ar fraich y gadair.

'Ti 'di bod yn chwara o gwmpas hefo gwraig copar? Ffycin hel, Llyn.'

Gafaelodd Felix yn ei dalcen â'i ddwy law a dringodd Heddwyn i ben y soffa.

'Soniodd hi 'run gair am fod yn briod, wir i chdi, mewn deuddeg awr o siarad a chnychu – dim gair. Dyna dwi'n ddeud 'tha chdi. Bwriad Janis oedd cael ei hwyl a'i miglo hi am adra i gynhesu'r gwely cyn i'r gŵr – sy ddim yn blisman gyda llaw, rhyw fath o was sifil, ateb y ffôn, y math yna o beth – cyn iddo fo ddarfod ei shifft. Ond mi syrthiodd i gysgu, yn do, ar ôl y weithred fel petai.'

Edrychodd Felix arno gan ysgwyd ei ben. Caeodd ei lygaid a dechrau chwerthin yn ddistaw.

'Dyna pam dwi yn y trywsus gwirion 'ma. Peth cynta ddoth allan o'r ofyrnáit pan ddechreuodd Mistyr Janis – Raymond, dwi'n credu 'nath hi alw fo – guro fel babŵn ar ddrws y Ffêri Ffôls.'

'A 'nest ti ddim meddwl gofyn iddi?'

'Pam fyswn i'n cyfri dannedd march rhodd, Felix bach?'

'Be?'

'Dynas siapus yn dy lygadu di trw gyda'r nos fel tasat

62

ti'n hufen iâ ar ddiwrnod poeth, fysa chdi'n debygol o ofyn cwestiwn fel yna?'

'Byswn, Llyn, tw gwd tw bi trw, gyfaill,' dywedodd Felix.

'Wel, doedd y wialen ddim am ofyn neithiwr, ta beth, felly dyma fi, ychydig yn fuan ac yn fyr o bâr o drwsus llaes, sandals a fy ffycin Oris.' Chwifiodd ei arddwrn wag o'i flaen. 'O, a brwsh a phast dannedd.'

'Ti'n lwcus bod chdi 'di dod o 'na hefo dy geillia, os ti'n gofyn 'tha fi. Dyna'r oll ti 'di golli?' gofynnodd Felix.

'Ia, a chydig bach o'n hunan-barch.'

'Dwi'n falch o glywad. Fysa gynno fi gwilydd ca'l 'y ngweld yn y trwsus 'na hefyd,' dywedodd Felix yn wamal. 'Ma'r holl beth 'fath â rhyw West End ffârs.'

'Conffeshyns of y Bardic Niwspeipyr Ffîtshyr Raityr o'n i'n feddwl,' ychwanegodd y Llyn, yn amlwg wedi bod ar yr un trywydd.

'Chdi sy'n iawn, ma'r holl beth yn lot mwy lo-rent. Ty'd i fewn a chau'r drws 'na cyn i neb dy weld di, Oswald Mosley.'

'Doniol iawn, ha,' meddai'r Llyn heb chwerthin, a chau'r drws ar ei ôl. Edrychodd Heddwyn arno wrth eistedd ar y soffa gan chwyrnu fel tractor segur.

'"Ffrindia", Heddwyn, "Ffrind",' dywedodd Oswyn Felix gan osod ei hun rhwng y ci a'i gyfaill. 'Dos heibio fi i'r gegin, Llyn.'

Ufuddhaodd y bardd gan dynnu'i sbectol haul. 'Wyw, Mam bach,' dywedodd wrth stopio yn y *coridor aur.*

'Casgliad *connoisseur* go iawn,' datganodd ar ôl asesu'r llyfrau am eiliad neu ddwy.

'Gym'ish i bum munud i sylweddoli hynna, Sbîdi Gonsales.'

'Mae'r gorchuddion plastig a'u siacedi'n daclus oddi tanddyn nhw, ynghyd ag ogla unigryw hen lyfrau, yn ddigon i godi blew bach y gwar. Rhydian sydd 'di hel 'rhain?'

'Ia, a mae o 'di'u gadal nhw i gyd i fi. Dwi'n gesio gwerth tua ugain mil o leia.'

'Fel mae'r Sais yn ddweud, and ddy rest, and ddy rest, Felix,' dywedodd y Llyn wrth dynnu copi fel newydd o *Catch 22* gan Joseph Heller oddi ar y silff. 'Weli di hwn?' Rhoddodd y llyfr wrth ei ffroenau a'i ogleuo fel pe bai am ei fwyta. 'Dwi'n gwybod heb agor y clawr bod hwn yn llyfr prin, mil naw chwech un, argraffiad cyntaf yn Efrog Newydd gan Simon & Schuster. Nabod y clawr,' dywedodd wrth weld y syndod ar wyneb ei ffrind. 'Dwi'n amau hefyd bod hwn wedi'i arwyddo gan y dyn ei hun, dyna'r math o gasgliad ydi hwn.' Taflodd y llyfr tuag at Felix a gweld y panic ar ei wyneb wrth iddo'i ddal yn ofalus â'i ddwy law. 'Llyfr ydi o, dim grenêd. Wel, dwi'n gywir?'

Agorodd Felix dudalennau blaen y gyfrol yn bwyllog, a gweld llofnod, brysiog ond amlwg, Joe Heller ar y dudalen deitl. Copi argraffiad cyntaf, Simon & Schuster, 1961. 'Sbot on, Llyn.'

'Rhwng saith cant i ryw dair mil o bunnoedd efallai,' dywedodd y Llyn.

'Be? Jest am y llyfr yma?'

'Ma hwn yn gasgliad o lyfrau sy'n werth cymaint â'r tŷ 'ma sydd yn gartref iddyn nhw, dyna fyswn i'n amcangyfrif, Felix.' Gafaelodd mewn cyfrol arall. 'Beth am i ni weld hwn?' Estynnodd gopi o *Portnoy's Complaint* gan Philip Roth oddi ar y silff. 'Dwi'm 'di gweld copi o hwn mewn bocs o'r blaen.' Roedd meingefn y llyfr, yn ei siaced lwch, yn y golwg, a'r gweddill wedi'i wasgu'n glyd i mewn i focs porffor. Trodd y Llyn y bocs wyneb i waered ac ymddangosodd y llyfr mewn un symudiad llyfn ac araf fel tynnu cleddyf o'i wain. Eto, roedd y llyfr fel newydd. Agorodd y Llyn y tudalennau blaen. 'Ocê, Ocê. Limitud edishyn. Chwe chan copi. Hwn 'di rhif wyth.' Edrychodd ar Felix a dweud, 'Wedi'i arwyddo gan Roth 'i hun ac yn werth o leiaf bum can punt, fyswn i'n feddwl, a llawer iawn mwy, efallai ddeg gwaith cymaint, mewn ugain mlynadd arall.'

'Pam ti'n deud hynna?' gofynnodd Felix.

'Wel, yn un peth, mi fydd Philip Roth wedi marw erbyn hynna. Ac yn ail, mi fydd y llyfr yma'n fwy prin, a bydd enw da Roth yn siŵr o gynyddu, dybiwn i.'

'Felly dau lyfr, o leia mil o bunnoedd, ella mwy.'

'Efallai lot mwy, Felix, dwi ddim yn arbenigwr.'

'Tydi Helen, fy chwaer, yn amlwg ddim yn un chwaith,' dywedodd Felix.

'Neu mi fysa hi 'di gwagio'r tŷ, ti'n meddwl?'

'O, yn saff i ti. Ond fath â 'han fwya o athrawon, does 'na'm llawer o hintyrland yn perthyn i Helen, diolch byth.'

'Ti'n cyffredinoli rŵan, Felix,' dywedodd y Llyn.

'O'n i'n meddwl bo' fi'n bod yn garedig wrth ddeud "rhan fwya",' meddai Felix yn sorllyd. 'Beth bynnag, digon am yr hen lyfra 'ma. Pam y Bermo?'

'Pam y Bermo? Pam y Bermo?' adleisiodd y Llyn wrth hel ei feddyliau, a gosod y Roth yn ôl yn ei gartref. 'Y Bermo, ia. Cyfarfod y dyn sy wedi gyrru'r e-bost yma ata i,' a rhoi darn o bapur A4 wedi'i blygu'n ei chwarter i Felix. 'Hanner dydd yn Nhafarn y Crydd.'

''Nest ti drefnu'r amser am 'i fod o'n odli, do?' meddai Felix gan wenu ac agor y darn papur.

'Chwilio am dafarn i odli gyda fy llyfr apwyntiadau, lot anoddach,' atebodd y Llyn yn ddi-wên.

'Be mae hwn yn ddeud? Annwyl T. B. Lewis, wedyn troi'n syth i'r Saesneg.' Edrychodd Felix fel pe bai'n sbio dros ei sbectol ar y Llyn, cododd hwnnw'i ysgwyddau'n sydyn. 'Admairyr of iôr wyrc, bla, bla, bla. Interestyd in mîting mai yncl, iff iw ffaind iôrselff nîr y Bermo. O! Mae o'n byw mewn *lle* Cymraeg hefyd – plis î-meil mi so wî can arêinj tw mît. Iôrs, iada-ia, Lester Toye.' Rhoddodd y papur yn ôl i'r Llyn gan ysgwyd ei ben. 'Dwi'm yn dallt, pam fysa chdi hefo diddordeb yn hwn? Sa'm byd idda fo.'

'Mae 'na rywbeth yna, Felix. Y ffordd mae o'n cyfeirio at ei ewyrth, ac yn y darn bla, bla, bla 'nest ti ddarllen mor huawdl, mae o'n sôn am erthygl sgwennais i ddechra'r flwyddyn ddwytha i gylchgrawn y Syndei Taims.'

Cydiodd Felix yn y papur eto. 'Esbeshyli iôr articyl on

mising art ffrom last iyr. Dwi'n dallt, ond pam cyfeirio at hwn,' chwifiodd y darn papur, 'yn benodol?'

'Efallai nag ydi o'n ddim byd, ond ma'n nhrwyn i'n cosi rhyw fymryn, a dwi yma, felly . . .'

'Hanner dydd yn Nhafarn y Crydd amdani. Ydyn nhw'n gneud bwyd?'

'Yndyn, ac ia, fi sy'n talu. Wel, costa, a bod yn fanwl gywir,' meddai'r Llyn wrth gerdded i mewn i'r gegin. 'Neis. 'Di rhywun ddim yn disgwyl gweld cegin mor smart, rywsut. Seis arni, 'docs?'

'Ges i bach o sioc hefyd, ma'r ardd yn anfarth hefyd,' dywedodd Felix. Daeth cnoc ar ddrws y ffrynt. 'Helen fydd 'na. Rho'r tecell mlaen, Llyn.' Aeth Felix drwodd.

Nid oedd Heddwyn wedi cyfarth na chwyrnu, ac fe ddilynodd Felix wedi iddo basio'r soffa gan sefyll wrth ei ochr wrth iddo agor y drws.

'Helen, bore da,' dywedodd Felix yn barchus, gan wenu.

'O'n i 'di anghofio am y dannedd aur 'na,' oedd ei chyfarchiad hithau. 'Mae o'n iawn hefo chdi, felly?' gofynnodd gan wthio'i ffordd i mewn rhwng Heddwyn a Felix. Bu'n rhaid i'r ddau ohonynt facio'n ôl i wneud lle iddi.

'Ydi, mae Heddwyn yn ffain, ty'd i fewn,' cyfarchodd Felix ei chefn hi, ychydig yn sarcastig.

'Be sy'n bod hefo'r car 'na, tu allan? Chdi pia fo, Oswyn?'

'Yr un sy'n listio fel y *Titanic*, ti'n feddwl? Dybyl pynctiar, genna i ofn. Dwi 'di ffonio'r garej. Ma 'na ffrind i fi drwodd yn y gegin, a dwi'n mynd allan cyn bo hir. Ti am banad gynta?'

'Un sydyn, jyst dod i weld sut ti'n ca'l get-on ydw i,' dywedodd Helen wrth gamu am y gegin. 'Pwy 'di'r ffrind 'ma, Oswyn? Ti am introdiwshio ni?'

'Tegid Lewis,' dywedodd y Llyn gan lamu'n ddramatig o dywyllwch y *coridor aur* gyda'i law wedi'i hestyn allan. 'At eich gwasanaeth, madam.'

'W! Esgob,' ebychodd Helen gan afael mewn dau o'i fysedd anferth. 'Helo.'

'Mae 'na de yn y pot,' dywedodd y Llyn gan droi yn ei unfan.

Cui mens divīnior atque os magna sonatūrum des nōmĭnis hujus honōrem

I'r sawl sy'n ddwyfol ysbrydoledig, ac sydd â meistrolaeth ar iaith urddasol, fe gewch ei anrhydeddu â'r teitl hwn

'Iesu, Llyn, fysa chdi'n gallu seboni sliwan,' dywedodd Felix wrth godi'i law ar ei chwaer a Heddwyn, y ddau'n sefyll yn nrws ffrynt Cefni. Eisteddai yn sêt flaen y Toyota Yaris, car benthyg y Llyn, wrth i'w ffrind ganu'r corn a gyrru i lawr y lôn allan o'r pentref.

'Gwell bod yn gyfeillgar nag yn ddigyfaill, gyfaill,' dywedodd y Llyn.

'Dim am y tro cynta, bydd raid i ni gytuno i anghytuno, felly,' meddai Felix wrth osod sbectol haul Oakley ar ei drwyn i lynu fel bandana o gwmpas ei lygaid a thop ei glustiau.

'Dyna pam 'dan ni'n ffrindia ers gymaint o amser, sa'm un o'r ddau ohonon ni'n swil i leisio'n barn.'

'Sei wat iw si, chwadal y sioe 'na 'stalwm,' meddai Felix.

'*Catchphrase* hefo Roy Walker,' dywedodd y Llyn.

'Ddat's ddy wyn, ti'n synnu fi fod chdi'n gwatshiad ffashiwn sothach.'

'Mae pawb yn lecio'i slymio hi weithia, tydan,' dywedodd y Llyn gan wenu'n rhy llydan a cymryd cipolwg ar Felix.

''Fath â neithiwr, ti'n feddwl? Do'n i'm yn meddwl bod botwm ITV hyd yn oed yn gweithio ar 'ych teledu chi,' meddai Felix gan chwerthin yn fodlon.

'Felix *Tizwas* a Tegid Bala *Swapshop*, fel yna ti'n dal i feddwl amdanan ni'n dau, ynde?'

'Paid â bod yn wirion, tynnu coes ydw i,' meddai Felix a daeth tawelwch i'r cerbyd am rai munudau, a'r Toyota'n ymdrechu ei orau i dorri'r cyfyngiad cyflymdra gyda throed y Llyn ar y llawr, hyd cyrraedd arwyddion 30 Penmorfa. Breciodd y Llyn hyd nes i'r car ufuddhau i'r gyfraith, yna rhoddodd y radio ymlaen. Clywsant ryw ddarn o gerddoriaeth clasurol, rhywbeth tywyll a thynghedus. Wagner efallai, tybiodd Felix iddo'i hun. Radio 3. Dechreuodd y Llyn hymian gyda'r bariton, neu efallai fymryn ynghynt nag ef. Roedd yn amlwg yn gyfarwydd â'r darn.

'Os ti'n mynd i fwmian, dwi'n mynd i droi o off,' dywedodd Felix gan osod ei fys wrth y botwm yn fygythiol.

''Rosa, ma'r gân yn darfod mewn munud.' Cododd y Llyn ei law chwith fel pe bai am symud y drych ôl. Daeth y gerddoriaeth i greshendo o nodau piano. '*Der Doppelgänger*, Schubert,' meddai'r Llyn wrth ddiffodd y radio. 'Dwi'm yn siŵr pwy oedd y tenor, ond oedd o'n o lew, chwarae teg.'

'Oedd o mor misrybl, o'n i'n meddwl na' Wagner oedd o.' A ges i'r llais yn anghywir hefyd, meddyliodd Felix gan benderfynu peidio â rhannu mwy o'i anwybodaeth gyda'i ffrind.

'Gest ti'r iaith yn gywir,' meddai'r Llyn.

'Paid â phatryneisio fi,' poerodd Felix, gan esgus bod yn flin.

'Bu Schubert farw'n fuan ar ôl cyfansoddi'r gân 'na. Roedd angau wrth 'i ysgwydd, a ti'n medru synhwyro hynna yn y canu. Wel, mi ydw i, beth bynnag.'

''Na i ddim bod mor amlwg â deud be dwi'n synhwyro pan ti'n dechra siarad fel 'na,' dywedodd Felix. 'Ar be ti'n gweithio nesa? Rwbath?'

'Mae 'na wastad rwbath, Felix.'

'Unrhyw beth diddorol ta?'

'Dwi'n sgwennu'r darn 'ma am yr hen eisteddfodau i'r *TLS*, a dwi 'di gaddo darn tebyg i *Golwg*. Wedyn dwi'n gorfod trio cael fy mhen o gwmpas ffiseg y gronynnau a damcaniaeth y cwantwm.' Edrychodd yn sydyn ar Felix, oedd yn edrych allan ar strydoedd Porthmadog. 'Dwi'n mynd i geisio esbonio'r stŵr rhyfeddol 'na yn CERN hefo'i LHD, y Larj Hadron Coleidyr.' Edrychodd eto ar Felix wedi iddo ebychu enw'r peiriant arbrofol.

'Ti'n dal i gredu mewn ysbrydion a'r enaid tragwyddol a shit fel 'na. Chdi 'di'r person lleia gwyddonol dwi, ella, erioed wedi gyfarfod,' dywedodd Felix gan wenu ac ysgwyd ei ben.

'Yn union, Felix. Os llwydda i i ddallt digon i esbonio'r

cyfan i'r darllenwyr, mi fydd y byd yma'n gymaint callach lle, *n'est-ce pas, mon ami*?' meddai'r Llyn gan fabwysiadu acen Ffrengig.

'A ti'n siarad fel 'na am ei fod o yn Genefa,' dywedodd Felix.

'*Que voulez-vous dire*?' gofynnodd y Llyn.

'Ia, a dangos dy hun, hefo dy parle fŵs.'

Daeth distawrwydd eto i dewychu'r aer yn yr Yaris a'r Llyn yn cilwenu wrth dynnu'r car at ymyl y palmant tu allan i siop ddillad Davies. Aeth i mewn i'r siop, a dychwelyd ddeng munud yn ddiweddarach yn gwisgo trywsus *chinos* lliw tywod. Lluchiodd fag papur wedi'i lapio i'r sedd gefn. Mwy o ddillad newydd, dyfalodd Felix.

'Dim un gair,' dywedodd wrth Felix wrth gychwyn y car.

Doedd Felix ddim yn or-hoff o groesi'r Cob mewn cerbyd gan fod y waliau cyfagos yn gwibio heibio bob ochr iddo'n creu teimladau amwys, anniddig ynddo, tebyg i glawstroffobia efallai, meddyliodd. Edrychodd i lawr ar ei oriawr gan gymryd arno ei bod angen sylw bysedd ei law dde. 'Wrth fynd â'r ci am dro bore 'ma . . .' dechreuodd ddweud.

'Ti'n siŵr na dim y fo oedd yn mynd â chdi am dro,' meddai'r Llyn ar ei draws.

'Ho, ho, ho. Deud 'tha fi be 'di'r sgôr hefo'r holl Saeson 'ma sy'n dod i fyw i'r pentrefi bach fel Dwylan. Pam ma nhw mor gyndyn i ddysgu rhyw fymryn o Gymraeg? Ti'n siarad faint – pump, chwech iaith?'

'Pymtheg. Saith yn rhugl. Na, sori! Wyth yn cynnwys fy mamiaith.'

'Ffycin hel, Llyn. Pymthag? Siriys?'

'Cymraeg, Saesneg, Ffrangeg, Almaeneg, Eidaleg, Sbaeneg, Gwyddeleg a Portiwgîs. Wedyn dwi'n gallu smalio, ar ôl treulio wythnos efallai ymysg eu pobl, mod i'n ocê yn siarad ieithoedd Sgandinafia. Felly Denmarc, Sweden a Norwy. Tydi'r ieithoedd yna ddim yn rhy annhebyg, cofia. Dwi'n gallu archebu sbliff a chacen yn Amsterdam. Ychydig mwy na hynna, a bod yn onest. Wedyn dwi'n o lew mewn Llydaweg, Hindwstani neu'r iaith Wrdw sy'n handi ym Mhacistan a gogledd India ac yn ola, dwi'n gweithio ar fy Mandarin. *I diendien.* Ychydig bach.'

'Reit, ocê. Felly be 'di'r dîl efo'r Saeson 'ma?' Roedd pum bys llaw dde Felix yn dal i fyny o'i flaen ar ôl iddo fod yn cadw cyfrif.

'Does dim gorfodaeth arnyn nhw i ddysgu. Yli, y peth cynta dwi'n neud pan dwi'n gweithio dramor, os ydi cyllid yr erthygl yn caniatáu, ydi trefnu i gyfieithydd ddod o gwmpas y lle hefo fi. Fel yna dwi'n cael gwell synnwyr o'r bobl dwi'n eu cyfweld, oherwydd eu bod nhw'n meddwl mai Sais bach o Lundain sy'n dallt dim gair o Ffrangeg, Sbaeneg neu Portiwgîs, beth bynnag, ydw i. Ti'n dilyn? Hen dric slei, efallai, ond arf gwerthfawr yn stordy'r newyddiadurwr. Dwi wedi teithio o amgylch y byd 'ma bron gymaint â'r Sputnik ac, ar y cyfan, mae pobl yr un fath ymhobman. Diog. Os nad ydyn nhw'n teimlo'u bod nhw'n gorfod dysgu rhywbeth, wnân nhw ddim, wyth, naw gwaith allan o ddeg.'

'Mae o'n fwy cymhleth na hynna, siawns,' dywedodd Felix.

'Ddim yn y bôn. Tasa Cymru'n mynd yn annibynnol fory nesa ac yn mynnu bod popeth cyhoeddus yn cael ei wneud drwy gyfrwng yr iaith Gymraeg, mi fysa chdi'n cael màs ecsodus. Dwi'n siŵr o hynny.'

'Hmmm,' hymiodd Felix fel petai o'n meddwl yn ddwys am yr hyn roedd ei ffrind newydd ei ddweud, ond mewn gwirionedd roedd wedi diflasu ar y pwnc yn barod. 'Be ti'n feddwl fydd yn ein disgwyl ni'n y Bermo, ta?'

'Dim byd diddorol, siŵr o fod. Ond wedi dweud hynna, ti byth yn gwybod, nac wyt.'

'Syc it and si,' meddai Felix.

'Iyp!' meddai'r Llyn.

Hic coquus scitè ac mundĭter condit cibos

Mae'r cogydd yn rhoi blas da ar ei arlwy,
ac yn ei weini'n gymen

PLYGAI WAL allanol Tafarn y Crydd gyda'r pafin a thro yn y brif ffordd drwy'r dref lan môr fechan. Roedd maes parcio i ryw ddeg o geir yn eiddo i'r dafarn ar draws y lôn a bachodd y Llyn y gilfach wag olaf yno. Mi fuasai yna le i ryw ddau gar arall heblaw am barcio barus ambell un, a phwyntiodd Felix at un o'r troseddwyr agosaf ato gan ysgwyd ei ben a gresynu at y parcio sâl. Gwthiodd y Llyn ei ên allan a gwneud llygaid croes wrth udo fel dyn Neanderthal. Nodiodd Felix ei ben, a chytuno â'i ffrind. Nid oedd fawr o draffig yn rhwystr iddynt groesi'r lôn ac roedd awyrgylch hamddenol, diwedd tymor twristiaid, yn perthyn i'r dref. Astudiodd y ddau'r fwydlen oedd wedi'i hysgrifennu â sialc ar fwrdd du wrth ddrws y dafarn am funud. Dyma'r ddau yn gwthio'u gwefusau isaf dros yr uchaf a nodio eu boddhad at y dewis cyn mentro i mewn.

Edrychodd y Llyn ar ei arddwrn lle dylai ei oriawr fyw cyn gofyn i Felix am yr amser.

'Amser i chdi stopio gorfod cymryd y ffaiyr escêp allan o hotels *sans* hanner dy eiddo,' dywedodd Felix heb edrych ar ei oriawr ond gan bwyntio â'i drwyn at yr hen gloc ffrâm bren oedd y tu ôl i'r bar. Roedd y Llyn yn gorfod gwyro i weld at beth yr oedd Felix yn cyfeirio. Chwarter wedi hanner dydd. Daeth dyn i'r golwg â lliain llestri gwyn ar draws ei ysgwydd.

'Yes, gents,' dywedodd gan ymdrechu i wenu ac agor ei lygaid fwy na hanner ffordd.

'Dau beint o Guinness, os gwelwch yn dda,' dywedodd y Llyn.

'Two?' gofynnodd y dyn cyn ychwanegu, 'Been here two years, I think I've got that right, right?'

'Iôr practicli y neitif,' dywedodd Felix. 'And y meniw hefyd, plis.'

Gosododd y dyn ddwy fwydlen o'u blaenau a dechrau tywallt y cwrw du. 'Specials are on the board. Two courses, twelve pounds. Three, fifteen.' Pwyntiodd at y wal ar yr ochr dde iddo; roedd wedi rhoi'r ffidil yn y to yn ei ymdrech i wenu.

'Wat abawt wan?' gofynnodd Felix.

'One course is also twelve.'

'Haw dw iw ffigyr ddat wyn awt?' gofynnodd y Llyn.

'Everybody likes a starter or a pudding,' dywedodd y dyn gan osod un peint tri chwarter llawn i'r naill ochr a chychwyn ar yr ail.

'Haw's abawt iff ai haf y startyr and y pwdin, no mein?'

'Twelve,' dywedodd y dyn heb oedi.

'Digon teg,' meddai'r Llyn. 'Ffêr inyff syr, ffêr inyff.'

Gorffennodd y dyn ei waith tywallt a gosod dau beint o'u blaenau. 'You can pay for these with your bill. I'll start a tab when I know where you'll be sitting. Numbers are on the tables, just give me a shout when you're ready to order.'

Cododd Felix ei fawd arno gan fod y ddau ohonynt yn rhy brysur yn blasu'r cwrw i allu ei ateb. Roedd yna amryw o stafelloedd bychain y naill ochr a'r llall iddynt yn rhan o'r dafarn a sŵn sisial ysgafn y cwsmeriaid yn dod ohonynt. Er ei bod yn gymharol brysur, gyda llawer yn astudio'r bwydlenni ac yn amlwg wedi dod yma am y bwyd, cafodd y ddau hyd i fwrdd i bedwar wrth y ffenest heb fod ymhell o ddrws y dafarn. Roedd y rhif 4 ar driongl gwyn plastig ar ganol y bwrdd.

'Dwi am gael y sgolops efo'r pwdin gwaed a wedyn, draenog y môr,' dywedodd y Llyn wrth edrych ar y bwrdd du, 'Specials of the Day' ac yna'r prydau yn uniaith Saesneg oddi tano.

'Y tshicen pate a'r lemyn sowl 'di grilio i fi, a photal o rwbath gwyn ac oer, *sav blanc*?'

'Mae 'na Chablis neis yn fama,' dywedodd y Llyn gan edrych ar y rhestr win. 'Tri deg punt, ond be 'di'r ots?'

'Chdi sy'n talu,' dywedodd Felix.

'Geith Murdoch dalu amdani,' meddai gan dynnu cerdyn credyd allan o'i waled a'i chwifio o flaen ei wên lydan. Cododd, ei gefn at y drws, a gofyn eto i Felix, 'Y pate cyw iâr â'r lleden lefn?'

'Os 'na dyna 'di'r lemyn sowl.'

'Tisho peint arall hefyd?'

'Pam ddim, os 'na'r coc oen 'na sy'n talu,' meddai Felix gan wenu'n fodlon.

Edrychodd Felix ar y Llyn, ei gorff tal yn gorfod gwyro i weld y tafarnwr y tu ôl i'r bar hynafol. Yna, ac yntau'n wynebu'r drws, tynnwyd ei sylw gan ddyfodiad swnllyd dyn ifanc, yn amlwg ar frys neu'n hwyr i apwyntiad. Edrychodd y dyn arno, roedd yn ei ugeiniau cynnar tybiai Felix, a nodio unwaith cyn camu'r un cam i ganol yr ystafell fechan a bwrw golwg sydyn dros weddill trigolion y byrddau. Aeth drwodd i'r stafell i'r chwith o'r bar ac ysgwydd y Llyn cyn ailymddangos ymhen munud, wedi cyflawni cylch, yn adwy'r drws ar y dde.

Hwn 'di'r boi, meddyliodd Felix.

Gosododd y Llyn beint o'r cwrw du yn gwmni i'r chwarter peint oedd o flaen Felix, a gwydryn o ddŵr pefriog â lemwn wrth ei beint yntau. Yna edrychodd ar y dyn dryslyd yr olwg, a rhoi ei law allan er ei fod tua deg troedfedd i ffwrdd. 'Mistyr Toye, Lester. Tegid Lewis,' dywedodd. Ysgafnhaodd y cyhyrau yn wyneb y dyn a chamodd ymlaen yn frwdfrydig i gydio yn llaw y Llyn.

'Helo, helo, Mistyr Lewis,' meddai Toye gan wenu'n llydan.

'Tegid, plis,' meddai'r Llyn cyn troi at Felix. 'A dyma fy nghyd-weithiwr Oswyn Felix.'

Nodiodd Toye. 'Mistyr Felix.'

'Jyst Felix,' gwenodd Felix.

'Diod o be gymwch chi, Lester?' gofynnodd y Llyn.

'Dwi ddim am aros. Dwi'n siŵr eich bod chi'n ddynion prysur. Dyma adrés i Yncl Victor, yma yn y Bermo. Dwi wedi sôn wrtho fo ella fydd rhywun yn galw i'w weld o,' meddai Toye gan roi darn o bapur wedi'i blygu'n fach i'r Llyn. 'Do'n i ddim yn gwybod eich bod chi'n mynd i ddod â colíg efo chi.'

'Os ga i ofyn, am be mae hyn, Lester?' meddai'r Llyn.

'Rhywbath ma'r hen ddyn isho'i gael off 'i jest. Dio'm 'di deud yn iawn, mae o'n gallu bod yn feri sicrytif,' atebodd yn ysgafn.

'Does gin ti ddim syniada?' holodd Felix.

Ochneidiodd Toye. 'Oes, sort of.' Gafaelodd yng nghefn cadair gyferbyn â Felix, ei thynnu allan ac eistedd. 'Pan o'n i'n tyfu fyny yn Llangollen oedd Mam yn dod i weld 'i brawd bob holideis ha'. Dyn shei, distaw, annwyl, dach chi'n gwbod? Ond, tw cyt e long stori . . . un diwrnod, dyma fi'n mynd i gwpwrdd lle roedd Yncl Victor yn cadw goriad drws y twll dan grisia.' Roedd y Llyn wedi eistedd wrth ochr Felix erbyn hyn ac roedd y ddau'n syllu'n oddefgar arno. 'Doedd Victor heb ddeud dim byd, ond ro'n i'n gwbod fod mynd i nôl y goriad yn big no-no. Eniwê.' Trodd y Llyn i edrych ar Felix am yr eiliad fyrraf. 'Dyma fi'n mynd ac yn agor y drws ac yn synnu gweld grisia'n mynd lawr i'r seler. Dyna pryd ddoth Yncl Victor i fewn trwy'r drws ffrynt a mynd yn eip-shit efo fi. Actiwal chwip din a bob dim. Oedd o fwy fel tasa fo mewn rhyw fath o banic na wedi gwylltio, dach chi'n 'bo?'

''Nath o ddeud pam oeddach chdi ddim yn ca'l mynd i lawr i'r seler?' gofynnodd Felix.

'Dim gair. 'Nath o apolojeisio am roi chwip din i fi a gaddo peidio deud wrth Mam mod i wedi bod yn hogyn drwg.'

''Mond i chdi gadw'n ddistaw,' ategodd Felix.

'Egsactli,' dywedodd Toye. 'Dwi'm yn siŵr be sy gynno fo i lawr 'na, ond roedd Victor yn big ar y Lyndyn sîn yn y sicstis, medda Mam. Hyd yn oed yn nabod y Krays, medda hi.'

'Be sy gin hyn i neud efo fy erthygl i yn y papur Sul, Lester?' gofynnodd y Llyn.

'Chi oedd yn gofyn os oedd gin i unrhyw thîyris, a dyma fi'n sypleio un. Be dwi yn wbod ydi bod Yncl Victor wedi ffonio fi, awt of ddy blw, a gofyn i fi ddod i weld o. Wel, er mod i'n byw yn Dolgella erbyn hyn, dwi prin 'di gweld yr hen foi ers claddu Mam pum mlynadd 'nôl. So, dyma fi'n dod yma a dyma fo'n dangos yr articyl nethoch chi sgwennu i fi. Dyma fo'n gofyn i fi sut oedd mynd o gwmpas trefnu cyfarfod rhywun fel T. B. Lewis. Haw ddy ffyc shwd ai nyw, o'n i isho deud 'tha fo, ond welis i'r î-meil adres ar waelod y pêj, a syjestio hynna. Tydi dyn yn 'i sefntis ddim yn feri compiwtyr-safi, felly dyma fi'n gyrru'r î-meil on his bihâff.' Agorodd ei ddwylo o'i flaen. 'And hiyr wî âr.'

'Ond oeddach chdi deffo'n ca'l y faib bod hyn yn

conectyd hefo'r darn ddaru Tegid yn fama sgwennu i'r papur am y mising art?' gofynnodd Felix.

'O, do. Deffo. Ond 'di Victor yn so not y crim, mae o'n fwy o Quentin Crisp taip carycter, eitha camp, ond ddim mor ofyr ddy top.'

Daeth merch ifanc at eu bwrdd a phlataid o fwyd ym mhob llaw. 'Sgolops?'

Cododd y Llyn ei fys bawd a wincio arni. Rhoddodd y plât o'i flaen a gofyn pwy oedd am gael y pate cyn gosod y bwyd o flaen Felix. Estynnodd gyllyll a ffyrc iddynt, wedi'u lapio mewn napcynau coch, o boced ei ffedog. Gofynnodd i Lester Toye os oedd o am archebu unrhyw beth a chododd yntau o'i sedd a gwrthod y cynnig, diflannodd y weinyddes.

''Na'i adal llonydd i chi injoio'ch cinio,' dywedodd.

'Ti'n siŵr ti ddim am aros i ginio, Lester? Fi sy'n talu,' dywedodd y Llyn.

'Na, diolch yn fawr. Ma'n gylffrend i tu allan; 'dan ni'n mynd am dro a ma hi 'di neud sandwitshys.' Cynigiodd Toye ei law iddynt i'w hysgwyd.

'Un peth arall cyn i chdi fynd,' dywedodd y Llyn wrth ysgwyd ei law. 'Dwi'n swnio fath â Columbo. Sori Lester. 'Nest ti ddim meddwl gofyn i dy ewyrth am be yn union oedd hyn i gyd?'

'Fel dwi 'di deud. Dwi'n sort of gwbod. Ac mae Yncl Victor yn sort of gwbod bod fi'n sort o gwbod.' Cododd ei ysgwyddau. 'Doedd 'na ddim point gofyn, mae o'n ddyn preifat ac organaisd. Ecs-armi. Gwd lyc, jents.'

Cododd ei law ar Felix, a chododd yntau ei fawd yn ôl wrth gnoi ar ddarn o dost.

'Lester?' meddai'r Llyn. Dyma Toye yn edrych arno wrth iddo afael yn nrws agored y dafarn. 'Ydi Yncl Victor yn siarad Cymraeg?'

'Yndi, Mistyr Lewis, lot gwell na fi,' dywedodd gan wenu'n swil. Diflannodd a chau'r drws ar ei ôl.

''Di hynna ddim yn llawer o gamp,' dywedodd Felix gan boeri ambell i friwsionyn ar y bwrdd. 'Ma Lester Toye yn gneud i fi swnio fath â Saunders Lewis.'

Gwthiodd y Llyn ei blât ar draws y bwrdd a symud i eistedd yn sedd Lester Toye gan wynebu Felix. Edrychodd Felix allan o'r ffenest ar Toye yn croesi'r ffordd ac yn codi'i law ar un o'r nifer oedd yn cerdded ar y promenâd hir. Neidiodd merch dal, main a chain ei hosgo yn eiddgar oddi ar y bariau haearn gan chwifio'i llaw i gyfeiriad Toye. Gwisgai'r ferch sbectol haul gor-fawr a sgarff sidan ddeuliw o gwmpas ei phen, a honno wedi'i chlymu dan ei gên mewn steil henffasiwn fel Audrey Hepburn neu Grace Kelly, meddyliodd Felix. Roedd hi ychydig yn rhy bell i allu gweld pa mor ddel oedd hi ond roedd Felix yn amau ei bod hi'n dlws iawn ac yn sicr, hyd yn oed o'r pellter yma, roedd yn amlwg iddo bod corff arbennig o siapus ganddi.

Cyrhaeddodd Toye y ferch a'i chusanu'n ysgafn cyn codi rycsac bychan oddi ar y llawr. Y brechdanau, meddyliodd Felix.

'Yli siâp ar y "gylffrend".' Crymodd Felix ddau fys

ei ddwy law wrth ei glystiau fel dyfynodau. 'Dwi'n glafoerian yn fama, a dwi'm yn meddwl 'na'r pate sy'n gyfrifol.'

Gwyrodd y Llyn ar draws y bwrdd i sbecian allan ond roedd y ddau eisoes yn rhy bell iddo allu'u gweld. Ysgydwodd ei ben ar Felix ac edrych yn benisel.

'Coelia fi. Nocawt! O bell, beth bynnag,' dywedodd Felix gan eistedd yn ôl wrth y bwrdd. 'Be oeddach chdi'n feddwl o'i stori fo?'

'Gawn ni weld ar ôl y cwrs pysgod, os na fyddi di isho pwdin?'

'O, bydd 'na le i bwdin,' dywedodd Felix. 'O, bydd.'

Dicam insigne, recens adhuc
Indictum ore ălio

Cofnodaf ddigwyddiad nodedig o bwys,
un sydd heb ei adrodd hyd yma

EDRYCHAI FELIX ar rifau'r tai wrth i'r Llyn yrru'n araf ar hyd y lôn ddistaw. 'Parcia rwla'n fama, 'dio'm yn bell,' dywedodd a chyn iddo orffen ei frawddeg gwasgodd y newyddiadurwr yr Yaris, fel cwningen i dwll, rhwng dau gar. 'Ia, rwla'n fama, dim brys,' dywedodd Felix eto gan dynnu'i ewinedd allan o'r dash ac edrych ar y Llyn fel pe bai'n wallgof.

Edrychai tai teras oes Fictoria ar Lôn Twll-bychain allan dros weddill y dre a Bae Ceredigion tu hwnt, gyda'u ffenestri crwm uchel a'u pensaernïaeth gymesur. Disgynnai'r tir yn sylweddol yr ochr draw i'r lôn i ganiatáu gweld yr olygfa arbennig. Roedd Felix wedi cael cyfarwyddiadau gan y tafarnwr, yn ei lais cysglyd, tra oedd y Llyn yn talu'r bil. Wastad yn amser da i ofyn am wybodaeth, meddyliodd ar y pryd, tra ti'n rhoi pres i rywun. Nid oedd wedi gwastraffu'i amser yn dweud y cyfeiriad wrth y Sais, ond roedd y dyn yn amlwg yn ei adnabod yn syth wrth ei weld ar y darn papur; 36, Lôn Twll-bychain. Roeddynt wedi gorfod cychwyn yn ôl allan o'r dref a dringo ar hyd lonydd cul cyn cyrraedd y stryd hon o dai hynod.

'Dau ddeg wyth, Pine Vista; Rake's Dream, tri deg un.' Pwyntiai'r Llyn at y tai yn unigol o'r dde i'r chwith wrth siarad; aeth ei fys yn ôl un. 'Rake's Dream, pwy ffwc fysa'n galw'i dŷ yn Rake's Dream?'

'Dwi'n meddwl 'na pỳn ydi o,' dywedodd Felix. 'Yli ar y goedwig tu 'nôl i'r tai a dychmyga sut le sy 'na'n yr hydref.'

'Ocê, ocê. O'n i'n meddwl mwy am rafin yn ffeindio'i gartref o'r diwedd, ond chdi sy'n iawn. Doniol dros ben,' meddai'r Llyn, heb wên gan dynnu'i wregys. Roedd Felix yn gwenu'n edifarhaus ar ei ffrind, heb deimlo unrhyw bleser wrth weld ei dymer ddrwg. Un o gas bethau'r Llyn oedd Saeson yn ailenwi tai oedd ac enwau Cymraeg arnynt yn wreiddiol. Nid oedd Felix wedi trafferthu gwisgo'i wregys ar y rhan fer hon o'r siwrnai, ond aeth o arfer i chwilio am y bwcwl i'w ddatgysylltu.

Cerddodd y ddau i fyny goleddf ysgafn y lôn i gyfeiriad rhif tri deg chwech, gan edmygu'r fista ryfeddol, Pen Llŷn ac Ynys Enlli i'w gweld yn eithaf clir o'u blaenau, y môr yn las tywyll a dwys, a thoeau llechi'r dref yn pelydru'n dlws yn haul cynnes canol prynhawn. Meddyliodd Felix efallai y gallai weld arfordir Iwerddon ar y gorwel, ond penderfynodd beidio â sôn am y peth rhag ofn bod ei ddaearyddiaeth, nad oedd yn un o'i gryfderau, yn gwbl anghywir a chwerthinllyd.

'Dyma ni,' dywedodd y Llyn wrth stopio o flaen giât fach haearn. ''Dio 'mond yn disgwyl un ymwelydd, felly.'

Rhoddodd oriad yr Yaris i Felix. 'Ti'n meindio mynd am sbin os bydd Yncl Vic yn gwrthwynebu dy bresenoldeb?'

'Ia, iawn, dim problemo. 'Na i bygro off rŵan os tisho,' cynigiodd Felix yn ddiffuant.

'Na, na. Os 'di'r hen foi'n fodlon, mae dau ben yn well nag un. Os ddim, 'na i dy ffonio di.' Dangosodd y Llyn ei ffôn symudol. 'Pan fydda i 'di darfod.' Cododd Felix ei ffôn pinc i ddangos fod ei ffôn ganddo yntau hefyd, ac aeth y Llyn drwy'r giât. Cymerodd un cam i gyrraedd dwy ris, a cham arall i ganu'r gloch, botwm seramig gwreiddiol y tŷ, meddyliodd Felix, â'i fowldin pren nodweddiadol. Canodd y gloch, fel fersiwn domestig o'r frigâd dân yn derbyn galwad, rywle'r tu hwnt i'r drws pren cadarn a beintiwyd yn ddu gloyw ac a oedd yn atgoffa Felix o gartref y Prif Weinidog yn Llundain, heblaw am y rhifau 3 a 6 mewn pres oedd wedi'u sgriwio iddo. Edrychodd Felix ar y llawr o dan y ffenest grom anferth i'r chwith iddo a sylwi ar y twll sgwâr yr un hyd â'r ffenest a rhyw ddwy droedfedd o led. Roedd y twll wedi'i orchuddio â hanner dwsin o fariau haearn trwchus a'r rheiny wedi'u bolltio i'r concrid bob pen i'r twll. Gwelodd ffenest fechan dywyll, ryw droedfedd o uchder, yn cychwyn droedfedd o dan y gril ac yn gorffen hanner troedfedd cyn i'r sbwriel a blynyddoedd o ddail marw du ar waelod y twll gychwyn, tybiodd Felix.

Agorwyd y drws a safai hen ŵr o'u blaenau, ei fol crwn yn llenwi'i siwmper wlân frown golau fel merch feichiog.

'Ies?' meddai'r dyn, gan wenu'n gyfeillgar. Roedd ei freichiau, ei goesau a'i wyneb yn fain ac yn rhyfedd o anghyson â'i fol cwrw.

'T. B. Lewis,' meddai'r Llyn. 'Dwi'n meddwl bod eich nai wedi sôn amdana i . . . ?'

'O! Y jyrnylist. Wrth gwrs, wrth gwrs. A pwy sydd gyda chi, Mistyr Lewis?'

'Felix, Oswyn Felix. Ffrind i Tegid.' Anaml roedd Felix yn galw'r Llyn wrth ei enw bedydd, a theimlai ychydig yn euog wrth wneud hynny, am ryw reswm na allai roi ei fys arno.

'Wel, Victor Toye ydw i, and widd ddy introdycshyns ofyr, cym in jentylmen, cym in.'

Symudodd Victor Toye i'r naill ochr yn ei ddrws agored gan chwifio'i law i'w hebrwng i mewn i'r cyntedd eang. Sylwodd Felix wrth basio fod ystum cadarn gan yr hen ŵr, a'i fod bron yr un taldra ag ef, heb fod yn bell o chwe throedfedd. Dyfalodd, wrth weld nifer a dyfnder y rhychau cyfforddus ar ei wyneb, fod Victor Toye yn agosáu at ei wythfed degawd ar y ddaear; chwe deg wyth, chwe deg naw, ella.

'Syth drwodd i'r chwith, gyfeillion,' dywedodd Victor a chlywodd Felix ychydig o gynnwrf yn ei lais. Sylwodd Felix fod y drws i'r twll-dan-grisiau enwog hwnnw'n guddiedig bron â bod, ac yn rhan o baneli unionsyth ochr y grisiau. Cafodd Felix y teimlad, wrth fynd tua'r lolfa, fod Victor Toye yn hoffi trefn. Lle i bopeth a phopeth yn ei le. Nid oedd unrhyw lwch ar y dodrefn pren tywyll, na llanast o addurniadau, papurau na llyfrau arnynt. Yn wir, er bod Victor Toye tua'r un oed â Rhydian Felix, roedd y cyferbyniad rhwng ffordd o fyw y ddau ddyn wedi taro Felix yn syth.

'Tŷ neis gynnoch chi, Misdyr Toye,' meddai Felix gan roi ei ddwylo ym mhocedi'i jîns.

'Victor, plis Osian,' dywedodd yr hen ŵr.

'Os . . .' dechreuodd y Llyn cyn i Felix dorri ar ei draws.

'Felix, jyst Felix yn iawn, Victor.'

'Fel yr hyricein flwyddyn dwytha,' meddai Victor.

'Hyricein Felix? Fethais i honno,' dywedodd y Llyn.

'O, canolbarth America'n rhywle,' meddai Victor wedyn gan chwifio'r geiriau i ffwrdd o flaen ei geg â'i law wrth siarad.

'Mae o i fod i olygu "lwcus",' meddai Felix. 'Er, dwi ddim 'di ca'l fawr o dystiolaeth o hynny hyd yma.'

''Dan ni i gyd yn fwy lwcus nag y gall neb fyth ddychmygu. Mae pob un ohonom yn wyrthiau bach ar y ddaear 'ma,' dywedodd Victor yn ysgafn. 'Eisteddwch, gyfeillion, mi fydda i 'nôl mewn eiliad.' A cherddodd Victor allan o'r parlwr ffrynt, â'i ffenest grom anferth a'i olygfa odidog.

Edrychodd y naill gyfaill ar y llall â'r un mynegiant o ddifyrrwch ar eu hwynebau, fel pe baen nhw am ddechrau chwerthin unrhyw eiliad. Suddodd Felix i mewn i gadair freichiau, ei defnydd tywyll moethus wedi'i dynnu'n dynn gan swmp o badin siapus. Safodd y Llyn â'i gefn ato yn edrych allan o'r ffenest. Cloc aur â chloch wydr drosto oedd yr unig beth ar y silff ben tân, a'i fecanwaith oedd y twrw mwyaf yn nistawrwydd cymharol yr ystafell.

'Be 'sa chdi'n galw lliw y gadair 'ma? Piws? Porffor?' gofynnodd Felix.

'Owbyrshîn – wylys neu blanhigyn wy,' atebodd y Llyn heb droi i edrych.

'Owbyrshîn. Ia, ella bod chdi'n iawn. Wylys 'dan ni'n ddeud yng Nghymru? 'Fath â'r Americans hefo'u egplants.' Tylinodd Felix y breichiau gan ymestyn dwy goes a'u croesi'n gyfforddus o'i flaen. Trodd y Llyn ei ben i'r dde ac yna i'r chwith yn ara deg, fel ci'n ceisio gwneud synnwyr o eiriau ei feistr. Gwyddai Felix mai dyma un o'r arwyddion bod cur pen ar y Llyn. Roedd ei ddistawrwydd cymharol yn arwydd arall. Clywodd sŵn tincial ysgafn y tu cefn iddo, a chododd Felix o'i sedd gan droi fel yr oedd hambwrdd yn ymuno â nhw yn y parlwr ac yna Victor yn dilyn, gan gydio ynddo.

'Ga i helpu, Victor?'

'Popeth yn iawn. Eisteddwch, Felix. Mistyr Lewis, panad?'

Trodd y Llyn o'r diwedd. 'Mae'r olygfa 'ma'n fesmeraidd, Mistyr Toye.'

'Victor. Victor, plis.'

'Doedd ddim isho i chi fynd i draffath, Victor.' Eisteddodd Felix wrth weld yr hambwrdd, gyda'i blât yn llawn bisgedi yn ogystal â thebot a chwpanau, yn glanio'n ddiogel ar y bwrdd coffi hirsgwar.

'Dim traffarth. Llefrith? Siwgr?'

'Llefrith i'r ddau ohonon ni plis, Victor. Dim siwgr, er dim ond un ohonon ni o ddewis.'

'Diolch, Felix,' dywedodd y Llyn gan daro'i fol yn ysgafn.

'A! Y frwydr dragwyddol,' dywedodd Victor. 'Dwi'n simpytheisio, fel dach chi'ch dau'n sylwi.' Stwffiodd ei fol allan fel pe bai'n falch ohono. 'Fysach chi byth yn credu, ond dwi'n mynd am tw mail wôc bob dydd. Yn amlwg, dwi'n llwytho mwy o lo i'r enjin na mae'r shwrna 'i hangan.' Chwarddodd y tri'n ysgafn. 'Fedran ni i gyd ddim bod yn slim a handsym fel chi, Felix.'

'Dach chi'n fflyrtio hefo fi, Victor?' holodd Felix gan wenu ar yr hen ŵr.

'Ymddiheuriadau, habit of y laifftaim, ma genna i ofn.' Eisteddodd ar y soffa foethus oedd yn bartner i'r gadair wylys, a gwasgu pen-glin Felix yn ysgafn gan wincio'n chwareus. Roedd wyneb Felix yn gwenu a gwingo arno ar yr un pryd.

'Os ga i ofyn, Victor, pam 'dan ni yma?' gofynnodd y Llyn.

'Down tw bisnys, Mistyr Lewis, ia?'

'Dwi'n hoffi'r Bermo, a dwi wedi mwynhau'r cinio gawson ni yn y Crydd,' dechreuodd y Llyn yn gyfeillgar. 'Ma gynnoch chi dŷ hyfryd ar un o strydoedd neisia'r dre, Victor. Ond er cymaint dwi'n mwynhau'r olygfa, ac er cymaint dwi'n ddiolchgar am y baned a'r bisgedi, newyddiadurwr ydw i. Yma am stori, a hynny ar gownt gwybodaeth denau ac arwynebol. Felly . . . ' Distawodd, heb newid natur ei lais.

'Maddeuwch fy ffrind, Victor. Neithiwr yn dal i fyny hefo fo, dwi'n meddwl,' meddai Felix.

'Dim o gwbwl, dim o gwbwl. Chi sy'n iawn, Mistyr Lewis. Maddeuwch i mi. Dach chi am eistedd, a mi ddechreua i.' Tapiodd y sedd wag wrth ei ochr ar y soffa. Ond roedd y Llyn eisoes yn cydio yn y gadair freichiau o liw gwyrdd golau, cefn uchel a wynebai'r pentan, ac yn ei throi i wynebu'r soffa. Eisteddodd y Llyn ynddi, ac edrychodd Felix ar ei ffrind anferth wedi'i lapio yn y gadair; roedd yn ei atgoffa, am ryw reswm, o *Jackanory*, rhaglen deledu i blant o'i blentyndod.

'Be sy?' gofynnodd y Llyn wrth weld Felix yn cilwenu.

'Dim.'

Rhoddodd Victor Toye gwpaned o de o flaen Felix, a gosod bisgeden bys siocled ar ei soser gan wincio arno. Os ydi'r hen ŵr yn bod yn symbolaidd, tydi o'n amlwg ddim yn gwbod be 'di ystyr eironi cynnil, meddyliodd Felix. Rhoddodd Victor gwpaned o flaen y Llyn, ni chynigiodd fisged iddo.

'Dwi'n sefnti-thri, gyfeillion, ac wedi gweld popeth a gwneud popeth. Cymaint â dwi isho'i wneud, beth bynnag, a mwy nag ambell beth do'n i ddim isho'i wneud.'

'Dach chi'n edrych yn dda am saith deg tri, Vict . . .' dywedodd Felix.

'Dach chi'n fflyrtio hefo fi, Felix,' dywedodd Victor Toye cyn i Felix gael cyfle i ddarfod ei frawddeg.

'Dwi'n cymryd bod y cefndir yma'n berthnasol?' meddai'r Llyn.

'Mistyr Lewis, dwi'n gaddo na fyddwch chi byth, tra byddwch byw, yn anghofio'r prynhawn yma,' dywedodd Victor Toye yn ddramatig gan syllu'n llonydd ar y Llyn.

Cododd yntau ei law a gwyro'i ben ar yr hen ŵr.

'Dechreuais fy Nashynyl Syrfis yn naintîn ffifffti-ffaif hefo'r Cwîn's Roials yn Maleisia yn ystod y rhyfel, neu'r Imyrjensi, fel oedd o'n cael ei alw . . .'

'Ffor insiwrans pyrpysus,' torrodd y Llyn ar ei draws.

'. . . yn union. Gwelais ddigon ar ochr waetha dynol-iaeth yn y deunaw mis yna. Ro'n i'n bêsd yn Sianghai, hogyn ifanc o Ddolgellau allan yng nghanol y jyngl yn tshêsio comiwnists. Er eu bod nhw'n awtnymbyrd hyndryd tw wan, neu fwy, roedd o fel hela ysbrydion.' Arhosodd am funud a thristwch yn meddalu'i wyneb. ''Nôl ar Sifi Strît wedyn, ffifffti-sefyn. Es i ddim 'nôl adra – arhosais i'n Llundain, ca'l i fewn i'r heroin sîn. Darganfod fy hun, fel maen nhw'n ddweud, a dechrau tricio rownd Chelsea er, roedd heroin yn ddigon rhad ac yn bur iawn y dyddia hynny, cofiwch. Ffordd dda o gyfarfod ambell mŵfi star a pholitishyns enwog, dyna'r oll oedd y cotejing.'

'Fysa chi'n hoffi rhannu?' gofynnodd y Llyn.

'Dim "cis an' tel" ydi hwn, Mistyr Lewis. Erbyn i'r chwedega gyrraedd, roeddwn i'n twenti-ffaif going on ffifffti, ac wedi ca'l llond bol ar yr holl sîn. Es i fyw i'r sybyrbs, a dechrau fy mywyd newydd fel saer coed, crefft fy nhad a 'nhaid. Erbyn sicsti-thri roeddwn i'n bildio sets yn Stiwdios Pinewood yn Bycs, ac yn byw ar y lot. Popeth o'r *Bonds* i'r *Carry Ons*, yr *Ipcress File* a'r *Doctors In* mŵfis. Amser cyffrous. Ac wedyn dyma Acrimbaldi'n cyrraedd. Ydach chi'n gyfarwydd ag Acrimbaldi, Mistyr Lewis?'

'Fernando Acrimbaldi?' gofynnodd y Llyn. 'Y cyfarwyddwr enwog?'

'Dyna chi. Freddy i'w ffrindia, in praifet. Acrimbaldi, wastad, in pyblic. Fo oedd cariad mwya mywyd i. Jiniys, lyfyr, tîtshyr.'

Gwingodd Felix yn ei gadair gan edrych ar ei gareiau a chrafu'r blew ar gefn ei wddf.

'Roeddwn i'n gweithio ar set *The Red Sea* pan ddaeth Acrimbaldi draw o America i ddechrau ffilmio. Rhagfyr twenti-sefyn, naintîn sicsti-thri.'

'O America? Dim Eidalwr oedd Acrimbaldi?' gofynnodd y Llyn.

'Doedd o ddim wedi gweithio yn Itali ers diwedd y rhyfel. Aeth o'n syth i Hollywood, gwneud llwyth o miwsicals a sbwriel fel *Dorothy and the Dragon*. Wedyn dyma fo'n cael y cyfle i gael gneud *The Red Sea*, biblicyl epic, a dyma ddechrau'r ail gymal sîriys o'i ffilm carîyr fel Dairectyr of Epics.' Lluniodd Victor y teitl yn yr awyr o'i flaen â'i law.

'Dwi'n cofio rŵan, doedd 'na'm sgandal rywdro am Acrimbaldi? Rhywbeth am gydweithio gyda'r ffasgwyr yn ystod y rhyfel?' gofynnodd y Llyn.

'Roedd pobl wedi ceisio gwneud cysylltiadau ar ôl y rhyfel, aciwsêshyns wyr meid. Ond roedd y gwir yn waeth, os rhywbeth.' Ochneidiodd Victor a chymryd llymaid o de. 'Mae hyn yn anodd. Dwi ddim wedi dweud hyn wrth neb o'r blaen.' Ochneidiodd eto ac aros am amser hir cyn ailddechrau. 'Dwi wedi bod yn dilyn eich gyrfa chi ers rhai blynyddoedd, Mistyr Lewis, yn y papurau newydd. Dim gytyr-pres jyrnylist ydach chi, yn bell o fod. Mae 'na raen a sylwedd i'ch sgwennu, dach chi'n ddyn gonest a deallus, fel y gwela i – e man of integriti.'

'Stedi on, Victor,' meddai Felix gan led-chwerthin.

'Mae o'n wir, ac mae o'n bwysig, Felix. Mae 'na lot yn reidio ar fy ffydd i yn eich ffrind yn fama. Complît tryst,' dywedodd Victor Toye, gan estyn ei ddwy law allan yn syth o'i flaen a'r rheiny'n crynu mymryn.

'Dwi ddim yn dallt, be dach chi isho hefo fi, Victor?' Ysgydwodd y Llyn ei ben yn egnïol wrth siarad.

'Addewid, Mistyr Lewis. Gaddo na fydd yr hyn dwi'n bwriadu'i rannu efo chi heddiw yn gadael y tŷ 'ma. Rhywbeth anodd i'w ofyn i jyrnylist, efallai, rhywbeth peryg hyd yn oed. Ond rhywbeth fydd yn rhaid i mi fynnu ei gael os ydw i am gario mlaen â'r stori.'

'Dach chi isho i fi, a Felix yn fama, dwi'n cymryd . . .' Nodiodd Victor Toye yn frwdfrydig arno ac edrych ar Felix drwy ochr ei lygaid. '. . . addo cadw cyfrinach o orffennol rhyw gyfarwyddwr ffilm eitha anadnabyddus sy wedi marw ers, faint – chwarter canrif neu fwy?' gofynnodd y Llyn.

'Naintîn-sefnti-ffaif,' dywedodd Victor.

'Hirach fyth, felly. Ydach chi'n dallt 'y mhwynt i, Victor?' dywedodd y Llyn. 'Dwi'm yn meddwl y bydd neb yn poeni, y tu allan i gylch bychan o academwyr ffilm, efallai, beth bynnag ydi'r sgandal.'

'Fydd neb yn ca'l gwybod y stori, heblaw amdanoch chi'ch dau. Ond mi fyddwch yn newid eich barn am fy stori os dach chi'n fodlon cytuno â 'nhelerau i. *Omerta* llwyr, fel bysa Freddy wedi'i ddweud.' Pwyntiodd at y ddau yn eu tro, ei lygaid glas golau'n effro ac yn edrych arnynt yn dreiddgar.

Gwyrodd y Llyn ei ben a dechrau chwerthin yn ddistaw gan rwbio'i farf deuddydd. 'Ocê, Victor. Dwi am gytuno â'ch telerau chi. Dwi'm yn meddwl bod dim byd gynnon ni i'w golli, gan 'yn bod ni yma.' Cododd y Llyn ac estyn ei law dros y bwrdd coffi. 'Dduda i, na Felix, ddim un gair wrth neb tra byddwch chi'n fyw. Dwi'n addo i chi.'

Syllodd Victor arno heb symud, edrychai fel petai'r olwynion yn troi yn ei ben, yna, mwyaf sydyn cydiodd yn llaw y Llyn. Cododd Felix ychydig oddi ar ei sedd gan gynnig ei law yntau. 'Dwi'n eilio'r cynnig 'na, Victor,' dywedodd wrth i'r hen ŵr gydio yn ei fysedd am eiliad.

'Digon da, digon da. Nesa peth at aidîl, jentylmen.'

Gorffennodd Victor ei baned a gosod y gwpan a'r soser ar yr hambwrdd. Eisteddodd yn ôl ar y soffa a rhwbio dwy ben-glin ei drywsus melfaréd pinc yn araf ac ar yr un pryd. Tagodd unwaith cyn cychwyn.

'Roeddwn i hefo Freddy, Acrimbaldi, am fwy na degawd. Tan yr eiliad ola. Tydi gweld y dyn dach chi'n 'i garu'n cael ei fwyta gan ganser nes 'i fod o'n ddim ond croen ac asgwrn yn gorwedd yn ei arch ddim yn beth hawdd.' Daeth perlau dŵr i'w lygaid. 'Ddim yn beth hawdd o gwbwl. Ond roedd y gloriys ten îyrs cyn hynny'n anhygoel. Amser gora 'mywyd.' Gwenodd Victor yn sydyn a llydan, a llithrodd un deigryn i lawr ei foch dde. 'Fi oedd yn helpu Freddy hefo'i holl brosiectau, rhyw fath o PA ynoffishal.'

''Fath â David Furnish,' dywedodd Felix.

'Debyg iawn, wel, ddim yn annhebyg. Beth bynnag, dyma ni'n cyfarfod, syrthio mewn cariad, symud i fewn efo'n gilydd i apartment art-deco ameising yn Du Cane Court, heb fod yn bell o Clapham Common.' Edrychodd yn bwrpasol ar Felix gan wenu a sychu'r gwlybaniaeth o'i lygaid â hances boced wen. 'Partis, gwneud ffilms, prynu scylptiyrs ac oil peintings, pashyn mawr Freddy. Lluniau, portraitiyr yn benna, ac roedd ganddo fo o leia un darn gan rai o gewri'r twentiyth sentiwri – Picasso, Duchamp, Munch, Freud a Warhol, oedd yn ffrind personol gyda llaw. Roedd ganddon ni lot o Warhols erbyn y diwedd, digon i dalu am y tŷ yma, a lle bach yn Portiwgal. Roedd Freddy wedi gwerthu'r gweddill yn y blynyddoedd ola 'na, pan oedd y canser wedi gafael a dim modd iddo weithio. Ond roedd gan Freddy gyfrinach, rhywbeth tebyg i'r canser oedd yn bwyta i fewn i'w ysgyfaint, ond roedd y gyfrinach yma'n bwyta'i ffordd drwy'i enaid o, trwy'i gydwybod. Euogrwydd, jentylmen, on ê grand sceil.'

'Rhywbeth o'r rhyfel,' dywedodd y Llyn.

Arhosodd Victor Toye am amser cyn siarad, ei wyneb wedi'i wagio o unrhyw fynegiant. 'Roedd Freddy wedi aros yn Rôm drwy'r rhyfel, ond fel y rhan fwya o'r werin doedd o ddim yn cefnogi'r Ffashists. Roedd o'n casáu Mussolini, er iddo gael ei sinema treining yn ei stiwdios newydd sbon, Cinecittà. Y Babŵn, dyna oedd Freddy'n 'i alw fo. Ac roedd Rôm yn bell o sŵn y gynnau mawr am ran fwya o'r rhyfel. Yn eironig, pan gafwyd gwared ar Mussolini fel arweinydd y wlad yn fforti-thri, dyma'r Natsis yn cyrraedd Rôm ac yn hel y llywodraeth newydd a'r Brenin i ddwylo'r Alais i'r de. Roedd Acrimbaldi'n eitha enwog yn Rôm erbyn hyn, ac wedi dairectio lot o gomedis a dramas poblogaidd. Ond erbyn fforti-thri roedd Cinecittà yn nwylo'r Natsis, ac roedd Acrimbaldi'n aros i'r rhyfel ddod i ben.

'Ond wedyn, dyma Freddy'n cyfarfod SS Obersturm-bannführer Dieter Hackenholt, un o'r top Natsis yn Rôm. Y dyn hardda a welodd erioed, medda Freddy. A dyma nhw'n dechrau lyf affêr. Feri discrît, wrth gwrs. Roedd gan y ddau lot i'w golli tasan nhw'n cael eu gweld fel cariadon. Wrth gwrs, roedd Freddy'n casáu'r SS yn fwy na'r Ffashists Italian, ond lyf concyrs ôl. Dyna oedd hoff ddywediad Freddy, lyf concyrs ôl.'

Cododd Victor Toye o'i eistedd yn araf a sythu'i gefn wrth fynd i boced ei drywsus. Ymddangosodd goriad yn ei law, rhoddodd ef ar y bwrdd. 'Yn fforti-ffôr mi gafodd Hackenholt 'i dransffyrio i'r gogledd i swpyrfeisio mŵfmynt yr Italian Jiwish popiwleshyn, gwrthododd Freddy fynd efo fo. Felly dyma Hackenholt yn rhoi cîpsêc i Freddy, symbol o'i gariad tuag ato fo. Dach chi am 'i weld o, jentylmen?'

'Pa fath o gofrodd, Victor?' gofynnodd y Llyn.

'Does dim ond dau bâr o lygaid wedi gweld y llun yma ers i Hackenholt ei roi i Freddy yn fforti-ffôr.'

'Llun?' dywedodd y Llyn. 'Ysbail Natsïaidd, dach chi'n feddwl?'

Cydiodd Victor yn y goriad a dechrau cerdded allan o'r ystafell gan ddal y goriad yn weladwy i'r ddau wrth fynd, cystal â dweud, dilynwch fi at y clo. Edrychodd y Llyn ar ei gyfaill mewn penbleth. Cododd Felix ei aeliau a'i ysgwyddau arno cyn i'r ddau sefyll a dilyn Victor Toye allan i'r cyntedd. Safai'r hen ŵr wrth ddrws y twll dan grisiau, a meddyliodd Felix yn syth am y seler wrth iddo suddo'r goriad yn llyfn i'r clo Yale.

'Arhoswch am eiliad i fi gael diffodd yr alarms,' dywedodd Victor gan agor yr hen ddrws.

Canodd seiren fel pe bai car heddlu'n ddwfn yng nghrombil y seler, a chlywodd y ddau bedwar bîb uchel wrth i Victor fewnbynnu'r cyfuniad rhifau fyddai'n diffodd y system. Daeth distawrwydd unwaith eto i'r cyntedd ac estynnodd Felix ei law allan gan wahodd y Llyn i ddilyn Victor Toye i lawr o dan y grisiau.

Pictōrĭbus atque poëtis quidlĭbet audendi semper fuit æqua potestas

Mae'r grym i fentro popeth bob amser wedi perthyn
yn gyfartal i'r arlunydd ac i'r bardd

AWR YN DDIWEDDARACH, a'r ysgytwad a gâi'r Yaris
gan y dollbont bren hir ym Mhwll Penmaen fel petai'n
deffro'r ddau ffrind o'u breuddwydion, arafodd y Llyn
wrth y tollborth. Dwi angen peint, oedd yr unig eiriau
a ynganwyd ers iddynt adael Lôn Twll-bychain, a hynny
fel ateb i sylw Felix wrth i'r Llyn droi i'r dde oddi ar yr
A496 ac i lawr y lôn gul am Bwll Penmaen.

''Sgin ti newid?' gofynnodd y Llyn wrth bwyso'r
botwm i agor ffenest y car bach.

'Faint ydi o?' gofynnodd Felix gan bwnio'i wahanol
bocedi wrth chwilio am ei waled.

'Chwe deg ceiniog.'

'Faint?' ebychodd Felix wedyn. 'I ga'l ysgwyd y ffilings
allan o dy ddannedd? Sicsdi pi? Ffycin robars.'

'Be 'nei di? Iawn?' meddai'r Llyn wrth ddyn hel y
doll – dyn go arw'i olwg, yn ei chwedegau, chap pêl-fas
Manchester United am ei ben.

'Alright?' meddai hwnnw gan ddal tocyn hirsgwar
piws ar flaen ei fysedd a'i law'n agored i dderbyn yr arian.

Cafodd yr union bres yn ei gledr a chymerodd y Llyn y tocyn heb wenu, a gyrru'r metrau olaf oddi ar y bont. Trodd yn syth i'r dde, parcio wrth ochr Gwesty George III, a diffodd y peiriant. Datododd Felix ei wregys, yna syllu ar ei ffrind am rai munudau. Roedd y Llyn yn edrych yn syth allan o'i flaen ar y wal frics wen ac arni'r arwydd, 'Parking for residents only'. Wedi ychydig dyma fo'n dechrau cnoi'r croen wrth ymyl gewin bawd ei law dde. Dechreuodd Felix amau ei fod wedi anghofio'i fod o yno gydag ef yn y car. Yna ysgydwodd y Llyn ei ben yn ysgafn ac agor ei lygaid led y pen wrth dynnu anadl ddofn.

'Peint!' meddai'r newyddiadurwr yn sydyn gan dynnu'r allwedd danio a'i wregys diogelwch mewn un symudiad. Yna wrth ymadael â'r cerbyd, 'A dybyl wisgi tshêsyr.'

Chwibanodd Felix ddau nodyn isel cyn rhwbio un o'i ddannedd aur â gewin ei fys bawd, yna gorffwysodd ei ddwrn ar ei foch am ychydig. Erbyn iddo adael yr Yaris roedd y Llyn wedi diflannu. Croesodd Felix y lôn gul o flaen y gwesty a sefyll ar y wal lechen eang ac isel a adeiladwyd gyda glan afon Mawddach. Edrychodd ar y bont bren hir, a'r dŵr digyffro'n ymlwybro yn araf a llydan tuag at y Bermo. Roedd yr olygfa, gwyrddni diwedd haf mynyddoedd Eryri yr ochr draw, yn heddychlon a phictiwrésg ac yn wrthgyferbyniad llwyr i'w feddyliau tywyll a therfysglyd. Y gwir oedd fod Oswyn Felix wedi'i ddrysu'n llwyr. Doedd o erioed wedi gweld y Llyn wedi'i gynhyrfu cymaint. Roedd y dasg a gynigiwyd iddynt gan

Victor Toye yn anhygoel o anodd, os nad yn amhosib i'w chyflawni, cyn belled ag y gwelai Felix. Synhwyrodd fod rhywun wrth ei gefn, a chroesodd y Llyn ar draws y ffordd i ymuno â Felix ar y wal.

'Dwi am aros yn fama heno. 'Sgin ti gerdyn credyd ga i ddefnyddio? Dwi ddim isho gadal unrhyw drywydd, wel, dim mwy na dwi wedi'i neud yn barod,' dywedodd y Llyn.

'Be ti'n feddwl, trywydd?'

'Pan fydd hyn yn cychwyn, mi fyddan nhw fel pryfaid ar gachu gwartheg. Coelia di fi. Hwda.' Cynigiodd un o'r ddau beint oedd yn ei ddwylo i Felix oedd yn parhau i syllu ar yr olygfa.

'Helo, Felix?' Edrychodd Felix ar y cwrw yn cael ei chwifio wrth ei ochr. 'Sori, diolch i ti.' Cymerodd y gwydryn a'i drosglwyddo i'w law chwith cyn estyn ei waled. 'Hwda, cardyn debit. Ti'n gwbod y PIN, siŵr o fod.' Roedd o wedi hudo'r cerdyn Banc Lloyd's allan o'i lawes yn y waled yn barod i'r Llyn ei gymryd.

'Yr arferol, felly. Mil naw naw wyth?'

'Y-hy.'

Edrychodd y Llyn ar Felix yn edrych allan ar yr afon Mawddach a dywedodd yn dawel:

'And all the landscape under survey,
At tranquil turns, by nature's rule'
Rides repeated topsyturvy
In frank, in fairy Penmaen Pool.'

'Pwy 'di hwnna?' gofynnodd Felix, heb droi.

'Hopkins, Gerard Manley,' atebodd y Llyn. 'Oedd o'n sefyll lle rwyt ti rŵan – fwy neu lai – pan sgwennodd o honna. Tua chanrif a hanner yn ôl, cofia,' dywedodd wedyn, cyn troi a gadael Felix yn dal i syllu ar yr afon.

Ubicunque ars ostentātur, vērĭtas abbese vidētur

COFIODD FELIX am y teimlad a gawsai wrth ddilyn y Llyn i mewn i'r seler olau a glân, a hwnnw'n gwyro fel glöwr o'i flaen ar y grisiau serth a chul. Curai ei galon fel pe bai'n bastwn yn ceisio dianc o'i gorff, ac achos Josef Fritzl – y bwystfil o Awstria – yn flaenllaw yn ei feddwl. Oherwydd y glendid, siŵr o fod, meddyliodd, a'r ffaith mai hon ydi'r seler gynta i fi fod ynddi ers i'r hanes erchyll yna ddod i'r amlwg. Nid oedd yno unrhyw arogleuon roedd rhywun yn ei gysylltu â selerau, megis tamprwydd neu lwydni, ac roedd yr uned awyru yn y nenfwd wrth waelod y grisiau'n canu grwndi cyson, tawel a bodlon.

Un ystafell oedd yno, gyda Victor Toye yn sefyll yn ei chanol a'i law ar gefn cadair bren a chlustog arni, yr unig gadair yn yr ystafell. Deuai'r golau cynnes a digonol o sbotiau halogen wedi'u suddo i'r nenfwd cymharol isel, rhyw ddwy, dair modfedd yn uwch na chorun y Llyn. Peintiwyd y llawr concrid yn lliw llwyd ysgafn fel awyr rhyw brynhawn Sul diflas ym mis Mawrth. Gorchuddiwyd pob wal, heblaw un, â bordiau plaster wedi'u plastro a'u peintio'n wyn. Roedd y wal a oedd yn wynebu Felix, gyferbyn â'r grisiau, yn cynnwys y ffenest allanol – yr un a welsai ynghynt ym mlaen y tŷ â'i phaenau wedi'u peintio'n rhuddgoch – wedi cael ei gadael yn friciau coch noeth. Edrychai'r holl ystafell yn raenus a chwaethus. Gorchuddiwyd yr unig ddodrefnyn arall yn yr ystafell â blanced o sidan du, neu ryw ddefnydd tebyg, a hwnnw'n adlewyrchu siâp hirsgwar yr hyn a orweddai oddi tano. Cafodd Felix ei hun yn meddwl am y ffilm *2001: A Space Odyssey* a'i fonolith eiconig. Wynebai'r gadair y monolith, ac roedd yn amlwg i Felix mai unig ddiben yr ystafell oedd er mwyn gallu eistedd ac edrych ar beth bynnag roedd y gorchudd yn ei guddio. Gorweddai rŷg Bersiaidd o dan y gadair gan estyn draw hyd at fôn y monolith. Rhoddai batrwm cymhleth a chywrain y rŷg ryw elfen o gymeriad chwareus i'r olygfa.

'Eisteddwch, Mistyr Lewis,' dywedodd Toye.

'Well gynna i beidio.'

Aeth Felix i eistedd yn y gadair, a symudodd Victor Toye at ymyl y monolith.

'I ga'l y ffwl iffect,' meddai Felix gan luchio'i ddwy law allan tuag at yr hirsgwar du. 'Ma'r cwshin 'ma'n gyfforddus, Victor.'

'Hemroids, dîr boi,' atebodd Toye.

'Poen yn din,' dywedodd Felix.

'Cweit,' sibrydodd Victor Toye dan ei wynt, ei wyneb fel pe bai newydd lyncu grawnffrwyth sur, cyn ychwanegu'n uchel. 'Barod, jentylmen?'

Nodiodd y Llyn ei ben yn sydyn, ei dalcen wedi'i

rhychu'n flin a'i freichiau wedi'u plethu o'i flaen. Safai ar ymyl y rỳg wrth ochr Felix, a naw troedfedd oddi wrth Toye, ei law yntau'n cydio yn ymyl y defnydd. Tynnodd Toye yn araf ar y gorchudd ac ymhen dim roedd disgyrchiant wedi achosi i'r flanced ddisgyn i'r llawr.

Y llun.

Cilwenai dyn yn ddrwgdybus arnynt o'r gorffennol pell, a het o ryw fath yn gorchuddio hanner ei wallt cochlyd, hir. Cuddiwyd ei fron gan flanced ffwr mewn lliw digon tebyg i'w wallt, a gafaelai yn y flanced â'i fraich chwith oedd wedi'i gwisgo mewn crys gwyn llaes. Roedd ffenest wrth ei gefn, a thrwyddi ceid golygfa o dref glan môr o bensaernïaeth glasurol ymysg gwyrddni cyfoethog yr haf islaw awyr las hir a hyfryd.

Cafodd Felix ei atgoffa'n syth o'r trip ysgol i Lerpwl, pan oedd o tua deuddeg oed. Stopiodd y bws ar y ffordd i bawb gael gweld y llun eiconig hwnnw, *Salem*; roedd yr athrawes wedi'i chyffroi yn llwyr, a Felix yn methu deall beth oedd yr holl ffýs.

Roedd yn amlwg i Felix bod y llun yn un Ewropeaidd ac yn gannoedd o flynyddoedd oed. Nid oedd wedi'i fframio, ac eisteddai'n gadarn ar ei bedestal persbecs mewn bocs persbecs bum troedfedd neu fwy o uchder. Eiliadau ar ôl y dadorchuddiad, tynnwyd ei sylw gan dwrw trwm y Llyn yn glanio ar y rỳg fel pe bai esgyrn ei goesau wedi diflannu o'i gorff mwyaf sydyn. Syllai'n gegagored ar y portread o'i flaen, ei wyneb yn wyn a'i ddwylo'n cynnal ei gorff ar y llawr wrth ei gefn.

'Llyn?' meddai Felix oedd yn dal i eistedd yn ei gadair. Estynnodd ei law at ysgwydd ei gyfaill.

'Cer . . . i . . . ffwcian!' meddai'r bardd yn bwyllog, ei lais dwfn yn cael ei lyncu gan acwsteg gormesol yr ystafell.

O dan y ffenest a rhyw fymryn i'r ochr, gafaelodd Toye yn ei ên, ei fraich dde'n gorwedd ar dop ei fol helaeth. Cafodd Felix gipolwg ar ei wên fymryn cyn iddi ddiflannu oddi ar ei wyneb. Edrychodd yn ôl ar ei ffrind yn goranadlu a darnau o chwys yn disgleirio ar ei dalcen llwyd.

'Dwi'n cymryd bod chdi'n nabod y boi 'ma, felly,' dywedodd Felix gan godi o'i gadair a chynnig ei law i'r Llyn.

Cododd y Llyn yn gyflym, heb help ei ffrind, a chymerodd gam yn nes at y darlun gan godi'i law agored i awgrymu y dylai Felix dawelu. Yna trodd ar ei sawdl a rhuthro i fyny'r grisiau allan o'r seler.

'Be uffar!' ebychodd Felix gan edrych ar Toye.

'Dwi'n deall yn iawn,' dywedodd Victor Toye. 'Mae o wedi cael andros o sioc, Felix.'

'Pam, felly?' gofynnodd Felix, ond roedd eisoes wedi penderfynu dilyn y Llyn allan o'r seler cyn i'r hen ddyn gael cyfle i'w ateb.

Erbyn iddo gyrraedd y cyntedd, gwelodd yn syth bod y drws ffrynt yn llydan agored. Cerddodd tuag at y golau llachar a phoen isel yn procio'i lygaid; roedd yr haul cynnes yn tywynnu'n syth i mewn i'r tŷ. Safai'r

Llyn a'i gefn ato, yn cydio yn nhop y wal gerrig isel yr ochr arall i'r ffordd a'i freichiau'n syth o'i flaen. Roedd ei ben yn gwyro'n isel ac o'r fan lle safai Felix, edrychai fel pe bai wedi'i ddienyddio. Gwasgai'r awyr lapislaswli y cymylau gwlanog i ffwrdd tua'r gorwel ac roedd awel gynnes yn hyrddio ar draws blaen y tŷ, diwrnod perffaith o haf. Cerddodd Felix i lawr yr ychydig risiau a gweld bod cinio'r Llyn wedi ailymddangos yn lliwgar a drewllyd ar y pafin o'i flaen. Clywodd y cawr o ddyn yn tagu, a'i ysgwyddau'n codi nes bod y llafnau'n cwrdd. Edrychodd Felix o'i gwmpas, doedd dim enaid byw i'w weld ar wahân i gath sinsir yn eistedd ar fonet hen Triumph Herald lliw hufen cyfagos.

'Ti'n ocê?' gwaeddodd o'r giât, dim isho mentro ymhellach nag oedd raid. Cododd y Llyn ei fawd heb droi, a gwelodd Felix ef yn codi'i law arall i sychu'i geg. 'Gwatshia lle ti'n sefyll pan ti'n dod 'nôl,' dywedodd Felix heb gydymdeimlad. 'Pws, pws, pws,' sibrydodd wedyn i gyfeiriad y giaman goch, a chododd hithau'i phen a gwenu'n ddidaro arno, ei llygaid yn holltau cysglyd. Aeth Felix yn ôl i mewn i'r tŷ.

Roedd drws y seler wedi'i gau, a phan aeth Felix drwodd i'r parlwr gwelodd Victor Toye yn eistedd yn ôl ar ei sedd ar y soffa borffor yn cnoi bisgeden siocled yn sidêt.

'Be uffar oedd hynna i gyd amdan, Victor?'

'Ydi Mistyr Lewis yn iawn?' gofynnodd Toye, gan anwybyddu'i gwestiwn.

'Yndi, yndi. Be ddiawl 'di'r llun 'na yn union?' mynnodd.

'*Ritratto di giovane uomo* gan Raffaello Sanzio, neu Raphael fel 'dan ni'n ei nabod o. Darlun o ddyn ifanc. Un o'r lluniau coll, efallai y llun coll mwyaf gwerthfawr yn y byd,' dywedodd y Llyn yn gafael ar ymyl drws y parlwr.

Distawrwydd.

Sŵn tipian y cloc ar y silff ben tân yn codi'n uwch ac uwch yng nghlustiau Felix.

'A ma hwnnw'n byw i lawr mewn seler yn fama? Yn y Bermo?' dywedodd Felix yn ddidaro.

'Mae pawb a phopeth yn gorfod byw yn rhywle, Felix,' atebodd Victor Toye yn enigmatig.

'Tydi o ddim yn wir,' dywedodd y Llyn drwy'i ddwylo, oedd yn cuddio'i wyneb. Rhwbiodd ei wyneb a gadael i'w ddwylo suddo'n araf cyn dylyfu gên yn rhodresgar. 'Tydi o ddim yn wir, Victor. Tydi o ddim yn bosib. Dydi'r amserlen ddim yn gwneud synnwyr, ddim yn dal dŵr.'

'Dach chi'n cyfeirio at Frank, Hans Frank, Mistyr Lewis?'

'Gwelwyd y Raphael ddwytha yng Ngwlad Pwyl, os dwi'n cofio'n iawn, ym mil naw pedwar pump, jest cyn diwedd y Rhyfel,' dywedodd y Llyn gan afael yng nghefn y gadair freichiau lliw wylys. 'Ia, gan y ffycar Frank 'na. Felly sut ma Victor Toye yn esbonio'r ffaith bod Acrimbaldi'n derbyn y llun fel cofrodd ym mil naw pedwar . . . ?'

'. . . mis Medi, fforti-ffôr,' dywedodd Toye.

'Pedwar deg pedwar, reit. Wel? Sut ma esbonio peth felly, Victor?'

'Yn syml iawn, doedd y llun – nac un ar ddeg o rai eraill, chwaith – ddim yn Poland yn fforti-ffaif. Roedd Hackenholt a Frank yn bartneriaid. Hans Frank oedd yn creu'r ilŵshyn bod y lluniau wedi cael eu trosglwyddo i Poland, i wneud i bobl feddwl eu bod wedi cael eu gweld yno. Ffrind i ffrind yn dweud pa mor anhygoel oedd y lluniau'n edrych, papurau newydd yn ysgrifennu erthyglau ac yn pyblisho lluniau roedd Frank yn eu rhoi iddyn nhw. Roedd Hans Frank, fel dach chi'n gwybod, siŵr o fod, Mistyr Lewis, yn chess mastyr. Mastyr strajetist, a'r unig beth oedd o ei angen i ddwyn dwsin o'i hoff luniau oedd partner. Rhywun i'w smyglo nhw'n ddigon pell o afael y Rwsiaid, a hyd yn oed Hitler ei hun. Y bwriad oedd eu cuddio nhw mewn banc folt yn Zurich roedd Frank wedi'i rhentio am gan mlynedd. A dyna lle mae'r gweddill ohonyn nhw hyd heddiw, hyd y gwn i,' dywedodd Toye yn ddigyffro.

'Ac mae hwn, *Portrait of a young man*, gan Raphael, yn eistedd mewn bocs yn seler Victor Toye yn y Bermo oherwydd fod partner, cyd-droseddwr Hans Frank, pennaeth y Natsis yng Ngwlad Pwyl, sef Obersturmbannführer Hackenholt, wedi syrthio mewn cariad hefo Freddy Acrimbaldi? Dyna dach chi'n ddeud, Victor?' Roedd y Llyn yn ysgwyd ei ben ar yr hen ddyn a chafodd Felix ei hun yn ei ddynwared, ei ddwylo wedi'u plethu o'i flaen yn sefyll wrth ochr ei gyfaill, er nad oedd ganddo fawr o syniad beth oedd yn digwydd.

'Dyna ddigwyddodd, Mistyr Lewis. Dyna'r dystiolaeth i lawr y grisiau 'na. Dyna'r gwir,' dywedodd Toye, gan wylltio fymryn. 'Mae popeth yn gorfod bod yn rhywle, felly pam ddim mewn seler yng ngogledd Cymru yn hytrach na banc folt yn Zurich yn y Swistir?'

'Ga i olwg arall?' Estynnodd y Llyn ei law allan am yr allwedd i'r seler.

'Dwi heb gloi, ac mae'r alarms off. Cymerwch eich amser,' dywedodd Toye. 'Mae'r persbecs yn agor yn y cefn os hoffech chi gael golwg agosach, ac mi ateba i unrhyw gwestiynau sydd gynnoch chi.'

Dilynodd Felix y Llyn allan o'r parlwr, yn rhannol am nad oedd ganddo syniad beth i'w ddweud wrth Toye, gan ei fod prin wedi cael llawer o afael ar y sefyllfa. Aeth y Llyn i lawr y grisiau'n bwyllog fel pe bai ysbryd yno'n aros amdanynt. Eisteddodd Felix yn ddistaw yn y gadair tra treuliodd y Llyn y nesaf peth at chwarter awr yn astudio'r *Ritratto di giovane uomo* y tu mewn a'r tu allan i'w focs. Weithiau roedd y Llyn yn ochneidio fel pe bai iselder yn ei lyncu, ac ambell waith dechreuai fwmial wrtho'i hun fel dyn gwallgof. Edrychai i Felix fel pe bai'r Llyn yn talu llawer iawn mwy o sylw i gefn y llun nag i'r darlun ei hun. Dyfalodd mai dyma lle gorweddai'r brif dystiolaeth i brofi neu wrth-brofi cywirdeb y llun a hefyd, yn ei sgil, stori Victor Toye. Yna gosododd y llun yn ôl ar ei blinth yn y bocs a chau'r glicied. Safodd y Llyn yn ei unfan, o'r golwg y tu ôl i'r llun am funud hir, cyn ailymddangos ac anelu am y grisiau.

'Wel?' gofynnodd Felix o'i gadair, un goes yn sticio allan o'i flaen a'i ddwylo wedi'u plethu ar ei fol. Ond ni chafodd ateb gan y Llyn, a dilynodd Felix ei ffrind, yn bwdlyd fel plentyn, allan o'r seler.

Doedd Victor Toye ddim yn edrych fel pe bai wedi symud modfedd tra roedd Felix a'i ffrind yn y seler, a safodd y Llyn uwch ei ben pan ymunodd â nhw.

'Ocê. Be dach chi'n ddisgwyl i ni neud, Victor?' gofynnodd y Llyn.

'Ei werthu'n ôl i'r Italians, am bris rhesymol,' atebodd Victor Toye, bron yn syth.

'Be am y Pwyliaid? O ryw galeri Iddewig yng Ngwlad Pwyl y dygwyd y llun, os dwi'n cofio'n iawn.'

'Beth am beidio â chymhlethu pethau, Mistyr Lewis. O be dwi'n ddallt, yr Italians sy fwyaf awyddus i weld eu wyrcs of art yn dychwelyd. Mi fysan nhw hefo diddordeb, fysan nhw ddim?'

'Am faint oeddach chi'n meddwl gofyn, Victor?' gofynnodd Felix.

'Thri hyndryd thawsynd. Twenti-ffaif i chi am drefnu'r dîl.'

'Punnoedd ta ewros?' gofynnodd y Llyn gan wasgu top ei drwyn â'i fys bawd, ei lygaid ar gau.

'Punnoedd, dîr boi. Dwi ddim am fod yn farus, ond dwi am gael digon i fi allu symud i Bortiwgal a threulio gweddill fy amser ar y ddaear hon, heb boeni'n ormodol.'

'Lot o bres,' dywedodd Felix. 'Tri chan mil.'

'Pris tila iawn am y ffasiwn wobr,' meddai'r Llyn gan suddo i mewn i'r gadair wylys. 'A fysa gan yr Eidalwyr ddiddordeb? O, bysa! Fysa nhw'n talu tri chan mil? Ugain gwaith hynna, tri, pedwar deg gwaith hynna, efallai. Pris tila iawn, Victor.'

'Ma gynna i fwy o ddiddordeb mewn gweld y llun yn dychwelyd i'r byd cyhoeddus, heb i bobl ddod i wybod am ran Freddy Acrimbaldi yn yr helynt.'

'Helynt? Helynt? 'Dan ni'n sôn am y ffycin Shoah yn fama, yr Holocost. Un o'r lladdfeydd ffyrnica a mwya didrugaredd yn hanes dyn,' dechreuodd y Llyn heb weiddi. 'A dach chi'n poeni am deimladau pwff o gyfarwyddwr oedd yn ffwcio un o fwystfilod mwya blaenllaw y gyflafan, swyddog yn yr SS? A ma'r Acrimbaldi 'ma, y boi dach chi isho'i warchod, yn 'i fedd ers dros dri degawd?'

'Dwi'n cymryd nad ydach chi am fy helpu, felly.'

Tynnodd y Llyn anadl ddofn a'i gadael allan yn araf drwy'i geg gan weryru fel ceffyl. 'Does gynna i ddim llawer o ddewis, nag oes? Fedra i ddim anghofio am yr holl beth.'

'Ac rydach chi wedi rhoi'ch gair na fyddwch chi'n crybwyll hyn wrth neb arall. Tra bydda i'n fyw, beth bynnag,' atgoffodd Victor Toye.

'Clyfar iawn, Victor,' dywedodd Felix.

'Dwi ddim am i chi feddwl bod hyn yn fwriadol, gyfeillion. Dach chi ddim ond yn gaeth i'ch integriti eich hunain, i'ch gair, i'ch llw eich hun,' dywedodd Toye.

'Os 'dan ni am eich cadw chi, ac Acrimbaldi, allan o'r trafodaethau,' dechreuodd y Llyn, 'bydd raid i ni gadw draw nes byddwn ni'n dod i nôl y llun. Dim galwadau ffôn, dim cyfarfodydd. A dim rhagor o e-byst gan Lester, na chitha, na neb arall. Cytuno?'

'Cytuno,' atebodd Toye.

'O be dwi 'di weld o'r blaen, bydd pethau'n symud yn eitha cyflym unwaith fyddwn ni'n cysylltu â'r prynwyr.' Tynnodd y Llyn ei iPhone allan o'i boced a'i ddangos i Toye. 'Bydd rhaid cael prawf, wrth gwrs.'

'Wrth gwrs,' cytunodd Toye gan godi'i law i wahodd y Llyn allan o'r parlwr unwaith eto.

Pan adawodd y Llyn yr ystafell, cymerodd Felix ei le ar y gadair ac edrych ar Toye. 'Fysa hyn yn gallu troi allan i fod yn shitstorm go iawn, yn bysa Victor?' Gwthiodd Toye ei wefus uchaf denau allan a nodio'i ben yn fyfyrgar. 'Tydi fy ffrind ddim yn helpu chdi allan am y pres, ti'n dallt hynna'n dwyt?'

'Tydi Mistyr Lewis ddim i weld y math o berson sy'n gwneud unrhyw beth am y pres, Felix.'

'Ffycin ê, Victor. Ffycin ê,' dywedodd Felix gan gydio mewn bisgeden oddi ar y plât ar y bwrdd.

Dychwelodd y Llyn a dangos y llun roedd wedi'i dynnu ar ei ffôn o'r darlun i Toye. 'Dwi 'di cadw'r wal wen yn y cefndir i nadu rhoi unrhyw gliw iddan nhw. Hapus?'

'Ardderchog, Mistyr Lewis. Ydach chi angen gwybod unrhyw beth arall?'

'Ambell beth. Be ddigwyddodd i SS Obersturmbannführer Hackenholt? Pam 'nath o ddim cymryd y llun yn ôl oddi wrth Acrimbaldi?' gofynnodd y Llyn.

'Yn syml iawn, cafodd ei ladd lai nag wythnos ar ôl rhoi'r llun i Freddy. Doedd Freddy ddim yn gwybod hyn tan ar ôl diwedd y Rhyfel, a fynta erbyn hynny wedi dianc o'r brocyn Iwrop i'r Iwnaited Stêts.'

'A be am y llun?' gofynnodd Felix. 'Be ddigwyddodd i hwnnw pan a'th, be-ti'n-galw-fo, Archiboldi, i'r Sdêts?'

'Acrimbaldi,' cywirodd Toye. 'Wel, roedd yr Iancs yn awyddus i gael rhai pobl – yr elît, Freddy bî-ing y cês in point – i symud ar draws yr Atlantic. Mater bach, meddai Freddy, oedd symud ei biwtiffwl boi fel oedd o'n galw'r llun, 'i smyglo fo ymysg 'i boseshyns. Welodd neb y llun, medda Freddy. Dim un person, heblaw amdano fo'i hun, nes iddo'i ddangos o i fi yn sefnti, sefnti-wan. O gwmpas yr amser yna.'

'Iesu, mae hi'n dipyn o stori, Victor,' dywedodd y Llyn gan rwbio'i law trwy'i wallt.

'Mae o'n rhyfedd o fyd, Mistyr Lewis. Ac mae dyn, sy'n cerdded arno'n rhyfeddach fyth.'

'Sgynnoch chi fwcad, Victor?' gofynnodd Felix, yn hollol allan o gyd-destun.

'Sori?'

'Bwcad? Mop?' Edrychodd Toye arno fel pe bai Felix yn honco bost.

'A thap dŵr tu allan, ella?' ychwanegodd y tafarnwr a oedd, wrth gwrs, wedi hen arfer â glanhau chŵd. ''Bach o blîtsh?'

'Fi sy wedi baeddu'r pafin hefo cynhwysion fy mol, Victor,' esboniodd y Llyn. 'Mae o'n cynnig glanhau, dach chi'n gwbod?' Dynwaredodd dywallt bwced o ddŵr, ond yn eitha diegni.

'O!' meddai Toye. 'Ow, reit. Bwcad? Bwcad? Allan yn y cefn, efallai. Yn y tŷ bach tu allan. Ma 'na dap wrth yr hôspeip, ar wal y gegin.'

'Diolch,' dywedodd Felix, gan droi ar ei sawdl, yn ddigon balch o gael rhywbeth ymarferol i'w wneud.

Cafodd hyd i'r bwced, nid yn y tŷ bach ond yn y cwt drws nesa, ac roedd y tap ar wal y tŷ yn hytrach nag estyniad y gegin. Gwlychodd Felix waelod ei jîns wrth droi'r tap, cymaint oedd grym y dŵr. Diolch am yr heds-yp, Victor, meddyliodd, gan gamu'n ôl yn rhy hwyr. Cerddodd drwy'r tŷ yn cario'r fwced drom yn dri chwarter llawn a chlywodd y Llyn yn siarad, ei lais yn ddwfn a difrifol, wrth basio drws cilagored y parlwr.

Taflodd y dŵr yn un llif dros gyn-gynnwys stumog y Llyn a llifodd rhan fechan ohono gyda'r dŵr i lawr y lôn am gyfeiriad yr Herald a'r gath. Symudodd hithau oddi ar y bonet a dechrau cerdded ar hyd y pafin gan chwifio'i chynffon yn yr awyr. Wedi synhwyro bod llif ffiaidd ar ei ffordd, siŵr o fod, meddyliodd Felix. Roedd hon yn joban tair pwcad, o leia.

Clywodd Felix lais ei ffrind, yn mwmial yn undonog, bedair gwaith wrth iddo gerdded heibio drws y parlwr i gyflawni'i dasg. Ar ei ail dro heibio, roedd yn ymladd i gadw rheolaeth ar goes y brwsh bras a'i ddwy law'n brysur gyda'r bwcediad o ddŵr.

Roedd Felix yn cerdded, gyda'r bwced gwag a'r brwsh, am y drws ffrynt pan ymddangosodd y Llyn.

'Gad nhw,' dywedodd wrth basio heibio Felix. ''Dan ni'n mynd.'

'O, diolch Felix. Joban dda, Felix,' dywedodd Felix yn sarcastig. Roedd Victor Toye yn sefyll yn y drws, felly rhoddodd Felix y bwced ar y llawr a'r brwsh bras yn llaw'r hen ddyn.

'Hwyl, Victor,' dywedodd, ac wedyn gan wenu, 'diolch am y banad, o, ac am ddragio ni fewn i'r mès 'ma.'

'Til wi mît agén, Felix,' dywedodd Toye, ei wyneb yn newid o fod yn or-drist i wenu.

Poēta nascĭtur non fit

Ni chrëir bardd, fe'i genir

CODODD FELIX oddi ar wal y gwesty a cherdded i mewn
i'r George III â'i wydryn peint yn wag yn ei law. Gwelodd
y Llyn yn eistedd o flaen sgrin cyfrifiadur wrth ochr
desg fechan y dderbynfa. Nid oedd neb arall o gwmpas.
Clywai Felix leisiau'n dod o'r bar, ar y chwith.

'Be ti'n neud?'

'Hei, Felix. Lle ti 'di bod?'

'Yn meddwl. Ti angen esbonio chydig o betha i fi.'
Crychodd ei dalcen wrth edrych ar y Llyn. 'Be ti'n neud
yn fanna, beth bynnag? Pam ti'm yn iwshio dy laptop
dy hun?'

'Dechra'r gwaith o osod trywydd ffug, Felix. Dwi
bron â gorffen. Jyst gyrru hwn.' Pwysodd fotwm fel pe
bai'n nodyn olaf ar sonata. 'Dyna ni. Peint arall?'

'Ydi'r Pôp yn cachu'n y goedwig?' dywedodd Felix.

'Ydi'r arth yn gatholig?' ategodd y Llyn gan godi.

Gafaelodd y Llyn ym mraich chwith Felix wrth basio
a'i gwasgu am eiliad. Mae'n rhaid bod 'na olwg bryderus
arna i, meddyliodd Felix.

'Paid â phoeni, Felix. Dwi'n gweld ffordd allan o hyn,
dwi'n meddwl.'

'Dwi'm yn poeni, dwi'n ffycin conffiwsd. Hen lun? Natsis? Holiwyd dairectyrs? Pwy sy'n gwbod be? Pam chdi? Pam gadal i *fi* weld y blydi llun? Mi fysa fo 'di gallu gyrru fi i nôl ais crîm.'

'Gan bwyll, Felix. Hwda dy gerdyn.' Rhoddodd ddau gerdyn credyd i'w ffrind. 'Ma f'un i yn fanna hefyd.'

Gwyrodd Felix ei ben i'r ochr wrth dderbyn y cardiau.

'Dwi isho i chdi neud cwpwl o betha i fi yn Port ar dy ffordd adra, os 'nei di?'

'Be, ti'n aros yn fama, a dwi'n dreifio'r Yaris? Ydw i'n inshiwyrd, hyd yn oed?' gofynnodd Felix trwy'i ddannedd. 'A fi i bwyllo? Chdi sy'n bod yn mŵdi fatha bod chdi ar dy biriyd. A'r chwydu 'na, Llyn. Be ffwc oedd hynna?'

'Ma'n ddrwg gynna i. Gawn ni beint, ffeindiwn ni fwrdd, a gawn ni sgwrs iawn, 'li. Iawn?'

'Paid â mynd yn wyllt yn y lle 'ma,' dywedodd Felix dros ei ysgwydd wrth gerdded drwodd i'r bar. 'Dim ond rhyw dri chant sy gynna i'n y banc.'

Curodd y Llyn ddwy ysgwydd ei ffrind ar yr un pryd, yn ysgafn, gan ddyfynnu Dafydd ap Gwilym yn ei lais barddonol,

> 'Lle maith yn llawnwaith llenwi – buelin;
> Lle y mae ufuddwin llym i feddwi.'

Primus sapientiæ gradus
est falsa intellĭgĕre

Y cam cyntaf tuag at ddoethineb yw gwybod y gau

Dangosodd Oswyn Felix i'r Subaru, a oedd wedi glynu i ben-ôl yr Yaris ers rhai milltiroedd troellog o'r A487, ei fod yn bwriadu troi i'r dde wrth yr Oakeley Arms. Daeth i stop oherwydd fod carafán yn araf ymlwybro tuag ato, rhuodd peiriant y Subaru yn fygythiol dan ei fonet coch a bron â chyffwrdd â phen-ôl yr Yaris.

Cyfrodd Felix i ddeg.

Roedd o'n hen gyfarwydd â theithio ar hyd y B4410 heibio Llyn Mair a thrwy bentrefyn Rhyd, a orweddai mewn pant prydferth ond rhyfeddol o anymarferol. Dyma sut y bu'n osgoi'r Cob ers blynyddoedd, gan ddynesu at Borthmadog o ochr Tremadog. Dyna ddatrys y broblem fach yna, meddyliodd, wrth rowlio'n hamddenol ar hyd y ffordd a mwynhau'r golygfeydd gwledig.

Meddyliodd am yr hyn roedd y Llyn wedi'i ddweud wrtho yng Ngwesty George III wrth i'r ddau eistedd o flaen ffenest y bar yn edrych allan ar afon Mawddach. Fel pe bai'n gallu darllen ei feddwl, roedd ei ffrind wedi symleiddio'r sefyllfa ac wedi llwyddo i wneud i'r dasg o werthu un o luniau coll mwyaf enwog y byd i wlad estron swnio'n bosibl, os nad yn hawdd.

"Na i'm lluchio llwch i dy lygaid di, Felix. Heblaw mod i wedi rhoi fy ngair i'r hen ewach slei 'na, fyswn i ddim yn twtshiad y llun 'na. Ysbail y Natsis? Ffycin hel.'

'Pam 'dan ni'n gneud, ta?'

'Am 'i fod o'r peth iawn i neud, am wn i. Tydi tri chan mil am y llanc ifanc 'na'n ddim pres o gwbwl, 'sdi. Mi fydd yr Eidalwyr yn chwerthin am ein penna ni'n gofyn am y fath bridwerth.'

'E?'

'Ransom.'

'O.'

'So, does 'na neb heblaw ni'n gwbod bod y llun 'ma'n bodoli. Cywir?'

'Fel ddudodd Victor Toye, mae o'n gorfod bod yn rwla, ond dwi'm yn credu bod neb 'di meddwl edrych yn y Bermo.'

'Pam ma'r llun yma mor werthfawr felly, yn fwy na'r rhai eraill gafodd eu dwyn?' holodd Felix.

'Amryw o resymau. Raphael, un o feistri mwya'r Dadeni,' dechreuodd y Llyn gan gyffwrdd blaen ei fawd chwith â bys uwd y dde.

'E?'

'Y Renêisons, Felix. Ti'n gwbod, da Vinci, Michelangelo? Wel, gei di roi'n boi ni ar y rhestr honno. Wedyn mae'r ffaith bod tarddiad y llun yma'n cael ei ddadlau'n frwd ymysg yr ysgolheigion. Mewn geiriau eraill, tydi'r byd academaidd modern – sydd, cofia, heb gael cyfle i astudio'r campwaith ers pedwardegau'r ganrif ddwytha – ddim yn siŵr os mai Signore Raffaello Sanzio da Urbino sy hyd yn oed yn gyfrifol am ei beintio.' Roedd ei fys a'i fawd chwith yn pwyntio fel pe bai am saethu'r nenfwd. Cododd ei fys canol i ymuno â nhw. 'Yn drydydd, ma'r llun yn ffycin briliant, hyd yn oed yn y cyflwr mae o ynddo, heb 'i llnau ers hanner canrif a mwy. Syfrdanol.'

'Felly ti'n ocê hefo hyn?'

'Dwi ddim am gymryd fy nghỳt i; gei di gadw'r – be ddudodd o? Pum mil ar hugian, ia?'

'Dwi'm isho ffycin pres, chwaith,' dywedodd Felix. 'Tydi egwyddorion ddim yn egsgliwsif i'r intelijensia, 'sdi, byt.'

'Dwi'n ymddiheuro, Felix bach. Brifo dy deimlada di. Rown ni'r cyfan i Toye, felly – cytuno?'

'Rhyngtho fo a'i gydwybod,' dechreuodd Felix. 'Gobeithio dagith o ar 'i *vino tinto* wrth dorheulo ar 'i falconi crasboeth yn Portiwgal, dyna dduda i.' Cododd Felix ei beint a rhoddodd y Llyn gyffyrddiad ag ymyl ei beint yntau i'w wydryn a chynnig llwncdestun.

Vulgāto corpŏre mulier

Dynes gyffredin a adawyd

PARCIODD FELIX wrth y ganolfan hamdden ym Mhorthmadog a cherdded i'r orsaf reilffordd gerllaw. Gan ddefnyddio cerdyn y Llyn, prynodd docyn yno i Aberystwyth ar gyfer y trên ben bore wedyn. Nid oedd yr un bwriad gan Felix na'r Llyn i fynd ar y siwrnai i'r canolbarth, a chredai Felix fod y Llyn yn bod braidd yn wirion wrth fynnu'r fath ddichellion. 'Bach yn ffarffetshd, dywedodd wrtho 'nôl ym Mhwll Penmaen. Unwaith byddai'n cysylltu ac yn crybwyll y darlun coll, oedd ateb ei ffrind, byddai 'na fyddin o ymchwilwyr yn pori dros bob agwedd o'i fywyd. E-byst, manylion banc, pob dim. Roedd o wedi'u gweld nhw wrthi.

Cerddodd Felix i mewn i'r dref a holi hen ŵr yn eistedd ar fainc yn y safle bws a chael cyfarwyddiadau sut i gyrraedd y garej. Cerddodd ymlaen tua chyrion y dref ar lôn Cricieth. Roedd y car yn amlwg yn barod ar ei gyfer ac yn aros wrth flaen wal o ffenestri sgleiniog adlewyrchol ystafell arddangos ceir y garej. Talodd y bil o ddau gan punt â'i gerdyn credyd a chafodd ganiatâd i adael y car yno dros nos.

Ar ei ffordd yn ôl at yr Yaris aeth Felix i mewn i Tesco a siopa'n sydyn am ychydig o ffrwythau a llysiau. Rhoddodd ddarn o fol mochyn yn ei fasged ac yna cerdded i fyny llwybr y ddiod feddwol gan osod chwe photel o win coch yn ei gawell a oedd, erbyn hyn, yn orlawn. Cyfiawnhaodd brynu'r hanner dwsin ar y tro gan ddweud wrtho'i hun, fel y gwnâi bob tro, fod y pump y cant ychwanegol o ad-daliad a gynigiai'r archfarchnad fel cymhelliad i brynu chwe photel yn gynnig rhy hael i'w wrthod. Prynodd ddwy botel dau litr o ddŵr ffynnon pefriog, eu gwasgu rhwng ei fraich a'i gorff, a cherdded fel bwystfil Frankenstein am y tiliau.

Ar ôl talu aeth am yr Yaris, ei freichiau'n protestio a'i gyhyrau'n ymdrechu'n boenus dan bwysau gormodol y bagiau siopa. Cofiodd am y noson, flynyddoedd ynghynt, pan fu Dyl Mawr ac yntau yn Tesco Bangor i nôl diodydd ar gyfer parti yn fflat Dyl. Gwatsha hyn, dywedodd Dyl gan roi dau becyn o glytiau Pampers ar ben y mynydd o gwrw a gwin yn eu troli. Edrychodd Felix arno'n hurt a gofyn a oedd ganddo broblem gwlychu'i hun. Aros am funud, meddai Dyl wrth lwytho'r Pampers ac yna'r holl ddiod ar y belt symudol, gan wenu'n ddel ar y ddynes ganol oed wrth y til. Hundred and ten pounds fifty, please, love, dywedodd y ddynes. Haw mytsh? dywedodd Dyl yn uchel gan syllu'n llywath i mewn i'w waled agored. Ai hafyn't got inyff, ai'f onli got ê hyndryd. Edrychodd y ddynes yn sympathetig arno. You'll have to put something back then, love. Yna, gyda'r ddynes yn edrych arno fel pe bai o'n ddim byd mwy na lwmp anferth o faw ci, dyma Dyl Mawr yn estyn y ddau baced Pampers ac yn eu rhoi'n ôl i'r ddynes, ei hwyneb hithau'n fflamgoch, cyn talu a gwthio'r troli allan yn hamddenol. Dyl Mawr, nytar a thipyn o arwr, meddyliodd Felix.

Cyrhaeddodd Dwylan, a'r poteli gwin wedi bod yn sgwrsio hefo'i gilydd yn y bagiau ac yn cadw cwmni iddo ar y sêt drws nesaf. Am ryw reswm, roedd Felix wrth ei fodd yn clywed gwydr yn clincian yn ysgafn, tebyg i sŵn tafarn brysur a hapus, siŵr o fod, meddyliodd wedyn. Y bwriad oedd cael gair efo Neville a chyflwyno bil y garej iddo. Yn gyntaf roedd rhaid rhoi'r siopa i gadw, a chafodd groeso cysglyd gan hanner cyfarthiad Heddwyn, o'i wely dydd ar y soffa.

'Hei, Heddwyn! Ti'n iawn?' Edrychodd y ci anferth arno'n ddafadaidd, ei ben ar un ochr. Edrychodd Felix ar ei oriawr. Chwarter wedi pump, digon agos. 'Tisho bwyd?' Sbonciodd Heddwyn oddi ar y soffa, ei gynffon bwt yn siglo'n gyson fel metronôm.

Bwydodd Felix y ci ac yna rhoddodd wres y popty'n uchel cyn nôl gweddill y siopa. Cadwodd y siopa wedyn, a rhoddodd y tecell i ferwi tra oedd yn disgwyl i'r popty godi'i wres. Tynnodd y bol mochyn allan o'i orchudd plastig a'i osod i orwedd ar restl weiar y gril yn y sinc Belfast gwag. Pan oedd y dŵr wedi codi i'r berw, tywalltodd holl gynnwys y tecell dros groen y mochyn, a oedd eisoes wedi'i rychu â chyllell, diolch i Tesco.

Ymatebodd y darn cig gan godi ychydig ac agorodd y rhychau i ddangos patrwm cyson y gyllell ar draws y croen. Sychodd Felix y bol yn drylwyr â phapur cegin a berwodd y tecell unwaith eto. Cymerodd gyllell at gwpwl o nionod a'u torri'n dafelli trwchus cyn eu gosod mewn tun rhostio. Rhoddodd y cig ar ben y nionod a'i rwbio ag ychydig o olew olewydd cyn ei orchuddio â halen môr a phupur du. Rhoddodd y bol mochyn yn y popty poeth a gwneud paned iddo'i hun. Edrychodd ar y *Guardian* ar y we am ddeg munud a golchodd yr ychydig lestri a oedd angen eu golchi, gan gynnwys powlenni Heddwyn, ac erbyn hyn roedd hi'n amser gostwng y gwres nes ei fod yn isel er mwyn i'r cig gael coginio'n araf. Yn gyntaf rhoddodd Felix wydriad o ddŵr yn y tun i gadw popeth yn llaith a galwodd ar Heddwyn.

'Tisho mynd am dro?'

Mewn fflach, ymddangosodd Heddwyn wrth y drws, yn moeli'i glustiau.

Cychwynnodd y ddau ar eu ffordd allan o ddrws ffrynt Cefni, oedodd Felix am eiliad a gofyn i Heddwyn aros am funud ger y drws. Aeth i mewn i'r swyddfa ac agor drôr ucha'r ddesg. Cododd ddisg DVD oddi ar dop colofn o hanner cant ohonynt a'i rhoi ym mhoced ei siaced denim.

'Barod, rŵan,' dywedodd wrth gydio yn nhennyn coch Heddwyn a chau'r drws y tu ôl iddynt. Nid oedd Heddwyn wedi symud. Ci da, meddyliodd Felix.

Wedi cyrraedd top yr allt yng nghanol y pentref

sylwodd Felix am y tro cyntaf ar arwydd yn cyfeirio at siop y pentref i lawr lôn fechan i'r chwith o'r llwybr lle'r aethant am dro ddiwethaf. Penderfynodd fynd i weld a oedd y siop ar agor, a hithau'n nesáu at chwech o'r gloch. Cyn pen dim cyrhaeddodd y ddau siop fechan mewn tŷ teras, a logo Coca-Cola yn y ffenest yn dangos mai'r siop oedd hi. Gwelodd yr arwydd OPEN yn ffenest y drws yn cael ei droi gan law dew. CLOSED, meddai'r arwydd ar ei newydd wedd. Cnociodd Felix yn go handi ar y drws. Ymhen ychydig agorodd y drws i'w hanner, a safodd dynes dew o'u blaenau a'i llaw yn erbyn ei brest.

'You gave me a fright then. We're closed, sorry.' Gwenodd yn wan wrth i'w llygaid syllu'n ofnus ar Heddwyn.

'Sori, ai sô iw wyr closing, jyst ê cwic cwestiyn?'

''Bout what?' dywedodd y ddynes yn ddrwgdybus, ei hacen yn ei lleoli rywle yn ne-ddwyrain Lloegr. Caeodd ychydig mwy ar y drws gan ddal i lygadu'r ci anferth.

'Dw iw now y lad côld Neville? Iyng lad, ffifftîn meibi?'

'Strange little fella, yeah, fink so. Bit of a what d'you call it, misfit. Keeps 'imself to 'imself. Typical only child, father scarpered when he was a baba.'

'Sawnds laic him,' dywedodd Felix. 'Iw wydn't hapyn tw now wêr hi lifs, wyd iw?'

'Why, what's he done?'

'Ow, nything laic ddat. Ai was tôcin tw him iestyrdei and ai menshynd tw him ddat ai mait haf sym wyrc for his myddyr.'

'Karen, you mean? Cleaner at the school?'

'Ddat's rait. Karen. Neville didyn't lîf mi yn adres, iw sî,' a dyma Felix yn taro'i dalcen fel Homer Simpson. 'Dow!'

'She lives next door to the school, one of the flats, I fink.'

'Thancs y lot ffor iôr help.'

'That's Mister Felix's dog isn't it? From down the road?'

'Hi daid,' dywedodd Felix.

'I know,' dywedodd y ddynes dew.

'Bai dden,' dywedodd Felix gan godi llaw a thynnu'n ysgafn ar dennyn Heddwyn.

Roedd Felix wedi pasio'r ysgol wrth ddod i mewn i'r pentref brynhawn ddoe. Pe bai'r brif ffordd drwy'r pentref yn bedol ceffyl byddai'r ysgol ar un pegwn a Chefni ar y llall. Aeth â Heddwyn am weddill ei dro cyn crwydro i lawr o'r bryn ac anelu am yr ysgol. Roedd Ysgol Gynradd Dwylan ychydig oddi ar y ffordd drwy'r pentref ac yn uwch i fyny, ac roedd dau dŷ bychan ynghlwm wrthi. Chwifiai'r Ddraig Goch yn yr awel ffres ar ben polyn gwyn wrth giât yr ysgol. Gwelodd Felix ambell degan lliwgar plant bach yng ngardd y tŷ agosaf i'r ysgol, felly clymodd Heddwyn wrth fachyn giât yr ail dŷ gan rwbio top ei ben cyn mentro i fyny llwybr taclus yr ardd fechan, llawn blodau a phlanhigion lliwgar.

Canodd y gloch i Fflat 1 ac aros.

Roedd ar fin mentro eto pan agorwyd y drws yn

sydyn a gorfodwyd Felix i edrych i lawr ar y ddynes ifanc fechan o'i flaen.

'Ia?' gofynnodd y ferch, yn gwta ond nid yn anghyfeillgar. Roedd ganddi wallt melyn at ei hysgwyddau, a llygaid glas, treiddgar mewn wyneb hynod ac annhebygol o dlws. Edrychai'n ddim hŷn na dwy, tair ar hugain ac roedd hi fel pe bai ei holl gorff wedi cael ei leihau ugain y cant gan ryw beiriant gwyddonol.

'Sori styrbio chi. Oswyn,' cynigiodd Felix ei law. 'Oswyn Felix o ochor arall y pentra.'

Gafaelodd y ddynes yn y drws fel pe bai yng nghanol daeargryn. 'Sori del, beth bynnag ti'n gwerthu, dwi'm yn intrysted.'

'Isho gair hefo mam Neville ydw i,' dywedodd Felix cyn i'r drws gau yn ei wyneb. Agorodd y drws eto, ond led y pen y tro hwn.

'Fi 'di Karen Milward, mam Neville,' meddai a gweld yr ymateb yn wyneb Felix. 'Dwi'n gwbod, ai'm oldyr ddan ai lwc. Be mae o 'di neud?' gofynnodd yn ostyngedig.

Rhoddodd Felix y bil o'r garej iddi. 'Sori,' dywedodd yn llipa.

'Ffycin hel,' dywedodd Karen Milward drwy'i dannedd, yn amlwg yn lloerig o flin.

'Sori,' dywedodd Felix eto. 'Nown ni sortio rhywbath allan.'

'Dewch i fewn, Mistyr Felix, ia?'

'Jyst Felix. Diolch.'

Quid pro quo
Un peth am y llall

'Be ma Jôws yn neud 'ma?' gofynnodd Neville i'w fam. Agorodd ei gôt gan ryddhau dwsinau o afalau i fyrlymu'n berfedd gwyrdd ar sedd y gadair freichiau wrth ei ochr.

'Neville! Bihafia, diawl bach,' meddai Karen.

'Dyna fydda i'n 'i alw fo hefyd,' dywedodd Felix, a oedd yn eistedd ar setî fechan. 'Ymysg enwa er'ill, gwaeth.'

'So, be tisho? Sniffian rowd Mam fi w't ti? Hen gi.' Gwenodd Neville arno.

''Di dod i *sniffian* ar ôl dy bres pocad di am y flwyddyn nesa dwi, Nev. Os tisho gwbod.'

'Ti 'di bod yn slashio tîars y dyn 'ma, Neville?' gofynnodd ei fam.

'Naddo fi, rybish, Mam. Paid â choelio fo. Deud clwydda mae o,' gwichiodd Neville, ei ddwylo ym mhocedi ei siaced gan ei hagor allan fel adenydd.

'Iw protesteth tŵ mytsh, Neville bach,' dywedodd Felix.

'Be ma hynna i fod i feddwl?'

Aeth Felix i'w boced a rhoi DVD, heb unrhyw ysgrifen arni, ar y bwrdd coffi o'i flaen. 'Ti 'di clywad am clôsd syrcit telyfishyn, Neville? Ffordd handi o gadw llygad ar eiddo.'

Gyda hyn dyma Neville yn cymryd y goes ac mewn eiliad roedd clep y drws cefn yn atseinio drwy'r tŷ.

'Hwyl, Neville,' dywedodd Felix.

'Rrrrr. Dwi'n sori, Mistyr Felix. Blydi diawl bach drwg!' meddai Karen gan stwmpio'i sigarét allan yn flin yn y blwch llwch ar y bwrdd.

'Jyst Felix, Karen. Ti'm yn mynd i gael unrhyw ddadl gynno fi. Ma'r ddisg yn blanc, gyda llaw, ond dwi'n gwbod 'na fo fuo wrthi. A rŵan ti'n gwbod hefyd.'

''Dio'm yn hogyn drwg, 'chi,' dechreuodd Karen a gweld Felix yn glaswenu arni a'i aeliau wedi'u codi. 'Wel, dim yn ddrwg i gyd, beth bynnag. 'Dio'm yn hawdd bod yn un o Nevilles y byd 'ma, Felix,' Aeth i agor y paced deg o sigaréts o'i blaen cyn newid ei meddwl a chodi'i dwy law at ei thrwyn a'i rwbio, fel cwningen. Ciwt, meddyliodd Felix.

'Be sy'n bod ar bod yn Neville, heblaw bod 'i enw fo bach yn hen-ffash?'

'Enw Taid; syniad Mam. Pwyr dab.' Chwarddodd y ddau'n ysgafn. 'Pan ti'n ffifftîn, ti'm yn ca'l llawer o ddeud mewn petha fel 'na. Wel, ches i ddim beth bynnag.'

'Be mae o'n lecio neud, pan 'di o ddim yn gneud dryga?'

'Gwatshiad teli. Darllan ryw sothach, saiyns fficshyn gan fwya. Garddio – ffansïo'i hun fel 'bach o Alan Titchmarsh, dwi'n meddwl.'

'Garddio!' dywedodd Felix gan bwyntio at Karen. 'O'n i'n sylwi ar yr ardd ffrynt. Neville?'

'Bob dydd Sul, pan 'di ddim yn bwrw.'

'Beth am idda fo ddod i sortio'r ardd allan yn Cefni, ta? Dwi yno am bythefnos.'

'Be, ar dy wyliau ti?'

'Na, tŷ Dad, oedd o. Mae o newydd farw, a dwi'n gwagio'r lle.'

'O, sori gynna i glywad.'

'Doeddan ni'm yn agos. Prin yn nabod 'n gilydd, deud y gwir.'

'Bechod,' meddai Karen.

'Dim rili,' dywedodd Felix gan godi. 'Be ddudwn ni? Dwy awr bob dydd ar ôl 'rysgol, tair ar y wîcend am y bythefnos nesa?'

'Swnio'n fwy na theg i fi, Felix. Diolch yn fawr iawn i chdi.'

'Dim problem, cyn belled â'i fod o'n troi i fyny, Karen.'

'Fydd o acw cyn pump pnawn fory, dwi'n gaddo.'

'Os na fydda i'n y tŷ, geith o ddechra hefo'r lawnt. Fydd y shed yn 'gorad, yn fanno ma'r peiriant dwi'n meddwl.'

'Grêt, dduda i wrtha fo. Diolch eto, Felix. Ti'n garedig iawn.'

'Paid â sôn. Ella fydda i angen help i llnau'r tŷ cyn i fi adael, os ti'n gêm, Karen. 'Na i dalu chdi wrth gwrs.' Edrychodd Karen arno'n ddifrifol. 'O, dynas y siop ddaru sôn bod chdi'n llnau'r ysgol. Jest meddwl o'n i, sori.'

'Na, dwi'n hapus i helpu, ond fel ffafr. Dim pres. Ocê?'

'Ocê, sori, diolch.' Baglodd y geiriau allan o'i geg. 'Iawn, mi a' i. Heddwyn, y ci. Swpar yn popty.'

'Be? 'Di'r ci yn y popty gin ti?' Gwenodd Karen arno a theimlodd Felix ei fochau'n cynhesu.

'Na, mae o tu allan. Rhyw gr'adur gwahanol sy gynna i'n cwcio – yn golsyn, os na frysia i.' Chwifiodd Felix ei law o'i flaen. ''Sgin ti feiro a papur?'

'Sori?'

'Rhif ffôn, rhag ofn fyddi di angen cysylltu.'

'O, reit.' Gwenodd Karen arno, ei dwylo ym mhoced ôl ei jîns. Roedd ganddi'r corff i fatshio'r wyneb ciwt, meddyliodd Felix wrth iddi basio heibio. 'A' i i nôl rwbath o'r gegin.'

Edrychodd Felix o gwmpas yr ystafell fyw fechan. Roedd hi'n dwt ac yn lân, ond prin oedd y dodrefn, a doedd dim addurniadau yno ar wahân i ambell lun teuluol wedi'i fframio ar y teledu mawr sgwâr, yr hen fath o dechnoleg, cyn LCD a plasma. Roedd yr oglau sigaréts, er nad oedd yn gryf, yn codi ychydig o bwys ar Felix. Ar ôl iddo roi'r gorau i'r cyffur diollwng y cychwynnodd y gwaharddiad ysmygu mewn tafarndai ac erbyn hyn roedd Felix wedi ymgynefino ag anadlu awyr iach unwaith eto. Mawredd, meddyliodd, be uffar oedd yr atyniad yn y lle cynta? Yr ogla? Y dannedd a'r waliau brown? Y canser, efallai? Yr anadl a'r dillad drewllyd yn y bore? Ffyc nows, fydd pobl yn chwerthin am 'yn penna ni mewn can mlynedd, siŵr o fod.

''Ma chdi,' dywedodd Karen gan ymddangos wrth ei ochr, a bron â'i gyffwrdd.

'Diolch,' meddai wrth gydio yn y darn o bapur sgrap a phensal. Sylwodd nad oedd oglau annifyr ar Karen, er ei gwendid tybaco; yn wir, roedd croen esmwyth ei breichiau noeth yn bersawrus fel pe bai newydd gerdded allan o goedwig hynafol, glaear a chysgodol, ar ddiwrnod poeth o haf. 'Unig broblem, 'sgynna i ddim syniad be 'di rhif ffôn Cefni.'

'Mobail neith.'

'O, reit. Ia.' Ymbalfalodd yn ei siaced denim am y teclyn pinc, a theimlo'i hun yn gwrido eto wrth i'r diawl peth ymddangos yn ei law. 'Dim fi bia fo, 'di ca'l 'i fenthyg . . .'

'Ma pinc yn siwtio chdi,' dywedodd Karen a dechreuodd y ddau chwerthin.

'Dwi'm yn dallt y petha 'ma'n iawn,' dywedodd Felix gan ysgwyd ei ben a gwthio bysedd ei law chwith trwy'i wallt trwchus.

'Ty'd â fo,' dywedodd hithau gan gipio'r ffôn o'i law dde.

Cafodd y tafarnwr wefr fechan wrth i'w cnawd gyffwrdd am y tro cyntaf, dim ond am amrant. Shit, callia Felix, y twpsyn gwirion, dywedodd wrtho'i hun gan wingo'n feddyliol.

'Un ai ti'n deud y gwir neu 'sgin ti ddim ffrindia. Ma'r adrés bwc 'ma'n wag.' Dangosodd Felix gledrau'i ddwylo iddi a dywedodd Karen, 'Sgwenna hwn i lawr. Sîro trebyl sefyn sîro . . . ' Darllenodd weddill y rhif wrth i Felix sgwennu. 'Hwn 'di hwnna,' meddai gan gyflwyno'r ffôn symudol yn ôl iddo. 'Dwi'm yn siŵr lle ma'r rhif arall, y tŷ felly.'

'Ffonia hwn,' dywedodd Felix gan wenu a phwyntio'r ffôn ati. 'Ma hynna'n ffain.' Gwasgodd heibio i Karen yn y drws a chael cip ar rigol ei bronnau, yn esmwyth a llawn yr olwg, wrth edrych i lawr arni. Woa, boi. Stedi, meddyliodd, wrth i'r stalwyn aflonyddu. O 'ma, reit handi.

Ffarweliodd â'r fam ifanc a chasglodd ei gi amyneddgar o'r giât. Edrychodd yn ôl wedi cerdded ychydig gamau, a chodi llaw eto ar Karen. Daliai i sefyll wrth ddrws y fflat, ei dwylo ym mhocedi ffrynt ei jîns a golwg braidd yn oer arni yn ei fest dila. Cododd hithau ei gên arno, ei bronnau'n siglo fel cwningod mewn sach, wrth iddi rhedeg yn ei hunfan yn ddiymdrech.

'Ffycin hel, Heddwyn. Dawn, boi, dawn.'

Edrychodd y ci arno a'i glustiau'n troi ar ongl gyferbyniol i'w ben. Nid Heddwyn oedd gan Oswyn Felix dan sylw.

Incĭpĕre multo est, quam impetrāre, facĭlius

Mae hi'n llawer haws cychwyn rhywbeth na'i orffen

EISTEDDODD FELIX wrth ddesg y cyfrifiadur, heb ei gynnau, yn Cefni yn bwyta'i swper. Er bod y pishyn croen yn crensio'n ddigonol wrth iddo gnoi, y cyfaddawd i hyn oedd bod y cig mochyn braidd yn sych. Roedd y saws afal a'r stwnsh tatws a moron yn helpu gyda hynny. Safai Heddwyn wrth ei ochr, ei ên ar fraich y gadair swyddfa a'i lafoer yn diferu i lawr ar hyd y plastig. Glaniodd lobyn mawr o'r poer ar drywsus Felix, digon o faint iddo'i deimlo'n taro'i goes.

'Heddwyn! Ych a fi,' chwyrnodd, a chamodd y ci yn ôl gan edrych yn obeithiol arno. 'Hwda,' meddai gan roi darn modfedd sgwâr o'r cig wrth geg Heddwyn. Cymerodd y ci yr offrwm yn ofalus oddi ar ei fys a bawd. 'Ista,' meddai Felix, wedi iddo roi amser iddo'i lyncu, gan obeithio y byddai'i drywsus yn ddiogel pe bai'r ci'n aros yn yr ystum hwnnw.

Canodd ffôn y tŷ ar y ddesg wrth ymyl Oswyn, a goleuodd ei sgrin yn lliw tywodlyd. Edrychodd ar y rhif diarth ar y sgrin wrth gnoi darn o'r cig. Canodd y ffôn dair gwaith eto erbyn iddo'i lyncu.

'Helo,' dywedodd o'r diwedd, ar ôl iddo bwyso'r botwm corn sain.

'Felix?'

Gyrrodd gegaid o win coch i hel y mochyn ar ei ffordd. 'Llyn, ti'n iawn?'

'Ti'n swnio'n wahanol; ti'm ar y toilet gobeithio, nad w't?'

'Byta dwi, ti ar sbîcyr ffôn. 'Sa rwbath yn bod? O'n i'n meddwl bod chdi off-grid, fel bysa'r CIA yn ddeud.'

'Dyna pam dwi'n ffonio'r tŷ a dim dy fobail. Hefyd dwi'n defnyddio ffôn bar y gwesty.'

'Clyfar iawn. Ti'm yn meddwl dy fod ti'n bod braidd yn paranoid?'

'Gor-ofalus, efallai. Ond gwell hynna na rhoi'r Eidalwyr ar ben ffordd tuag at Victor Toye a'i ffrind yn y selar.'

'Ti'm 'di bod yn y bar 'na ers i mi adal chdi, gobeithio, naddo?'

'Paid â bod yn wirion; rŵan hyn dwi'n dod i lawr i gael swper. Salad bach syml. Beth bynnag, fel gwelist ti dy hun, hen ddyn salw sy tu ôl i'r bar yn fama.'

'Jyst as wel ar ôl neithiwr,' dywedodd Felix. 'Be tisho, beth bynnag?'

''Mond holi os 'di pob dim yn iawn. Gest di'r tocyn?'

'Do! Be ti'n feddwl ydw i, simpyl ne' rwbath?'

'Sori, 'sdim isho bod mor sensitif. Faint o'r gloch fyddi di yn Port fory?'

Roedd y Llyn am deithio ar y bws i Borthmadog, er

y byddai hynny'n golygu dwy siwrnai, i Ddolgellau i ddechrau, yna bws arall i Port.

'Fydda i yno toc wedi deg. Be os 'na i adael y goriad dan olwyn ôl yr Yaris i chdi yn maes parcio Tesco? Ma 'nghar i'n barod, 'li.'

'Ia, iawn. Lle 'na i gyfarfod chdi wedyn, ta?'

'Llyfrgell Port, ar ôl cinio? Tua dau?'

'Perffaith. Peint bach cyn noswylio, dwi'n meddwl.'

'Neu ddau.'

'Neu dri,' ategodd y Llyn.

'Cwestiwn i chdi cyn i chdi fynd.'

'Ia?' dywedodd y Llyn mewn llais dwfn nes bod y corn sain yn dirgrynu.

'Sut fysach chdi'n cysylltu'r enw Percy, as in Sledge, hefo'r geiria "amddiffynfa Zed"?'

'Be ti'n fwydro? Be ydi o, croesair *Y Cymro* neu rwbath?'

'Meddylia amdana fo, 'nei di? Rhwbath llenyddol, dybiwn i. Percy a wedyn amddiffynfa Zed, olreit?'

'Ti'n gwbod yr ateb?' gofynnodd y Llyn.

'Na dw siŵr iawn, dyna pam dwi'n gofyn. Ella'i fod o'n bwysig, ella ddim. Eniwe . . .'

'Beth bynnag!' crynodd y ffôn.

'Beth bynnag, injoia dy beint,' dywedodd Felix gan wenu, wrth herio'i ffrind yn fwriadol gyda'r Seisnigiadau.

'Dwi'n siŵr o *fwynhau*'r cwrw. Nos da, Oswyn Felix.'

Os byddai ei enw bedydd yn cael ei grybwyll, gwyddai Felix ei fod wedi llwyddo i gael dan groen ei ffrind.

'Tshîrio!' dywedodd yn bryfoclyd cyn gwasgu'r botwm diffodd ar y ffôn gan nadu cyfle i'r Llyn gael ateb.

Canodd y ffôn eto tra oedd Felix yn rhoi clec i weddill ei wydryn ac yn dal i wenu wrtho'i hun. Yr un rhif. Cododd Felix y ffôn i'w glust y tro hwn. 'Fedri di'm gadal i fi ga'l y gair ola, na'dri?' dywedodd yn lle cyfarchiad mwy traddodiadol.

'Meddylia amdano fo fel ffortres. Tramor. Meddylia am Percy fel enw cynta person, rhywun sy'n fwy adnabyddus o'i gyfenw, efallai,' dywedodd y Llyn.

'Sut felly?'

'Wel, os mai amddiffynfa hefo enw'n cychwyn â'r llythyren Zed ydi'r lle, mae'n hynod annhebygol ei bod wedi'i lleoli ym Mhrydain. Ac mi faswn i'n awgrymu bod yr enw Percy'n cael ei ddefnyddio fel cliw amwys, ond yn un amlwg a chywir unwaith mae'r ateb yn glir. Felly, enw sy prin yn cael ei ddefnyddio, fel Endeavour i Inspectyr Morse. Dyna un ffordd o edrych arni, beth bynnag.'

'Rhwbath i gnoi cil arno, yn sicir. Diolch ti.'

'Nos da, Felix.'

'*Nos da*, Llyn,' dywedodd Felix gan ildio o'i dynnu coes.

Ffortres Zed, meddyliodd wrth gerdded drwodd i'r gegin gyda'i blât a'i wydryn gwag. Dilynodd Heddwyn yn dawel fel ysbryd nes i ewinedd ei bawennau wneud sŵn fel cesair ar ffenest wrth daro llawr y gegin.

'Ti'n dilyn fi?' gofynnodd wrth droi rownd. Dangosodd y plât gwag i'r ci. ''Di gorffan.' Aeth Heddwyn i edrych yn obeithiol i mewn i'w bowlen, ond doedd dim ond briwsion ei swper ynddi. Edrychodd eto ar Felix cyn edrych yn ôl ar y bowlen yn ddifynegiant, yna aeth Heddwyn ati i slochian y briwsion a rhofio dŵr i'w geg o'r bowlen ddŵr drws nesaf. Tywalltodd Felix wydraid iddo'i hun. Iechyd da, Heddwyn, meddyliodd wrth godi'i wydryn a chymryd llymaid.

Ffortres Zed, ffortres Zed. Mae o'n swnio'n eitha egsotic yn Saesneg, meddyliodd. Yr Alamo, ffortres oedd honno. Ffortres A fysa hi wedyn, y twpsyn. Mae o'n swnio fath â rhwbath henffasiwn. Ma Percy'n enw hen-ffash. Percy Shelley, y bardd? Na, doedd Rhydian Felix ddim i mewn i farddoniaeth. Ffortres Zed? Enwa llefydd yn dechrau hefo Zed? Zanzibar, Zurich, Zaire neu Zulu efallai? Be oedd enw'r ffort yn *Treasure Island*? Oedd gan Ben Gunn ffort? 'Ta jest byw mewn ogof neu rwbath oedd o?

Aeth Felix drwodd i chwilio am gopi o'r llyfr, un o'i ffefrynnau pan oedd yn blentyn. Darllen llyfrau antur a gwylio ffilmiau cowbois oedd yn mynd â'i fryd bryd hynny ac roedd Oswyn wedi darllen yr un llyfrau – yn wir yr un copïau – â Rhydian pan oedd yntau'n fachgen ifanc. Byddai'n siŵr o ddod ar draws rhes o'r llyfrau hynny ar y silffoedd yn rhywle, yn eu mysg *Treasure Island* gan Robert Louis Stevenson.

Bu Felix fawr o dro cyn eu darganfod. Dwy res fer o lyfrau clawr caled ymysg pedair silff yn yr alcof wrth ochr y teledu, a'r ddwy arall yn cynnwys llyfrau cloriau meddal. Llyfrau plentyndod Oswyn a Rhydian Felix. Estynnodd am y copi cyfarwydd o lyfr enwog yr Albanwr a dechrau troi'r tudalennau. Tasgodd cwmwl dilewyrch o lwch oddi ar ymyl ucha'r llyfr fel bom fudur wrth iddo'i styrbio a dechreuodd Felix disian fel cath.

'Sa neb 'di agor chdi ers rhai blynyddoedd, nag oes?' dywedodd wrth ei osod yn ôl ar y silff. Archwiliodd weddill y casgliad: *The Red Pony* gan Steinbeck, *King Solomon's Mines* a'i ddilyniant *Allan Quartermain* gan Haggard. Ai Zulus oedd yn y nofelau hynny? Efallai. Yna, yn nes ymlaen, trioleg P. C. Wren; *Beau Sabreur, Beau Ideal* a'r enwocaf o'r tair, *Beau Geste*. Daeth atgofion cynnes i'w feddwl am ddianc ar brynhawniau Sul, glawog a diflas ym mhentref ei blentyndod, Pantcyll, i wres cyffrous a pheryg yr Aifft ac Affrica. Tynnodd *Geste* oddi ar y silff; wedi dysgu'i wers o'r tro cynt, aeth i chwythu'r llwch oddi ar ymyl ucha'r gyfrol. Ni ddaeth y cwmwl llwch, roedd y llyfr yn lân. Agorodd y clawr caled lliw brown annymunol.

> To Rhydian
> With love and best wishes
> Nain

Yna ar waelod y dudalen.

> Xmas 1940

Roedd Felix yn cofio darllen yr arysgrif pan oedd yn blentyn, a meddwl wrtho'i hun pam fod nain Rhydian yn sgwennu'n Saesneg? Trodd dudalen arall.

BEAU GESTE

Ac wrth droi'r dudalen honno drosodd, dyma'r peth yn ei daro'n syth.

BEAU GESTE
BY PERCIVAL CHRISTOPHER WREN

Wel, wel, wel, meddyliodd. P. C. Wren, Percy Wren. Dyma fi wedi dal i fyny hefo chdi, Rhydian Felix. Ha!

'Ha!' bloeddiodd wedyn.

'Wyff,' atebodd Heddwyn oddi ar y soffa fel pe bai mewn breuddwyd. Ar y dudalen nesaf gwelodd fod y llyfr wedi'i rannu'n ddwy ran, ac enw pumed bennod yr ail ran oedd 'The Fort at Zinderneuf'.

Amddiffynfa Z.

Bodiodd Felix ar frys drwy'r llyfr, yn chwilio am dudalen 259, sef man cychwyn y bennod. Disgynnodd amlen fechan i'r llawr wrth iddo agosáu at y nod. Helo Rhydian – neges arall o'r tu hwnt i'r bedd, meddyliodd, wrth wyro a chydio yn yr amlen dair modfedd sgwâr.

Roedd enw Oswyn wedi'i sgwennu ar glawr yr amlen yn llawysgrif unigryw Rhydian Felix.

'Ti'n arwain fi o gwmpas y lle fel ceffyl, yndwyt, Rhydian? Be 'di hwn gin ti, ta?' dywedodd wrth lithro bys i dwll bach yng nghornel ucha'r amlen. Tynnodd gerdyn allan o'r amlen, a llun lliwgar a chyfarwydd arno o bentref Portmeirion dan awyr las ac yn cael ei adlewyrchu yn llanw uchel y foryd. Agorodd y cerdyn a gweld papur ysgrifennu ar wahân wedi'i blygu'n dwt yn ei ganol. Gafaelodd yn y papur; roedd dwy ochr y cerdyn yn llawn ysgrifen ecsentrig ei dad. Roedd enw'r ci wedi'i brintio ar du allan y darn papur a'r tu mewn gwelodd Felix holl fanylion bywyd a gofal y bwystfil o gi. Dyddiad ei eni – roedd Heddwyn yn agosáu at fod yn saith oed. Enw clinig ei filfeddyg yng Nghaernarfon, a'r rhif ffôn. Rhif y cytiau cŵn lle'r arferai Rhydian Felix adael Heddwyn pan âi i deithio oherwydd ei waith. Manylion digon tebyg i'r rhai a adawyd iddo ynghynt gan ei chwaer am fwydydd ac amseroedd bwyta'r bwystfil. A mân bethau eraill, fel ei hoff lefydd i fynd am dro a'i alergedd amlwg i hufen iâ, fyddai'n achosi i bethau saethu allan o'r ddau ben am ddeuddydd.

Handi iawn gwbod hynna, meddyliodd. Ffycin hel, roedd y dyn 'na'n rili caru'r ci 'ma.

Rhoddodd y cyfarwyddiadau ar y teledu a sugno llond ysgyfaint o anadl trwy'i geg cyn ailagor y cerdyn a dechrau'i ddarllen.

Oswyn,

Ti wedi cyrraedd cyn belled â hyn, croeso i ail ran y daith.

Dwi'n eitha ffyddiog na fuasai dy chwiorydd yn gwybod ble i gychwyn os mai nhw fuasai wedi agor y ffeil ar y cyfrifiadur.

Roedd hyn yn fwriadol. Fel ag yr oedd gadael cynhwysion Cefni i ti, rhag bod y llyfrau'n cael eu symud. Wel, dyna'r gobaith.

Mae yna rywbeth yr hoffwn i ti wneud drostaf i, dymuniad olaf fel petai. Dwi'n gwybod dy fod yn meddwl – Cer i'r diawl – neu eiriau tebyg, ar hyn o bryd, ond dwi ddim yna rhagor i ti fod yn flin efo fi, dwi eisoes efo'r Diawl Mawr. Felly gorffenna ddarllen y cerdyn, o leia – mi fydd gwobr i'w chael.

Erbyn hyn, dwi'n llwch mewn pot, wedi'i roi yn y cwpwrdd wrth ymyl y ddesg, os ydi dy chwaer fawr wedi dilyn y cyfarwyddiadau. Rhan o dy etifeddiaeth! Hoffwn i ti wasgaru fy llwch ar y lawnt o flaen y gwesty ym Mhortmeirion – hoff le dy fam a minnau ar y ddaear. Dyma'r ffafr yr hoffwn ei gofyn gennyt.

Dychmyga dy hun yn cloddio union ddeg troedfedd i fyny o'r lle na all y pili-pala ddianc o'i glyw. Trysor, fy mab. Trysor!

Ffarwél.

'Wel, unwaith yn rhagor i mewn i'r bwlch, gyfeillion cu,' sibrydodd Felix wrth ddychmygu Laurence Olivier mewn pais ddur, ar gefn stalwyn, yn chwifio'i gleddyf uwch ei ben.

Roedd Felix bellach wedi mynd i eistedd wrth ymyl Heddwyn ar y soffa ac wedi claddu'i law yng nghôt drwchus gwar yr anifail ac wrthi'n ailddarllen y cerdyn.

O'r lle na all y pili-pala ddianc o'i glyw. O'i glyw. Pwy uffar ydi o?

Edrychodd ar ei oriawr, chwarter wedi wyth. Aeth drwodd i'r gegin a gwagio'r gwydraid gwin cyn ei aill-lenwi â gweddill y botel Rioja. Edrychodd allan o'r ffenest a gweld ei ysbryd ei hun ynddi yn hanner adlewyrchiad yr hanner gwyll. Gwenodd a chwerthin yn snwfflyd ar ei ddelwedd yn y ffenest, gan feddwl am ei fam a'i dad yn yr un cyd-destun, a hynny am y tro cyntaf ers blynyddoedd. Cofiodd am y tro olaf iddo weld ei fam, a'i meddwl hi wedi gadael y byd hwn ers misoedd; roedd hi'n gragen, yn hesb o gariad a bywyd, gwerth ei alw'n fywyd, beth bynnag. Mewn ystafell na ddaliai unrhyw atgofion nac ystyr arbennig iddi hi, nac i neb a ddeuai i'w gweld. Hosbis. Tŷ cysur, yn llwyddo i ddal dim cysur o gwbl. Blwyddyn cyn cychwyn mileniwm newydd. Teimlodd ddagrau'n hel wrth i wyneb ei fam ymddangos o'i flaen, yn glir fel ddoe. Ni wnaeth grio ond gadawodd i'r dagrau ddisgyn yn ddi-lol i lawr ei fochau. Chwarddodd eto, cyn cynnig llwncdestun i'w adlewyrchiad a ymddangosai, yn glir erbyn hyn, yn y ffenest ddu.

'I Rhydian Felix, y ffycin coc oen.' Tywalltodd gynnwys y gwydryn i'w geg.

In loco parentis
Yn lle'r rhiant

'Rheina'n fancw?' gofynnodd Felix wrth bwyntio ar draws y cae chwarae gwag at griw o hogiau'n sefyllian wrth dyfiant gwyllt ar y cyrion pellaf.

'Ia, ond ffycin gad hi, Felix. 'Nei di 'mond gneud petha'n waeth,' dywedodd Neville, ei leferydd yn floesg oherwydd ei wefusau chwyddedig.

'Aros yn fama.'

'Siriys, Felix, ma Darren Drygs yn seico, onest.'

'Dalia hon.' Tynnodd Felix ei siaced denim a'i rhoi i Neville. Edrychodd y llanc yn erfyniol arno, ei lygaid du yn gwneud iddo edrych fel panda. Gwenodd Felix arno'n gysurlon. 'Paid â poeni, mynd i ddarfod y frwydr ydw i, dim cychwyn rhyfel.'

Dechrau prynhawn dydd Gwener braf ym Mhwllheli, meddyliodd Felix, ar dir Ysgol Blaen y Don. Yn cerddad ar draws y cae chwarae tuag at griw o hogia – naw, ella deg – ffags yn eu cega, coleri'u siacedi wedi codi. Rafins Pwllheli a'r cylch. Tydi hwn ddim yn un o'r syniada gora ti 'di ga'l, Oswyn Felix.

Roedd ei gerdded pwrpasol ar draws y cae wedi tynnu sylw'r hogiau. Dechreuodd Felix wyro'i ben i'r dde ac yna i'r chwith a chwifio'i freichau'n araf, fel pe bai'n rhwyfo cwch yn hamddenol, a nhwythau'n syllu arno'n ymlwybro tuag atynt. Roedd maint sylweddol bonau ei freichiau wedi tynhau defnydd ei grys-T gwyn.

Roedd yr hogiau'n amlwg yn trafod pwy oedd o a dechreuodd y sigaréts ddisgyn i'r llawr, bob yn un. Gwenodd Felix yn llydan arnynt wrth agosáu, er mwyn iddynt gael golwg iawn ar ei ddannedd aur. Stopiodd ddeg llath oddi wrth y criw.

'Iawn, hogia?' Dim ateb. Rhwbiodd Felix ei drwyn ac edrych ar ei esgidiau DMs. Cymerodd gam ymlaen. 'Pwy 'di Darren Drygs?'

'Pwy s'isho gwbod?' atebodd un o'r unig ddau nad oedd yn gwisgo iwnifform yr ysgol. Roedd o'n hogyn mawr â gwacter anghyffredin yn ei wyneb llonydd, a golwg hanner cysgu arno.

'Ffrind i Neville. Yr hogyn 'na gafodd stid ddoe? Cofio?'

Chwarddodd yr hogyn a thynnu carn cyllell allan o boced ôl ei jîns. Llusgodd ei fys ar hyd y botwm a sbonciodd y llafn arian i'r golwg.

Cymerodd Felix gam arall tuag atynt, 'Switshblêd, neis.'

Dechreuodd cwpwl o'r hogiau eraill, un ohonynt mewn gwisg ysgol, dynnu cyllyll allan. Cyllell hela neu bysgota gan un, a chyllell Stanley lwyd gan y llall mewn dyngarîs budur dros grys-T a arferai fod yn wyn.

'Sud fysa chdi'n licio i fi stwffio honna i fyny dy din di?'

'Iŵ, and hŵs armi, wancyr?' atebodd Stanley.

Ysgydwodd Felix ei ben ac ochneidio. 'Be ti'n neud 'ma, Darren? Faint o oed wyt ti a dy bydi, Ofarôls, yn fanna? Eitîn? Naintîn? Be ti'n neud? Gwerthu ffags, dôp? Gneud bŵs ryns i'r ffycin lwsyrs 'ma?' Pwyntiodd â'i ên tuag at yr hogiau ysgol.

'Be 'di o i chd . . .' dechreuodd Darren Drygs.

Symudodd Felix yn deigraidd o gyflym. Cymerodd gam arall gan sodro'i goes chwith o'i flaen a throi'n sydyn yn ei unfan, gan wyro, cyn dod â holl rym taro ei goes ôl o gwmpas a chysylltu'n berffaith â chanol torso Stanley. Diflannodd y llanc, yn gartwnaidd o gyflym, i mewn i'r gwrych trwchus a amgylchynai'r cae chwarae. Gyda'i law chwith, cydiodd Felix yn llaw Darren Drygs a oedd eisoes yn gafael yn dynn yn y gyllell sbring. Yna gafaelodd Felix fel feis yng nghorn gwddf y llanc, gyda'i law dde. Daeth panig a sioc i wyneb Darren gan chwalu'i ddelwedd ddi-hid. Edrychodd Felix o'i gwmpas a gweld gweddill yr hogiau yn camu'n ôl, eu dwylo allan, yn ildio a dangos eu cledrau gweigion agored iddo. Roedd y gyllell hela, neu gyllell bysgota o bosib, yn gorwedd yn ddiniwed ar y glaswellt. Cododd Darren ei law chwith a dechrau'i chwifio'n agored wrth ymyl ei ysgwydd, fel pe bai am ddechrau canu fel Al Jolson.

'Gollwng,' sibrydodd yng nghlust Darren. Agorodd Felix ychydig ar ei law chwith, digon iddo gael rhyddhau'i afael ar y gyllell, a gafaelodd Felix ynddi gerfydd y llafn miniog. Taflodd y gyllell yn ddwfn i mewn i'r brwyn a'r drain trwchus o'i flaen. 'Pisa dy hun,' sibrydodd eto yng nghlust yr hogyn. 'Rŵan, yn fama. Pisa dy hun neu mi rwyga i dy ffycin windpaip di allan.'

Syllodd Felix i fyw llygaid Darren Bach a gweld dim byd ond ofn a dryswch yno. Gostegodd hyn fymryn ar ei dymer a gollyngodd ei afael gan gicio coesau Darren yn erbyn ei gilydd a llorio'r hogyn.

Edrychodd Felix ar yr hanner dwsin o hogiau ifanc yn syllu arno, fel lloi, yn llywath, yn wyllt ac yn gegagored.

Lloi Llŷn, meddyliodd Felix.

'Peidiwch â smocio, hogia, mae o'n ddrwg i chi,' dywedodd wrth wasgu sawdl DM ar un o'r stympiau bach brown ar y gwair. Plygodd fel bod Darren, oedd yn gafael yn ei wddf ar lawr, yn cael golwg iawn arno'n dweud. 'Os 'di Neville yn ca'l sniff ar dy wynt drewllyd di eto. Na, disgwl. Os 'di o'n ddigon agos i ogla un o dy rechod di, hyd yn oed dy ffycin BO di, byth eto, fydda i'n ôl. A fydda i ddim yn chwara'n neis tro nesa, chwaith. Dallt?'

Nodiodd Darren arno'n frwdfrydig a gwelodd Felix rai o'r hogiau eraill yn gwneud yr un peth, eu llygaid yn enfawr yn eu pennau. Cododd Stanley i eistedd wrth ymyl y gwrych, ei wyneb yn sbotiau gwyn ag ymylon pinc, yn amlwg wedi disgyn i ganol llecyn o ddail poethion. Cymerodd Felix gam tuag ato, a dechreuodd Stanley gilio'n ôl i mewn i'r tyfiant poenus.

'Cyllall, y twat,' mynnodd a dyma'r hogyn yn y dyngarîs budur yn lluchio'r teclyn llwyd wrth draed

Felix, ei lafn ynghudd unwaith eto. Gafaelodd Felix yn y ddwy gyllell. A dyma'r gyllell hela – neu o bosib un bysgota, doedd Felix yn dal heb fedru penderfynu – a'r gyllell Stanley'n ymuno â'r gyllell sbring yn ddwfn yng nghanol yr erwau o ddryslwyni ar gyrion cae'r ysgol.

'Hwyl, hogia,' dywedodd Felix gan droi a cherdded yn ôl ar draws y cae chwarae. A'th hynna'n o lew, dywedodd wrtho'i hun. Bechod 'swn i 'di dod â'n sbectol haul.

Brasgamodd dyn tuag ato drwy'r gynulleidfa o blant oedd bellach wedi ymgynnull o gwmpas y fan lle gadawodd Felix Neville yn sefyll. Gwisgai grys a thei, trywsus melfaréd brown tywyll a sbectol heb ffrâm.

'Pwy dach chi? Be dach chi'n neud ar dir yr ysgol?' gwaeddodd yn flin, gan ddal i gerdded amdano.

'Pwy wyt ti?' gofynnodd Felix gan wenu'n gyfeillgar.

'Pwy ydw i? Y Dirprwy Brifathro, dyna pwy ydw i,' atebodd gan sefyll o flaen Felix.

Cerddodd Felix heibio iddo heb stopio. 'Jyst yn sortio problem fach allan. Dwi'n ddigon hapus rŵan. Hwyl.'

Tynnodd y Dirprwy ffôn o'i boced. 'Mi fydda i'n ffonio'r heddlu.'

'Ffonia'r ffycin armi, 'di o ffwc ots gynna i,' dywedodd Felix.

Safodd y Dirprwy yn ei unfan wrth ymyl y cae chwarae, ei ddwylo ar ei gluniau, yn edrych ar Felix yn gafael yn ei siaced denim o law Neville.

Winciodd Felix ar Neville wrth gymryd ei siaced heb stopio na dweud dim wrtho. Gwahanodd y dorf o blant fel y Môr Coch o'i flaen. Cerddodd am giât yr ysgol, a dwsinau o blant yn ei ddilyn fel pe bai'n ffermwr yn bwydo'i ddefaid.

'Bŵ,' gwaeddodd Felix atynt gan droi wrth yr adwy.

Stopiodd y plant, ac aeth Felix ar ei ffordd drwy'r fynedfa i'r chwith gan anelu am ei gar oedd wedi'i barcio wrth y traeth. Clywodd lais blin y Dirprwy y tu ôl iddo yn annog y plant i symud oddi yno. Ffycin tîtshyrs, meddyliodd Felix.

'Bli-di-bing,' canodd y ffôn bach pinc ar sêt y teithiwr wrth ei ymyl, a Felix newydd eistedd y tu ôl i olwyn-lywio ei Golf. Neges destun. Agorodd y Samsung a phwysodd y botwm priodol; roedd wedi dysgu gwneud hynny yn dilyn gwers gan Neville ynghynt yn yr wythnos.

> FELIX,
> MAE'R CYFARWYDDYD WEDI
> CYRRAEDD, FFONIA FI.
>
> LL

'Ocê,' dywedodd wrth y ffôn. 'Rho jans i fi ddianc o'r sîn of ddy craim, gynta.'

Tagodd y Golf yn effro a gyrrodd Felix o amgylch y dref, ar y ffordd rhwng y tai a'r traeth, ac allan o'r dre tuag at Gaernarfon.

Ddechrau'r wythnos, cyn cyfarfod â Felix yn y llyfrgell yn Port, roedd y Llyn wedi prynu ffôn symudol, talu-wrth-fynd, er mwyn cadw mewn cysylltiad heb fod modd i neb ddarganfod â phwy roedd yn siarad. Mwy o baranoia yn nhyb Felix. Rŵan roedd Felix yn troi i'r dde yn y Ffôr ac yn gyrru am Chwilog, gan gadw at y lonydd cefn gwlad rhag ofn fod y Dirprwy wedi ffonio'r heddlu. Pwy sy'n paranoid rŵan, meddyliodd gan chwerthin wrtho'i hun. Gyrrodd y VW i mewn i gilfach barcio ychydig y tu hwnt i ffatri lefrith Hufenfa De Arfon. Diffoddodd y peiriant gan sylwi'n syth fod ei galon yn dal i guro fel ceffyl ar garlam yn ei frest. Adrenalin, uffar o stwff cry, meddyliodd.

Doedd fawr ddim wedi digwydd i yrru'i waed yn gynt trwy'i wythiennau yn ystod yr wythnos ers y cyfarfod efo Victor Toye. Roedd y Llyn wedi bod yn ddiarth ar ôl i'r ddau gytuno yn y llyfrgell na fyddai ei ffrind yn cysylltu heblaw i ddweud bod pethau wedi symud yn eu blaenau.

Cyrhaeddodd Neville yn brydlon ar ôl yr ysgol i dalu am ei ddrwgweithred â'i lafur yng ngardd Cefni, yn ôl y cytundeb hefo'i fam, Karen. Karen, Karen. Bob tro y meddyliai Felix amdani dôi'r ddelwedd i'w feddwl o'i bronnau'n siglo'n araf fel slo-mo mewn ffilm wrth iddi sefyll yn nrws ei thŷ.

Ti mewn lyst, Felix. Ci wyt ti. O'dd Neville yn llygad 'i le, meddyliodd. Ma gin ti gariad, Mair, ti'n cofio? Bihafia!

Neville, wedyn. Yn brydlon ac ar amser bob dydd, hynny yw, tan ddydd Iau pan na ddaeth cnoc ar y drws. Dim jôcs sarcastig i dorri ar y diflastod o symud llyfrau a bocsio ffeiliau academaidd Rhydian Felix. Dim pryfocio, yn fwyfwy cyfeillgar, gan y llanc hengall ond ychydig yn rhyfedd, o ochr arall y pentref. Dim golwg ohono. Arhosodd Felix tan chwech o'r gloch cyn penderfynu mynd â Heddwyn am dro heibio i'w tŷ ac efallai roi cnoc ar y drws.

Atebodd Karen y drws a golwg flinedig arni, ei gwallt yn stribedi seimllyd, blêr wedi hanner dianc o'u cwlwm elastig ar gefn ei phen.

'Felix. Ty'd i fewn.' Agorodd y drws led y pen iddo. 'Sori, 'nes i'm ffonio.'

'Be sy? 'Dio'n iawn?'

'Yndi, jyst yr iwshyl. 'Di bod yn cwffio,' ochneidiodd Karen yn ddigalon wrth gerdded i mewn i'r ystafell fyw.

''Dio'n iawn?' gofynnodd Felix eto. 'Lle mae o?'

'Yn 'i fedrwm, yn teimlo bechod drosta fo'i hun.' Eisteddodd Karen yn drwm ar y setî fechan. 'Tair ysgol mewn tair blynadd. Caernarfon hiyr wi cym.'

'Be, yn 'rysgol oedd o'n cwffio?'

'Eto! Ia, Ysgol Blaen y Don tro 'ma. Mae o 'di bod yn Port, wedyn Pen-y-groes. Rŵan yr un peth eto yn Pwllheli. Ryning awt of ffycin opshyns hiyr, timbo?'

'Be, mae o 'di ca'l 'i ecspelio o'r ddwy ysgol?'

'Dim cweit. 'Dydi Neville ddim ecsactli'n Rocky, be ti'n galw fo, Bilbao.'

'Balboa,' dywedodd Felix.

'Sori?'

'Balboa – Rocky Balboa,' meddai Felix.

'Warefa,' dywedodd Karen gan godi'i llaw i'r awyr a

gadael iddi ddisgyn yn drwm ar fraich y setî. 'Dos i fyny i weld o, os lici di.'

'Ti'n iawn?' gofynnodd wrth edrych ar y fam ifanc yn eistedd yn llipa fel doli glwt, ei phengliniau'n cyffwrdd â'i gilydd, a blaenau'i thraed yn cyffwrdd hefyd. Edrychai fel pe bai wedi pwdu â'r holl fyd. Caeodd Karen ei llygaid a chwifio'i llaw tuag at Felix i'w yrru allan o'r ystafell cyn ei gosod ar draws ei haeliau. Aeth Felix am y grisiau.

'Ia?' meddai Neville drwy'r drws, ar ôl i Felix gnocio. 'Be tisho?'

'Fi sy 'ma, Neville. Ga i ddod i mewn?'

Dim ateb.

Agorodd Felix y drws ryw fymryn. ''Di'n saff? Ti'm yn mynd i gymyd swing?' Gwthiodd y drws ar agor a gweld Neville yn gorwedd ar ei wely, yng nghanol anialwch arferol ystafell wely hogyn yn ei arddegau. Gorweddai ei fraich chwith ar draws ei wyneb nes bod ei drwyn wedi'i gladdu yn nyffryn ei benelin. Roedd o'n dal yn ei wisg ysgol, a diferion coch tywyll yn batrymau bob-sut dros ei grys gwyn. Roedd ei dei wedi'i lapio, fel rhwymyn bocsiwr, o amgylch ei ddwrn dde. 'Wel, ga i weld ta?' gofynnodd Felix.

Ymddangosodd wyneb clwyfedig y llanc o'r tu ôl i'w fraich, ei lygaid ar gau. Edrychai fel pe bai wedi marw, yn ei arch, ei wyneb wedi ymlacio ac yn ddifynegiant.

'Ffy-cin hel,' dywedodd Felix. 'Os 'di'r boi arall yn edrych yn waeth, ti'n mynd i jêl, dybiwn i.'

'Bois er'ill. Plwral,' dywedodd Neville yn ddistaw, prin yn symud ei wefusau chwyddedig.

'Ga i weld dy law di ta?'

Dadlapiodd Neville ei dei a dal ei law i fyny i Felix gael gweld; doedd dim marciau arni, heblaw am bridd Cefni dan ei ewinedd. 'Dim sgratsh, dim ar fy nwylo, a dim arnyn nhw chwaith. Ocê?'

'Be ddigwyddodd?'

'Yr un peth ag sy'n digwydd bob tro.' Cododd Neville ar ei eistedd ar ei wely, gan riddfan a gafael yn ei asennau. Gwelodd Felix ragor o waed wedi sychu'n wallt matiog ar ochr ei ben. Gwelodd Neville hyn, a rhoi ei law yn dyner ar y briw. 'Dim byd sîriys, dim stitshys. Ti'n dod i arfar, 'sdi.'

'Hefo be?'

'Ca'l stid. Dio'm yn brifo cymaint yr ail, trydydd, pedwerydd, pumad tro. Ti'n arfar. No big dîl.'

'Pam?' gofynnodd Felix.

'Am bod fi'n newydd? Am bod fi'n edrych fel 'ma?' Cyfeiriodd at ei holl gorff gyda'i law. 'Am bod fi'n îsi target? Teic iôr pic, Mistyr, côl-mi-Felix, Felix.'

'Dim byd i neud efo'r ffaith dy fod ti'n smartâs, ac yn lecio ca'l y gair ola bob amsar?'

Chwarddodd a gwingodd Neville ar yr un pryd. 'Weithia. Ti'n iawn. Dwi'n haeddu bob dim dwi'n ga'l, hyd yn oed os dwi ddim actiwli'n gofyn amdani. Ond dim tro 'ma, Felix. 'Nes i'm byd i'r ffycars 'na. Onest.'

'Pwy oeddan nhw, ta? A pam?'

'Ti'n gwbod yn 'rysgol, os ti'n gallu cofio 'nôl mor bell â hynna,' dechreuodd Neville, a phwyntiodd Felix fys ato gan rythu arno'n llym. Chwarddodd Neville yn boenus unwaith eto cyn parhau. 'Ti'n gwbod, ma 'na hogia ti'n trio dy ora i osgoi. Cadw allan o'u ffordd nhw, timbo. Yn bob ysgol, dwi'n siŵr.'

'Gwbod y teip, ia?'

'Wel, dychmyga flwyddyn pyrticiwlarli twp a ffyrnig, a wedyn adia'r saico lleol i'r mics. Rhyw fath o Himmler i'r stormtrwpyrs mewn iwnifforms ysgol, timbo? Darren Penderyn 'di enw iawn o, fysa chdi'n meddwl bysa enw fel 'na'n sticio, bysat? Ond Darren Dryga, weithia Darren Drygs, ma pawb yn 'i alw fo.'

'Swnio'n foi neis,' dywedodd Felix, gan orwedd yn erbyn hen boster o ffilm John Wayne, *Rio Bravo*, ar wal stafell wely Neville.

'Mam yn deud bydda i'n gorod mynd i land of ddy Cofis ar ôl hyn,' meddai Neville gan bwyntio at ei wyneb. 'Dwi'n ocê yn Pwllheli. Wel, oeddwn i'n ocê tan heddiw, jyst ca'l 'y nal allan 'nes i, 'na'r oll.'

'Be ti'n feddwl?' gofynnodd Felix gan edrych ar y posteri eraill oedd yn cuddio bron pob tamaid o waliau'r stafell, gan gynnwys y rhan fwyaf o'r tamprwydd du yno. Hen ffilmiau, rhai cyn amser Felix, heb sôn am hogyn yn ei arddegau. *3.10 to Yuma*, *The Searchers*, *Winchester '73*, *Red River*, *My Darling Clementine*, ac un arbennig a dynnodd sylw Felix, *One-Eyed Jacks*, yr unig ffilm i'r anfarwol Marlon Brando ei chyfarwyddo. Ffilm gowbois hynod anghyffredin, â seicoleg y cymeriadau'n cael sylw blaenllaw ynddi. Cofiodd hefyd am y gweir eithriadol o frwnt a gafodd cymeriad Brando yn y ffilm, Rico neu Chico, neu rywbeth tebyg. Roedd Felix wrthi'n cysidro arwyddocâd hyn pan ddechreuodd Neville siarad.

'Peth dwytha dwi isho 'di rhoid esgus i Mam yrru fi i ffycin Caernarfon. A be sy'n Gaernarfon, Felix?' Cododd Felix ei ysgwyddau arno. 'Nain ffycin Dre, dyna pwy.'

'Sut o'n i fod i gesio hynna? *Be* sy'n Gaernarfon ddudest ti, dim *pwy.*'

'Y "be" ydi tŷ'r hen gotsan flin. Fanna fyswn i'n gorod byw yn ystod yr wsos. Dallt?'

'Ti'n clywad hynna?' gofynnodd Felix wrth roi ei law o amgylch ei glust fel pe bai'n gwrando. 'Sŵn y geiniog yn disgyn, Neville fy ffrind. Sŵn y sbondwlics yn syrthio.'

'Ti'n gall, dwad?' Edrychodd y llanc yn hunandosturiol ar Felix, ei gorff yn gwegian ar ymyl y gwely.

'Wela i di fory, 'li,' dywedodd Felix gan gamu'n ara deg tuag at Neville, ei ddyrnau o'i flaen fel pe bai'n bocsio mewn slo-mo. Edrychodd Neville arno'n ddirmygus. 'Go iawn, 'wan. Wela i di fory. Dos i ysgol fel ti'n arfar neud. Cadwa dy lygaid yn 'gorad a dy geg ar gau, a wela i di amsar cinio. Ocê?'

Edrychodd Neville arno'n fwy dirmygus fyth, ei wefus chwyddedig yn grechwen bwdlyd.

'Be ti'n feddwl neud, mynd i weld y Prifathro? Bîn ddêr, dŷn ddat, a dwi'n gwisgo'r blydi T-shyrt,' dywedodd Neville gan gydio yn ei grys gwaedlyd.

'Ffwcio hynna,' dywedodd Oswyn Felix yn ddigyffro, gan wenu arno'n hyderus. 'Ffwcio mynd i weld y Prifathro, a ffwcio Darren Drygs.'

Gaudet equis, canĭbusque, et aprīci grāmĭne campi

Mae'n ymhyfrydu mewn ceffylau, a chŵn, a glaswellt ar y paith heulog

ARHOSODD FELIX, ei lygaid ar gau, nes bod curiad ei galon wedi gostegu yn ei glustiau. Clywodd yr adar yn canu mewn clawdd wrth ymyl ei Golf ac agorodd ei lygaid wrth i lori laeth fynd heibio'r gilfan yn ddigon agos i ysgwyd ei gar. Cododd y ffôn pinc oddi ar y sêt wrth ei ymyl ac edrych ar y rhif ddwywaith, i wneud yn siŵr ei fod yn deialu'r rhif ffôn cywir, cyn ffonio'r Llyn.

'Helo, Felix? Lle uffar ti 'di bod?' gofynnodd y Llyn.

'Brysur. Dwi yma rŵan, tydw? Be 'di'r ecseitment?'

'Dwi yn Gaerdydd, a ma'r pecyn wedi cyrraedd.'

'Ocê, James Bond. Oes *rhaid* i ti siarad fel rhwbath allan o John le Carré?'

'Smiley fyswn i wedyn. Fleming oedd Bond. Beth bynnag, dwi'n dod i fyny.'

'Dreifio? Ta trên?'

'Trên. Mi fydda i ym Mangor am chwartar i chwech.'

'Dos i'r Penrhyn, ddo i draw 'na tua saith. Dwi isho gweld rhywun gynta,' dywedodd Felix gan feddwl am Neville.

'Ocê. Ti'n meindio tyswn i'n ca'l cawod?'

'Mae hynny wastad i'w groesawu, fy ffrind.'

'Diolch yn fawr!'

Diffoddodd Felix y ffôn a'i luchio'n ddi-hid ar y sêt wag.

Cyrhaeddodd Cefni am ddau, ac ar ôl ciniawa ar frechdan aeth â Heddwyn am dro hir o gwmpas top y pentref, wrth droed mynydd Craig-y-lan. Llwybr ceffylau â'i waliau cerrig a godwyd ganrif neu ddwy yn ôl o bobtu a'r rheiny wedi dymchwel mewn mannau. Cafodd Heddwyn ei ryddhau oddi ar ei dennyn gan nad oedd dim byd, ond merlod hanner gwyllt y mynydd a chwningod, yn pori'r tir corsiog a gwael. Diflannodd Heddwyn o'i olwg wrth iddo nesáu at fan ucha'r llwybr, a hwnnw'n cymryd tro i'r chwith wedyn wrth ddisgyn. Wrth i Felix ddringo i'r brig gwelodd Heddwyn o'i flaen – ei glustiau'n syth fel plu brân mewn pen-rwymyn Indiad Coch – yn edrych ar ebol llwyd oddeutu chwe mis oed, a'i fam, lai na deg llath oddi wrthynt.

'Aros.' Trodd Heddwyn i edrych arno a gwelodd Felix olwg ddryslyd yn ei lygaid. 'Dim ci ydi o,' dywedodd gan gydio yn ei goler rhag ofn.

Dangosodd y ferlen wen ei dannedd brown iddynt wrth weryru'n swnllyd, a rhuthrodd yr ebol, a oedd ond ychydig mwy o faint na Heddwyn, i guddio dan fol ei fam. Sylwodd Felix fod yna fylchau yn y wal rhyngddyn nhw a'r ceffylau a giât fawr bren ar waelod y pant y tu ôl i'r ferlen a'i hebol, a honno wedi'i chau. Tynnodd ar goler Heddwyn, ond roedd y ci wedi sodro'i bawennau i'r tir ac roedd disgyrchiant yr allt a styfnigrwydd Heddwyn yn ei wneud yn amhosib i'w symud.

'Ty'd, y lembo, rho le iddi.' Tynnodd Heddwyn i'r ochr fel y daeth merlen arall, frown tywyll a myngfras du trwchus, i'r golwg drwy'r twll i'r chwith o'u blaenau. Gweryrodd yn uchel a stompio'i ffordd yn ymosodol dros y cerrig ac ar y llwybr. Ymlaciodd Heddwyn wrth weld y newydd-ddyfodiad a symud yn gyflym yn ôl i ben yr allt fechan gan dynnu Felix ar ei ôl nes ei fod bron â baglu. Roedd ei law wedi'i rhwymo ar ongl anghyfforddus rhwng coler a gwddf cyhyrog y ci. 'Aros, Heddwyn,' meddai'n wyllt. 'Ffycin 'el,' ychwanegodd dan ei wynt. Curodd y ferlen frown y llwybr unwaith â'i charn chwith a chwythu'n swnllyd, ei ffroenau'n fflachio. Yna dringodd dros y cerrig a thrwy'r bwlch yr ochr arall i'r llwybr. Dilynodd y fam wen a'r ebol llwyd yn ei chysgod; clywodd Felix eu carnau'n atseinio'n bwerus wrth garlamu i ffwrdd rhwng yr eithin. Cafodd Felix ei law yn ôl ac eisteddodd ar wely o lus ar ymyl y llwybr, yr aeron yn ddim ond cyrains duon sych o'i gwmpas erbyn hyn.

'Diolch, Heddwyn.' Edrychodd Heddwyn arno, ei dafod allan yn peuo. Edrychai i Felix fel pe bai'n gwenu.

Hic finis fandi

Dyma derfyn ar y sgwrs

RAI ORIAU'N ddiweddarach, a Felix ar y we yn ceisio ymchwilio i werth ambell lyfr, daeth cnoc ar y drws. Edrychodd ar ei oriawr; chwarter wedi pump. Neville, siŵr o fod, meddyliodd gan wthio'r gadair yn ôl oddi wrth y ddesg. Pan welodd Heddwyn yn gorwedd ar y soffa, heb godi'i ben hyd yn oed, gwyddai fod ei ddamcaniaeth yn gywir gan fod y ci wedi arfer â churiad y llanc erbyn hyn ac yn ei adnabod. Gwyddai hefyd, cyn agor y drws, fod hwyliau go lew ar Neville. Nid oedd unrhyw dinc tristwch, trais na thranc yn perthyn i'r gnoc. Yn wahanol i'r gnoc gyntaf, 'nôl ddechrau'r wythnos, pan daeth Neville i Cefni i ddechrau'i ddedfryd. Roedd y gnoc honno'n llawn o'r tri T, meddyliai Felix. Agorodd y drws, safai Neville o'i flaen, ei ddwylo allan a gwên lydan ar ei wyneb.

'Ti'n jîniys, Felix,' dywedodd gan slapio dwy fraich noeth Felix uwchben ei benelinau. Gwthiodd ei ffordd heibio Felix ac i mewn i'r tŷ. 'Hei, Heddwyn. Ti'n iawn?'

Erbyn i Felix gau'r drws a throi, roedd Neville yn diflannu i lawr am y gegin, a Heddwyn yn dylyfu gên,

ei gorff hanner ar y soffa a hanner oddi arni. Dilynodd
Felix a gweld Neville â'i drwyn yn yr oergell.

"Sgin ti'm Doctyr Pîs i fewn,' dywedodd gan droi o
gwmpas â chan o Pepsi yn ei law. 'Neith y Brad.'

'Y Brad?'

'Dyna oedd 'i enw fo'n wreiddiol, ar ôl y boi ddaru
infentio'r stwff. Cŵl, tydi? Y Brad,' dywedodd Neville
mewn acen Americanaidd y tro hwn, a thynnu'r tab.

Dechreuodd Felix roi bwyd ym mowlen Heddwyn a'r
ci'n sefyll wrth ei gefn.

'Ti'm yn mynd i ofyn, ta?' gofynnodd Neville.

Gwthiodd Heddwyn ei borthwr i'r ochr wrth i
Felix godi â'r bag bwyd dipyn yn wacach yn ei ddwylo.
Rhoddodd y bag yn ôl yn ei gwpwrdd a throi i wynebu'r
hogyn.

'Gin ti waith dal i fyny i neud. Dwi'm 'di anghofio am
ddoe, 'sti,' dywedodd yn bwyllog.

'Olreit, olreit. Dwi'n dallt. Nefyr hapynd, ia?'

'Rwbath fel 'na. Edrych yn debyg bod chdi'm yn
mynd i orfod deud "cont" ar ddiwedd bob brawddeg
erbyn hyn, nadi?'

'Be ti'n . . . ?' dechreuodd Neville, cyn ychwanegu, 'O!
Cofis ti'n feddwl. Da 'wan.'

'Allan, a dos â Brad efo chdi,' dywedodd Felix.

Roedd Neville fel yr hogyn yn yr hysbyseb Ready
Brek erstalwm, meddyliodd. Mor hapus fel bod golau'n
tywallt allan o'i groen, ac roedd Felix yn falch.

Obstŭpui, stĕtĕruntque comæ,
et vox faucĭbus hæsit

Rhyfeddais, cododd fy ngwrychyn, a glynodd
fy llais yn fy llwnc

'Y FFRWYTH CYRAEDDADWY,' meddai'r Llyn wrth eistedd
yn ôl ar y sgiw wrth ffenest y bar yn y Penrhyn Arms, ei
ddwylo wedi'u plethu o amgylch cefn ei ben.

'Be ti'n feddwl?' gofynnodd Felix.

'Dyna'r oll 'di'r Karen 'ma. Ti'n ca'l ffrae efo Mair ac yn
gorfod mynd i ffwrdd am rai diwrnodau, yn *ddigon* pell.
Wedyn mae'r ffrwyth bach blasus 'ma'n cael ei gyflwyno
o dy flaen di, ac o fewn cyrraedd. Mmm, be ti'n feddwl?'

'Temtasiwn ti'n feddwl?' Nodiodd y Llyn arno. 'Be
ddudodd Oscar Wilde am hynna hefyd?'

'Ai can risist enithing ecsept . . .' dywedodd y Llyn
mewn acen Seisnig ffroenuchel. 'Gwranda, Felix. Sawl
gwaith ti 'di bod yn anffyddlon i un o dy gariadon?'

'Bob un ohonyn nhw, ti'n feddwl?'

'Iyp.'

'Yn mynd reit yn ôl?' Nodiodd y Llyn ei ben arno eto.
'Wel, llwyth, pan o'n i'n ifanc. Dega o weithia.'

'Ers i chdi dyfu'n ddyn, Felix, a rhoi heibio'r pethau
bachgennaidd.'

Meddyliodd Felix am funud hir cyn ateb. 'Dwi ddim wedi bod.'

'Ti ddim yn foi fel 'na 'sti, Felix bach. Wrth gwrs, mae o'n ddigon naturiol. Hollol naturiol, ca'l dy demtio. Ond mae gweithredu ar yr awydd yn wahanol. Fysa rhywun yn meddwl dy fod ti'n gatholig efo'r holl euogrwydd 'ma. Ma isho i chdi tshilo mas, fel ma nhw'n ddeud yn y Sowth.'

'Dwi'n meddwl yn amal bod sgwrsio hefo chdi'n debyg i fynd i gonffeshyn, heblaw bo' ni'n fwy tebygol o gael Blydi Mêris yn lle Heil Mêris. Hei, Mags!' gwaeddodd Felix wedyn. 'Dim crisps, mae o'n rhechu mwya uffernol os 'dio'n . . .'

Cododd Mags ei bawd arno o'i stôl uchel wrth y bar a rhoi'r pecyn creision ymhell o gyrraedd Heddwyn. Eisteddodd Heddwyn wrth ei hymyl yn byw mewn gobaith y byddai'r creision yn dychwelyd. Roedd y bar yn eithaf llawn a llifodd ton o chwerthin drwy'r ystafell wrth i Felix drafod trafferthion traul y ci anferth mor uchel.

'Be am yr Italians 'ma ta?'

Roedd y Llyn wedi mynnu bod Felix yn rhoi holl hanes ei wythnos iddo cyn y buasai yntau'n rhannu ei newyddion diweddaraf. Nid oedd Felix yn barod i sôn am lythyr ei dad, ond ar wahân i hyn, roedd wedi adrodd y cyfan, yn cynnwys ei ymweliad â'r ysgol. Er nad oedd wedi bod yn y Penrhyn ers dros wythnos, roedd pawb a phopeth fel pe baent wedi bod o dan orchymyn cadwraeth. Yr unig wahaniaeth amlwg – yr eliffant yn yr ystafell – oedd Heddwyn, oedd wedi cymryd at Mags yn syth. Gan fod y ci anferth wedi ymlacio yng nghwmni pobl byth ers i Felix ei gyfarfod gyntaf, penderfynodd ei gyflwyno i'w gartref newydd cyn gynted â phosib. Wrth weld wynebau'i gwsmeriaid yn edrych i'w gyfeiriad yn gyson, gan wenu a thrafod, teimlai Felix yn eithaf sicr fod Heddwyn yn creu argraff gyntaf bositif.

'Dal ar dy het, a ffwr' â ni,' dywedodd y Llyn gan edrych o'i gwmpas yn gynllwyngar. Nid oedd neb o fewn clyw, ond gwyrodd yn nes at Felix gan sibrwd siarad. 'Y peth cynta wnes i oedd gwneud yn sicr bod hanes Victor Toye a hanes y llun yn cyfuno'n gywir.'

'Bod chdi'n hapus hefo'i stori o?'

'Yn gwmws!'

'Oes raid i chdi neud yr hwntw-sbîc 'na bob tro ti'n treulio amser yng Nghaerdydd?'

'Sori, ia. Popeth yn iawn yn fanna, beth bynnag. Mae hanes Acrimbaldi, yn mynd o'r Eidal yn ystod y Rhyfel i'r Unol Daleithiau a wedyn Llundain, yn gywir. Hanes Dieter Hackenholt a Hans Frank, y Natsïaid, wedyn. Popeth yn iawn yn fanna. Felly hefyd y Raphael – mae o i gyd yn gwneud synnwyr. 'Nes i ddim darganfod llawer am Victor Toye ei hun, ond mae ei enw'n cael ei grybwyll ar wefan filwrol sy'n cofnodi'r ymgyrchoedd yn Maleisia a'r Dwyrain Pell, ac mae 'na Vic Toye ar wefan yr IMDB fel adeiladwr setiau o Brydain yn y chwedegau a'r saithdegau.'

'Felly, ar ôl gneud dy waith cartref . . .'

''Mond bod yn drylwyr, Felix. Dyma gysylltu, wedyn, hefo ffrind da i mi yn yr Amgueddfa Genedlaethol. Mae Margaret Hemans yn be ti'n alw'n Swyddog Cadwraeth Peintiadau.'

'Ma hi'n trwsio llunia?'

'Dyna chdi. Wel, mi brynish i ginio iddi. Dal i fyny, ti'n gwbod? Lle smart, bistro Ffrengig yn y Bae. Dim Burger King na dim byd felly. 'Bach o win, lot o wrando. 'Bach mwy o win. Na, na, well i mi beidio, dwi'n gorfod mynd yn ôl i'r gwaith,' meddai'r Llyn gan ddynwared llais merch. 'Ond 'di'i llaw hi ddim cweit yn cyrraedd dros dop ei gwydryn i nadu'r ail-lenwad, os ti'n dallt.'

'Ac ar ôl chydig, ti'n troi'r sgwrs, yn gelfydd a sytyl, tuag at luniau gwerthfawr sy ar goll,' dywedodd Felix.

'Wel, dwi'n hoffi meddwl mod i 'di ca'l Margaret i gychwyn y sgwrs, trwy fy nirgel ffyrdd.' Cododd y Llyn un o'i aeliau ac agor un llygad yn llydan. 'A dyma fi, yn sydyn reit, ar ben ffordd. Roeddwn i'n gwbod y drefn yn o lew mewn rhai gwledydd, fel Ffrainc a'r Iseldiroedd, er enghraifft, ond dim gymaint am y wlad 'dan ni isho, ti'n gwbod. Mae gan yr Eidal wedyn garfan gelfyddydau'r heddlu ym mhob dinas fawr yn y wlad. Y *Carabinieri Tutela Patrimonio Culturale*. Ac wedyn, o fewn y garfan hon o'r *Carabinieri* ma'r *Opere d'arte rubate* neu'r adran gweithiau celf sy wedi'u dwyn, i chdi.'

'O'n i'n gwbod hynna,' dywedodd Felix, yn gelwydd noethlymun. Syllodd y Llyn arno am hydoedd, y ddau'n ddi-wên.

'Beth bynnag,' dechreuodd y Llyn drachefn. 'Ar ôl ychydig o ymchwil ar y cyfrifiadur yn llyfrgell ganolog Caerdydd – lle prysur, digon o draffig, penderfynais gysylltu â'r Milano *Carabinieri*.'

'Heddlu Milan,' ategodd Felix, fel pe bai'n ychwanegu at addysg ei ffrind. Rhythodd y Llyn ato eto am ei drafferth.

'Ti'n rhannol gywir, Felix. Rhan o'r heddlu a'r fyddin ydi'r *Carabinieri*; ma'r system blismona'n gymhleth a phlwyfol yn yr Eidal. Fawr o gydweithio, ti'n gwbod.'

'Mès.'

'Ia, braidd yn anhrefnus, ddudwn ni. Beth bynnag, 'nôl at y stori. Dwi'n cysylltu â'r swyddfa yn Milano, a siarad â'r arolygydd 'ma, Ispettore Marocco. Dwi'n gosod y sefyllfa, fel gytunon ni – dim sôn am Victor. Dim sôn wrtho fo ar y pwynt yma mai'r Raphael enwog oedd gynnon ni dan sylw. Jest deud bo' fi 'di ca'l llythyr dienw yn fy ngwahodd i uned wag mewn stad ddiwydiannol yn Aberystwyth, a bod dynion mewn mygydau wedi dangos hen lun i mi a gofyn i mi 'i werthu fo'n ôl i'r Eidalwyr. Yn y bôn, ro'n i'n gobeithio bod fy enw i fel newyddiadurwr yn ddigon i neud iddo fo gymryd fi o ddifri. Gwrandawodd yn astud, a finnau'n siarad Eidaleg, sy braidd yn rhydlyd, yn ofalus. Wedyn, gofyn iddo fo a fysa fo'n hoffi gweld llun o'r portread. Gyrra'r llun i'r wefan, medda Marocco. Well gynna i beidio, medda fi. Mi yrra i o i dy fobail di, medda fi wedyn. Meddyliodd y boi am eiliad – ro'n i'n gallu clywed 'i ddiddordeb o'n gwegian, ond mi gytunodd yn y diwedd a rhoi'i rif ffôn symudol i mi.'

Cymerodd y Llyn seibiant i lyncu'r hanner a oedd yn weddill o'i beint. Roedd gwydryn Felix hefyd yn wag o'i flaen ac felly cydiodd yn y ddau wydryn a throi yn ei sedd i'w chwifio i gyfeiriad y bar. Tynnodd hyn sylw Dyl Mawr y tu ôl i'r bar, a chododd yntau ei ên i gyfeiriad ei fòs.

'Ia? Caria mlaen,' meddai wrth droi'n ôl.

'Chlywis i ddim gair gan Ispettore Marocco wedyn.'

'Be? Dim gair?'

'Pwy ddaru ffonio fi'n ôl, hanner awr yn ddiweddarach, ond Sovrintendente Adriano Abbate, bòs Marocco. Wedyn, bu rhaid i fi fynd drwy'r stori eto, mewn mwy o fanylder y tro yma. Isho gwbod be yn union oedd ar y nodyn. Dim problem, ro'n i 'di gneud moc-yp go lew o hwnnw wrth baratoi. Lle yn union oedd y cyfarfod wedyn, yn Aber? Eto, sonis i am y lle 'ma ro'n i'n gwbod amdano ar gyrion y dre – lot o unedau gwag, y gwair yn mynd am fisoedd heb 'i dorri. Y math yna o le. Ddudis i wrth Adriano wedyn bo' fi 'di holi'r perchennog, ar ôl y cyfarfod, oedd 'na rywun wedi rhentio'r uned am gyfnod? Na, meddai rheolwr y parc, a gofyn oedd gynna i ddiddordeb.'

'Nais tytsh,' dywedodd Felix.

'Dyna ofynnodd y dyn pan 'nes i ffonio.'

'Be' 'nest ti ffonio go iawn?'

'Dwi'n deu'tha chdi, fydd yr hogia 'ma dros y stori fel y frech, so ma'n rhaid iddi ddal dŵr.'

'Neu 'dan ni'n suddo,' meddai Felix.

'Neu 'dan ni'n suddo, yn union,' cytunodd y Llyn. '*Grazie mille*, Signore Lewis, medda'r Sovrintendente wedyn. A dyna'r tro ola i fi glywad gan Adriano Abbate.' Eisteddodd y Llyn yn ôl ar y sgiw a gwenu i ryw fan heibio ysgwydd dde Felix.

'Dim pawb sy'n ca'l teibl syrfis, i chi ga'l dallt,' dywedodd Dyl Mawr.

'Os fysa chdi'n neud o'n toplys, ella 'sa chdi'n ca'l tips,' dywedodd Felix, heb droi, a gweld gwep y Llyn yn suro o'i flaen. 'Ella ddim.'

Gosododd Dyl y gwydrau, yn llawn o'r bwyd du gwlyb, o'u blaen gan gydio yn y rhai gweigion. 'Rwbath arall, syr?' gofynnodd yn sarcastig.

'Ddat'l bi ôl, Jeeves,' meddai Felix gan chwifio'i law yn llipa wrth ei ochr, cerddodd Dyl i ffwrdd. Gwyrodd y Llyn yn nes ato. 'Comandante Stazione Fausto Di Pietro oedd ar y ffôn nesa, yn swnio fel tasa fo mewn ogof. *Chiamata in conferenza*, medda Fausto wedyn, a dau arbenigwr gydag o yn y stafell.'

'Conffryns côl, felly,' dywedodd Felix a nodiodd y Llyn cyn parhau â'i stori.

'Y ddau wedyn, Signore Sinagra a Signore Ventimiglia, uffar o ddynion da. Dallt 'u stwff, ac yn dadla mysg 'i gilydd. Ro'n i'n gallu clywed 'u breichiau'n fflio i bob man dros y ffôn, ti'n gwbod? Eidalwyr i'r carn. Y naill yn gweiddi *impossibile*, a'r llall yn ateb *è possibile forse*? Y ddau'n fy holi'n dwll, a wedyn, ar ôl chydig, dyma fi'n cynnig gyrru gweddill y lluniau atyn nhw. Ar hyn, dyma'r ddau'n cyffroi fel merchaid ysgol, nes bod fi'n gorfod symud y ffôn i ffwrdd o nghlust. A dyma fi'n ffarwelio â'r haenan ddiweddaraf o'r heddlu celf, a gyrru'r dwsin o luniau. Clywad dim byd tan y diwrnod wedyn, dydd Mawrth. Jest cyn cinio, a finnau ym maes parcio Waitrose ym Mhontprennau, dyma'r ffôn yn canu. Gesia pwy oedd yno?'

'Y Pab?' cynigiodd Felix yn wamal.

'Y *capo di stato maggior*, dim llai!' dywedodd y Llyn, gan agor ei ddwylo anferth allan o'i flaen yn ddramatig, fel pe bai'r teitl hwn yn trýmpio'r Pab yn hawdd. Ni chafodd ateb gan Felix. 'Pennaeth yr Adran, Big Tshîs y copars celf. Y *capo di tutti cap* ei hun.'

'Y Godffaddyr,' meddai Felix.

'Os leci di. Godffaddyr y dynion yn yr hetia gwynion. Beth bynnag, dyma ni o'r diwedd wedi cyrraedd rhywun mewn grym. Baggio – fel y pêl-droediwr, Felice Baggio – oedd enw'r *capo di stato maggio*, 'ma.'

'Ella'i fod o 'di ca'l y job am 'i fod o'n odli 'fo'i enw?'

'Ella wir, pwy a ŵyr. Dyn pwyllog, gofalus oedd Capo di Stato Maggio Baggio, beth bynnag. Siarad yn ara deg, lot o awyr iach rhwng 'i frawddega, os ti'n dallt.'

'Dwi'n ca'l y pictiwr,' dywedodd Felix.

'Llais dwfn a rwff fel papur llathru, wisgi a sigârs, cadw'i wraig yn effro efo'i chwyrnu, fath o lais. Mynd trwy'r stori eto fyth, o'r dechra. Be 'di hyn rŵan? Am y pedwerydd, pumad tro. Beth bynnag, am y tro cynta dwi'n crybwyll y pris, y tri chan mil.' Gosododd y Llyn gledrau'i ddwylo'n fflat ar y bwrdd ac yn agor ei lygaid yn fawr, wrth iddo oedi. '*Non è un problema*, medda Baggio, dim problem. *Per iniziar*, i ddechra. Be 'di'r cyfanswm ma nhw isho? gofynnodd Baggio wedyn, *quanto in totale*?'

'Shit, 'dio'm 'di gofyn am ddigon,' dywedodd Felix gan grafu'i ddannedd aur yn nerfus ag ewin ei fawd.

'*A caldo da maneggiare*, ma nhw'n dallt 'i werth o, ond ma'r dysan yn rhy boeth, ddudes i wedyn, gan obeithio bysa'r esboniad yma'n ddigonol.'

'Cos, doedd gin ti'm byd arall, nag oedd?' cynigiodd Felix.

'Yn gwm ... yn union, Felix. Daeth ryw ddistawrwydd dros y ffôn, fel tasa ryw tymbylwîds anferth yn rowlian ar draws Ewrop o gyfeiriad Milan, ti'n gwbod.'

'Yn swnâmi o ddistawrwydd.' Ymunodd Felix yn yr hwyl o gyferbynnu, a winciodd y Llyn arno.

'Yn y diwedd, ma'r don yn torri. *Ti telefono indietro*, medda Baggio. Ffonia i chdi'n ôl.'

'Ti'm yn sbario'r manylion, nag wyt,' meddai Felix.

'Dwi isho i chdi ga'l y stori i gyd, dim gaps. Felly, ma'r manylion yn bwysig,' dywedodd y Llyn, ei dalcen yn crychu'n ddifrifol.

'Helo, tshaps,' dywedodd Sioned, dyweddi Dyl Mawr, a ffrind i'r ddau. Roedd hi'n sefyll yn nrws y bar a gwên lydan, gynnes ar ei hwyneb.

'Sioned,' meddai'r Llyn gan godi a derbyn cusan ar ei foch.

'Ti angen shêf, as iwshiwyl,' meddai Sioned.

'Sion,' dywedodd Felix.

Edrychodd Sioned arno, ei gwên yn diflannu a'i mynegiant yn caledu'n graig. 'Felix.'

'Be dwi 'di neud?' gofynnodd Felix gan roi ei law ar draws ei frest.

'Be ti ddim 'di neud, Oswyn Felix. Yn fama'n ca'l peint efo dy ffrind. Be am Mair, ti 'di bod yn gweld hi? Naddo, mwn!'

'Fflai-ing fisit 'di hon, Sion, onest. Dwi 'di ffonio a gadal llond trol o negeseuon, 'di byth yn pigo i fyny.'

'Mmm,' meddai Sioned.

'Rhai ohonyn nhw'n ddigon myshi hefyd. 'San nhw'n codi cyfog arna chdi os fysa chdi'n clywad fi'n crafu, wir i chdi.'

'Oedd amball un yn reit rowmantic, fel oeddach chdi'n mynd yn déspret, tua diwadd yr wsos,' dywedodd Sioned gan achosi Felix i wneud ei geg-dal-pryfaid.

'Ma hi 'di chwara nhw i chdi?' holodd Felix, wedi'i syfrdanu.

'Ffycin 'el, ti'n naîf weithia, Oswyn Felix. 'Di hi'm yn hapus 'sdi, bydda'n ofalus, 'sôl ai'm seiyn.' Pwyntiodd ei bys ato ac yna'i chwifio uwchben y gwydrau Guinness tri chwarter llawn gan godi'i haeliau.

Ysgydwodd y ddau eu pennau arni, y Llyn yn gwenu a Felix yn crafu'i ddandryff ac yn chwarae hefo mat cwrw soeglyd. Cerddodd Sioned i ffwrdd a throdd Felix mewn pryd i'w gweld hi'n rhoi cusan i Dyl dros y bar ac yna'n troi'n sydyn i syllu'n filain arno, eto. Dangosodd gledrau'i ddwylo iddi gan feimio olreit, olreit. Trodd yn ôl i edrych ar y Llyn.

'Bac at ddy ransh . . .' meddai'r tafarnwr.

'Felly dyma fi'n cerdded o gwmpas Waitrose a llenwi'n nhroli, y ffôn ar faibrêt yn 'y mhoced flaen. 'Nôl i'r fflat a chadw'r siopa, dal dim byd gan Baggio. Gwneud tamaid bach i swper, dim Baggio. Gwylio ffilm, dim . . .'

'Rhywbeth da?' gofynnodd Felix, yn torri ar draws.

'Oedd, eitha da. Ffilm od ar y diawl, deud y gwir. *Seul Contre Tous,* neu 'Yn Erbyn Pawb', rhywbeth tebyg i hynna, yn y Gymraeg. Gan y boi 'nath *Irréversible.* Noé, ia?'

'Gasper Noé, ia', dywedodd Felix. 'Dwi'm 'di gweld honno, un newydd 'di hi?'

'Un eitha cynnar, dwi'n meddwl. Ffiaidd o frwnt, dwi'm yn meddwl fod Noé yn rhy hoff o'i gyd-ddyn, rhywsut. Oedd 'y mhen i'n dal i nofio, a'r ffilm newydd orffen, pan ganodd y ffôn o'r diwedd.'

'Maggio Baggio eto?' gofynnodd Felix.

'O, ia, ein cyfaill Signore Baggio a llais fel Leonard Cohen ac annwyd arno fo.'

'A beth oedd gynno fo i ddeud tro 'ma?'

'Ddudodd o bod hwn ar ei ffordd.' Cododd y Llyn ei fys o flaen ei wyneb a'i siglo'n ysgafn. Yna aeth â'r bys ar siwrnai, gan ei bwyntio fel awyren, i fyny ac yna i lawr ochr y bwrdd gan orffen yn y gwagle o dan y sgiw a rhwng ei goesau. Llusgodd focs cardbord brown golau hirsgwar i'r golwg ac yna'i godi'n ddidrafferth, a'i osod ar y bwrdd rhyngddynt.

'Be 'di hwn?'

'Dyma beth ddaeth o'r Eidal. Dwi 'di bod yn gweld Richard Cuthbert efo fo, yn 'i siop sbyis, cyn dod i fyny.'

'Y siop 'na efo'r enw gwirion?'

'I-spy U-spy, yn yr arcêd, 'na chdi,' dywedodd y Llyn gan dynnu bag canfas du allan o'r bocs. 'Ges i Cuthbert i fwrw golwg dros y bag, a dyma fo'n ffeindio hwn.' Agorodd y Llyn ei law a dangos darn o blastig du maint gwm cnoi. 'Dyma be fysa dyn yn 'i alw'n ddyfais dilyn, tracing difais. Un ddrud a soffistigedig, medda Cuthbert. Doedd o 'mond wedi gweld un arall erioed, mewn sioe werthu yn Budapest llynadd, medda fo.'

'Ffyc mi,' meddai Felix.

'Dim diolch,' meddai'r Llyn. 'Mae o, yn amlwg, wedi tynnu'r batri. Ond ti'n dechra gweld be o'n i'n feddwl hefo bois y byd celf coll 'ma? Ma nhw'n chwarae'r onglau i gyd, 'sti.'

'A pam y bag, yn union?' gofynnodd Felix wrth agor y zip ar draws canol a thop y bag yn ara deg. Edrychodd yn ddireidus ar ei ffrind ar yr un pryd, gan ddisgwyl derbyn cerydd.

'Agor o!' gwahoddodd y Llyn.

'Mae o i weld yn eitha gwag. Dwi'n cymryd fod nhw heb Ffed-ecsio'r pres ata chdi,' meddai Felix wrth graffu i mewn i dywyllwch di-ben-draw'r bag.

'Dos i chwilio, ma 'na un peth ynddo fo.'

'Ffycin hel,' ochneidiodd Felix gan gofio unwaith eto am bosau ei dad, Rhydian. 'Pam ma pawb yn meddwl bo' fi'n ffan o helfa drysor? Ydw i'n edrych 'fath â Anneka ffycin Rice neu rwbath?' Rhwbiodd Felix ei fysedd ar hyd gwaelod y bag a gweld y Llyn yn edrych arno mewn penbleth. 'Dim byd, dduda i wrtha chdi eto.'

Tynnodd ddarn o bapur trwchus, tair modfedd sgwâr, allan o'r bag a'i ddal i fyny. Nodiodd y Llyn arno i ddangos mai hwn oedd yr 'un peth'. Ceisiodd Felix ddarllen yr Eidaleg uwchben y côd bar hir hyd y papur oedd ar y tocyn. Doedd o'n deall fawr ddim heblaw am y dyddiad yn y gornel chwith, 05/10/2008, a'r pris, mewn ewros, €5.00 islaw. Ymysg y chwarel o eiriau diarth roedd dau, IL CAMPANONE, yn amlwg yng nghornel ucha'r tocyn. 'Wel, be ydi o, ta?'

'Ti 'di clywed am campanoleg? Neu efallai campanoliji, yn Saesneg?'

'Pobol sy'n lecio canu clychau, rwbath felly?'

'Campanolegwyr fysa . . . ond da iawn, Felix.' Winciodd Felix ar ei ffrind a fflachiodd ei ddannedd aur yn ei adlewyrchiad yn ffenest y Penrhyn.

'Dyna be 'di'r Il Campanone, twr efo cloch. Mae'r tocyn yn rhoi mynediad i'r clochdy hynafol yn Bergamo, i'r gogledd-ddwyrain o Milan. Sylwa ar y dyddiad.'

'Wsos i ddydd Sul nesa,' atebodd Felix heb edrych eto at y tocyn. 'Dwi 'rioed 'di clywad am, be ddudest ti? Bergamos?'

'Bergamo. Fel y brodyr sy'n chwarae rygbi i'r Eidal, Bergamasco. Pobl o Bergamo. Mae 'na gi defaid i gael hefyd, edrych chydig bach fel Rastafferian.'

'Felly, yn y twr 'ma yn Bergamo ma'r drop-off, felly?' gofynnodd Felix.

'Edrych yn debyg – doedd 'na ddim byd arall yn y bag.'

'Dim instrycshyns o gwbwl?'

'Pan ti'n meddwl amdano fo, mae hynny o gyfarwydd-iadau wyt ti angen ar y tocyn 'na'n tydi? Dyddiad, naw diwrnod o rŵan. Lleoliad. Ac wrth gwrs, heb anghofio'r bag.'

'Ydw i'n mynd â'r llun ar yr un pryd?'

'Paid â bod yn wirion. Bydd rhaid dod â'r arian yn ei ôl i'r wlad hon gynta.'

'Wedyn ail drip i ddelifro'r llun,' dywedodd Felix.

Agorodd y Llyn ei ddwylo, fel consuriwr ond heb y sŵn ta-da, fel ateb. Cododd ei fys uwd wedyn a rhychu ei wyneb cyn dweud, 'Gyda llaw, ma 'na ryw ddrewdod annifyr yn dy fflat di. Dod o'r gegin. 'Nest ti wagio'r bin cyn mynd am Dwylan?'

'Do. Pa fath o ddrewdod?'

''Nes i'm mynd i chwilio, jest mewn ac allan o'r gawod yn sydyn o'n i.'

'Pa fath o ddrewdod?' gofynnodd Felix eto.

'Digon annifyr i fi gadw'n ddigon pell oddi wrth 'i darddiad o. Fel tasa bod trempyn 'di symud i fyw i'r gegin, hefo'i gi. Hymian go iawn.'

'Pam 'nest ti'm mynd i edrych?' Cododd Felix a llyncu gweddill ei beint. 'Ffycin hel, Llyn, diolch mêt.'

'Dwi'n deud 'tha chdi rŵan, tydw? Ti isho fi ddod hefo chdi?'

'Aros di. Fydda i'n ôl mewn chwinciad. Cadwa lygad ar y bwystfil,' meddai Felix gan fodio dros ei ysgwydd i gyfeiriad Heddwyn a Mags Weiwei.

'Be, rhag ofn iddi hi ymosod ar Heddwyn?' gofynnodd y Llyn, a gwenodd y ddau ar ei gilydd.

Roedd y jiwcbocs yn bloeddio 'Blue Velvet' gan Roy Orbison wrth y bar. Gafaelodd Felix ym mraich Mags, a rhoi mwythau dan ên Heddwyn, gan sibrwd yn ei chlust ei fod am biciad i'r fflat. Nodiodd Mags arno, ei hwyneb yn actio'r ddrama yng nghân y Big O.

Pwniodd allwedd ddigidol y drws wrth ochr y bar a dringo'r grisiau cul a serth i'w fflat. Wrth agor y drws ar dop y grisiau llifodd y newyddion drwg i lenwi'i ffroenau. Roedd aroglau sur a melys yn tewychu'r aer llonydd. Roedd Felix yn gysetlyd iawn o ran ei safonau glendid, ac yn eithaf mwynhau gwyrdroi'r ystrydeb am ddynion sengl a'u bywydau slebogaidd. Felly ni allai feddwl am unrhyw reswm dros y ffasiwn ddrewdod. Ac roedd y Llyn yn gywir; roedd yr oglau'n debyg i sbwriel wedi'i adael i bydru'n ara deg. Cerddodd yn bwyllog am y gegin, a'r aroglau'n cynyddu'n sylweddol gyda nodau o sylffwr a mwsog gwlyb yn sgriffian top ei geg.

'Asiffeta,' sibrydodd dan ei wynt wrth fynd i mewn i'r gegin gefn. Gafaelodd yn ei drwyn wrth i ddŵr greu pyllau, fel glawcoma, yn ei lygaid. Blinciodd yn galed sawl tro gan ryddhau'r dagrau. Gwelodd bwll o slwtsh brown ar y llawr leino wrth ochr yr oergell. O, na. Na, na, na, meddyliodd wrth gamu'n ofalus dros y slwtsh, gwenwynig yr olwg. Agorodd yr isaf o ddau ddrws, drws yr oergell.

Mam bach!

Cododd cyfog gwag yn don asidig o'i stumog, a thynnodd gyhyrau ei stumog yn dynn, o edrych ar y cawl nwyol o uffern yn diferu fel gwlithod allan o waelod yr uned. Er ei fod yn gafael fel feis ar ei drwyn, roedd Felix yn daer ei fod yn gallu blasu'r cwmwl andwyol yn codi'n anweledig tuag ato. Daliodd ei wynt a chaeodd ei geg. Gwelodd fod y botwm sgriw yn nho'r oergell, oedd yn rhyddhau'r dŵr os oedd rhywun am ddadrewi'r rhewgist fechan uwchben hefyd yn diferu'n llysnafedd gludiog fel trwyn anwydog plentyn.

Meddyliodd Felix am yr holl ddarnau pysgod amrwd oedd i mewn yno. Roedd yn aml yn prynu darn rhy fawr o bysgodyn, sef ei hoff fwyd, ac yn rhewi'r gweddill yn ddarnau taclus mewn bagiau bach dal brechdanau. Diawliodd y peiriant wrth i'w dymer chwyddo yn ei fron, fel lafa o losgfynydd. Ffycin ffrij ffwc. Gwasgodd ei ddannedd aur nes bod ei ben yn crynu ac roedd o'n ysu am gicio'r uned wallus. Pwyllodd ymhen ychydig eiliadau, a'r ocsigen yn prinhau'n gyflym yn ei ysgyfaint. Ocê, Felix. Agor y ffycin drws 'na.

O! Mam ffy-cin bach!

Nofiai'r bagiau plastig glas mewn llyn bas, a hwnnw'n ryw frown-borffor dychrynllyd na welodd Felix mo'i debyg erioed o'r blaen; dringai staeniau du i fyny waliau plastig noeth y rhewgist fechan, fel feirws ymledol.

Rhuthrodd Felix allan o'r gegin, gan osgoi sathru yn y slwtsh, ac i mewn i'r bathrwm ychydig i fyny'r coridor. Gafaelodd yn ochrau'r sinc seramig gwyn, a chrebachodd gyhyrau'i stumog yn hegar gan wasgu'r ychydig wynt a oedd yn weddill allan o'i ysgyfaint. Ni chollodd gynhwysion ei stumog, ond roedd peth ohono wedi codi i losgi'n annymunol ar daflod ei geg. Agorodd y tap a chymerodd lymaid cyn sblasio'i wyneb â'r dŵr iasol. Roedd y Llyn wedi hongian tywel gwlyb dros ddrws y gawod uwchben y bath a defnyddiodd Felix gornel eithaf sych yr olwg i sychu'i wyneb yn sydyn. Cydiodd mewn cadach 'molchi glân o'r cwpwrdd tywelion gyferbyn â'r bath a gadael yr ystafell. Aeth yn ôl i mewn i'r gegin, y cadach yn fasg am ei wyneb, ac agor y ffenest uwchben y sinc ar olygfa fendigedig o risiau'r ddihangfa dân a chefn y Penrhyn Arms. Gwthiodd y ddau ddrws ar yr uned rewgell ynghau a gadael yr ystafell dan ysgwyd ei ben yn flin.

Aeth i lawr y grisiau ac i mewn i'r bar, lle roedd Mick Jagger ar y jiwcbocs yn datgan yn uchel na fuasai ceffylau gwyllt yn gallu'i lusgo i ffwrdd o rywle, neu oddi wrth rywun. Fysa nhw'm yn gallu dragio fi 'nôl i fyny'r grisia 'na chwaith, Mick, meddyliodd Felix. Cododd y Llyn ei fawd arno o'i sêt wrth y ffenest, yna ei droi ben i waered gan stumio cwestiwn â'i wyneb. Atebodd Felix gan ysgwyd ei ben, pwniodd ei ddau fawd am i lawr sawl gwaith.

Cydiodd yn ysgafn ym mraich Mags, a oedd yn dal wrth y bar gyda Heddwyn, a throdd hithau i'w wynebu.

'Ffycin 'el, Felix. Ti'n iawn? Ti'n edrach fatha 'sa chdi 'di gweld gôst.'

'Ga i air efo chdi'n cefn am funud?' gofynnodd gan afael yn nhennyn Heddwyn a'i gymryd oddi ar Mags. 'Deud hwyl am y tro wrth Heddwyn. Fydda ni'n mynd 'nôl i Dwylan yn munud.'

'Owww,' dywedodd Mags gan dynnu wyneb pwdlyd, yn amlwg wedi meddwi rhyw ychydig. Sylwodd Felix fod ei ffrind eisoes ar y White Russians. 'Fydd o'n ôl cyn bo hir. Ga i air?' Bodiodd Felix dros ei gefn i gyfeiriad y stordy cefn.

Neidiodd y ferch fechan o dras Tsieinïaidd oddi ar y stôl uchel gan gydio'n addfwyn yng ngwddf Heddwyn. 'Sî ia, bỳd,' meddai hi wrth gydio'n eofn ym mochau'r ci anferth. 'A cadwa i ffwr' o'r crisps 'na.'

Cerddodd Felix a Heddwyn am flaen y bar a rhoddodd Felix y tennyn i'r Llyn. 'Dos â fo i'r car, fydda i allan cyn bo hir.'

Nodiodd y Llyn gan gydio yn ei beint. Un arall, bron yn llawn, sylwodd Felix. Pawb yn mynd amdani heno, meddyliodd. Cerddodd am y storfa, a Mags yn cerdded o'i flaen yn pigo'i nicer allan o rych ei thin o dan sgert dynn, o liw hufen. Aeth y ddau drwy'r drws a chaeodd Felix ef ar ei ôl.

'Be sy'n bod, Cimosabi?' gofynnodd Mags dan wenu a wincio sawl gwaith arno.

'Ffafr, Mags.'

'Be, un arall?' ebychodd Mags. 'Mags, 'nei di watshiad ar ôl y pỳb am cypyl o wîcs? Mags, edrych ar ôl y ffycin ci anferth 'ma – oedd yn blesar bai ddy wê – am gwpwl o oria. Be rŵan, dod â fi i'r cefn 'ma, tisho ffycin blojob neu rwbath, siŵr o fod.'

'Blydi hel, Mags. Faint o'r Wait Ryshyns 'na ti 'di ga'l? Mags-diwedd-nos 'di hon. Dim . . .' edrychodd ar ei oriawr yn sydyn '. . . Mags-chwarter-i-naw.'

'Dwi'n sélybreitio,' dywedodd Mags gan bwnio Felix yn galed â'i bys. Oedd o'n brifo, hefyd. 'Dwi'n ffrî êijynt eto.'

'Be? Ti 'di dympio Dave?'

'Wel, tecnicli sbîcing, fo ddaru roi'r hîf-ho i fi.'

Amcangyfrifodd Felix fod Dave wedi bod yn record i Mags – chwe mis o leiaf. Bechod, o'n i'n lecio Dave hefyd, meddyliodd. Yn enwedig y discownts o'n i'n ga'l gynno fo yn HMV. Dyna lle roedd Dave yn gweithio, yn adlais o'r saithdegau. Be fysa wedi cael ei alw'n Deadhead ar y pryd. Rhyw gymysgfa Galiffornaidd o hipi a chyfalafwr corfforaethol. Hogyn neis, hiwmor sych ac yn barod ei wên. 'Dwi'm yn dda i'w lifyr o, na'i fanc balans, medda fo,' dywedodd Mags.

''Nes i 'rioed lecio ffycin Dave, twll 'i din o,' cyhoeddodd Felix.

Derbyniodd ergyd slei, ond ysgafn, yn ei stumog gan Mags. 'Cwdyn c'lwydda. Dwi'n gwbod bod chdi'n ffan o Dave. Ond ti'n iawn, Felix, ffwcio fo.'

'Neu ddim.'

Chwarddodd Mags yn ormodol. 'Ia, neu ddim. Be 'di'r ffycin ffafr 'ma?'

'Ma hon yn bigi, ocê?'

'Caria mlaen.' Safodd Mags, ei breichiau wedi'u plethu o'i blaen a gwisgo ei hwyneb-o-ddifri.

'Ma'r ffrij yn y fflat wedi mynd capŵt. Ma hi 'fath â Chernobyl i fyny fanna, a sgynna i ddim amser i neud y clîn-yp op.' Gwingodd Felix gan ddangos ei ddannedd aur iddi. 'Ti'n gêm?'

'Dyna fo? Dyna oedd y big ffycin dîl? O'n i'n meddwl bod chdi'n mynd i ofyn am ffycin cidni gynna i, neu rwbath.'

'Ar ôl i chdi fod i fyny 'na, ella bysa'n well gynna chdi os byswn i 'di gofyn am un o'r rheini.' Aeth Felix i'w boced ôl ac estyn ei waled. Tynnodd dri phapur ugain allan a'u cynnig i Mags.

'Paid â bod yn ffycin wirion,' dywedodd hithau, gan wthio'i ddwrn, llawn papur, i ffwrdd. 'Ai'l send iw ddy bil.'

'Mags, ti'n hîro.' Gafaelodd ynddi, hyd ei freichiau, ar dop ei hysgwyddau. Rowliodd hithau'i llygaid tua'r to gan wenu'n wylaidd. 'Collad Dave fydd lwc dda rhywun arall.'

'Jyst dos o 'ma, 'nei di.'

Plannodd Felix gusan ysgafn ar ei thalcen, yna cydiodd yn ei gên a'i siglo'n ysgafn. 'Fyddi di'n iawn?'

'Dwi'm yn mynd i golli cwsg achos Dave,' chwarddodd Mags. Edrychodd Felix arni'n ofidus. 'Jys' dos o 'ma!'

Gwthiodd hi Felix am y drws, a gwyddai wrth adael y stordy nad oedd Mags am iddo'i gweld hi'n crio.

Cerddodd Felix at y bar, Dyl Mawr yn tywallt pedwar peint ar y cyd i ddau gwsmer gwahanol. Arhosodd Felix iddynt adael cyn gofyn, 'Pasia'r iPod 'na i fi, 'nei di?' Pwyntiodd at y silff wrth gefn Dyl. 'A'r transmityr 'na wrth 'i ochr o hefyd, plis.'

'Be, hwn?'

''Na chdi, y feri peth.' Cododd Felix ei fawd ar y cawr.

'Be ffwc 'di un o'r rhein ta?'

'Y peth agosa at fwdw majic weli di byth. Dyna be.'

'O!'

Stwffiodd Felix y trosglwyddydd bach du yn nhin yr iPod hirsgwar gan ddeffro sgrin sgwâr y ddyfais. 'Rho'r radio bach 'na mlaen,' dywedodd Felix gan nodio i gyfeiriad y Roberts wrth ochr bella'r bar. Ufuddhaodd Dyl Mawr, gan ddeffro sgrin las-llachar y radio. 'Be 'di dy hoff gân di gan y Tshêrman of ddy Bôrd?' gofynnodd Felix, gan wybod mai Frank Sinatra oedd un o hoff gantorion Dyl.

'Heddiw, funud hon, gan bod chdi'n gofyn . . .' Yna canodd Dyl yn swynol, â thraw perffaith, 'In ddy wî smôl awyrs of ddy mornin' . . .'

Dyma Felix yn ffidlan efo'r olwyn slic ar wyneb yr iPod cyn ei drosglwyddo i'w farman. 'Rho hwn wrth ymyl y radio.'

Fel roedd y teclyn yn agosáu at y Roberts, dechreuodd nodau piano cychwynnol hoff gân Dyl ganu allan ohono.

'Eitha snasi,' dywedodd Dyl, heb gynhyrfu rhyw lawer.

'Os fysa chdi 'di gweld rhwbath fel 'na pan oeddan ni'n cids, fysa chdi 'di ca'l cathod,' meddai Felix, wedi siomi gyda'r ymateb.

'Be ydi o? Fath o short-reinj dijityl transmityr?'

Cydiodd Dyl yn y teclyn a diflannodd y gerddoriaeth wrth iddo'i symud droedfedd neu ddwy oddi wrth y radio.

'Dyna'n union be ydi o, smart ars.' Estynnodd Felix ei law allan a rhoddodd Dyl y teclyn ynddi. 'Dwi'n mynd. Ti'n gwbod lle fydda i. O, a Dyl. Os ydi Mags yn cwyno am y mès yn y fflat pan fydd hi 'di sobri, duda wrthi am gymryd pres o'r peti cash i brynu be bynnag uffar ma hi angen i'w llnau o. Ocê?'

'Oci doci. Pa fès?'

'Dio'm ots. Jest rho'r neges.'

Cododd Felix ei fawd at Dyl wrth gerdded am ddrws y bar. Agorodd y drws a daeth Mike Glas-ai i gwrdd â fo.

'Mike. Ti'n hwyr.'

'Na'dw ddim. Ffaif tw nain.'

'Oeddwn i'n meddwl 'na wyth oeddat ti fod?'

'Na, naw ar nos Wener.' Gwthiodd y diogyn canol oed ei sbectol i fyny crib main ei drwyn a dechrau chwarae efo'r croen sych ar ei dalcen.

'Ella 'na chdi sy'n iawn. Fi sy'n drysu, siŵr o fod. Wela i di wsnos nesa, 'li.' Arhosodd Felix i Mike symud o drothwy'r drws cyn cerdded allan o'r Penrhyn.

Audīre est opĕræ pretium
Mae'n werth i ti wrando

'Mawredd mawr!' taranodd y Llyn, wrth agor ffenest y teithiwr. 'Dwi'n gweld be ti'n feddwl efo'r crips.' Hebryngodd dalpiau o awyr iach i mewn i'r caban â rhaw ei law chwith.

'Dyna hi, 'wan. Fel 'ma fydd hi, nes i ni gyrradd Cefni,' dywedodd Felix.

Gorweddai Heddwyn, led sêt gefn gyfan y Golf, ei ên yn erbyn top cefn cadair Felix, rhwng y lle gorffwys pen a'r ffenest. Daeth Chet Baker ar y radio, yr iPod ar *shuffle*.

The thrill is gone, the thrill is gone,
I can see it in your eyes,
I can hear it in your sigh,
Feel your touch and realise, the thrill is gone . . .

'Dyna fo,' dywedodd Felix a'r awel gynnes yn chwyrlïo o gwmpas y caban ac yn drysu'i wallt du trwchus. 'Dyna lle 'dan ni.'

'Be ti'n ddeud?' gofynnodd y Llyn.

Cododd y sain a bloeddiodd Felix dros y gân alarus ac araf, 'Ma Chet 'di bod yno, fel fi, sawl gwaith. Dyna pam es i ddim i weld Mair heno.'

. . . This is the end, so why pretend
And let it linger on, the thrill is gone,
the thrill is gone.

'Ti ddim yn 'i charu hi ddim mwy?'

Daeth y gân i ben a dywedodd Felix yn y tawelwch, 'Dwi'n 'i charu hi, ond dwi ddim mewn cariad efo hi. Tydi'r wefr ddim yna, ti'n gwbod?'

Frankly Mister Shankley, this position I've held.
It pays my wa . . .

Diffoddodd Felix y radio gan roi taw ar The Smiths a'u hwyl amhriodol. ''Neud i rywun deimlo'n sâl, pan ti'n sylweddoli rhyw wirionedd uffernol fel 'na,' dywedodd wedyn.

'Gwell *gwbod* na mynd o gwmpas y lle heb wbod be ddiawl sy'n digwydd,' dywedodd y Llyn gan wasgu'i raw o law dde am ysgwydd y gyrrwr. Ymddangosodd potel chwart o wisgi yn ei law chwith. 'Hwda.'

'Na, dwi'n iawn. Diolch i ti. Ti am aros yn Dwylan am chydig, i ni gael sortio pethau allan?'

'Na, ma gynna i waith. 'Nôl i Gaerdydd fory, wedyn dwi'n mynd i Lundain ddydd Llun. Bydd raid i ni drefnu'r cyfan heno, neu bora fory.' Cymerodd lymaid cyflym o'r wisgi.

'Fory, fysa ora,' meddai Felix.

Cymerodd y Llyn lymaid arall. 'Dwi'n meddwl bod chdi'n iawn yn fanna, fy ffrind. Dwi'n meddwl dy fod ti yn llygad dy le.'

Arbĭter bibendi
Hwylusydd yr yfed

'MIND YOUR STEP, enjoy your stay. Mind your step, enjoy your stay. Mind your step . . .'

Gwenodd Felix ar y stiwardés ac edrych arni dros ei sbectol haul, wrth iddo basio drwy adwy'r awyren. Mae hi'n edrych yn well drwy'r sbectol, meddyliodd, gan sylwi ar ei cholur yn cracio fel hen bot seramig wrth iddi wenu'n ffals ar bawb.

'. . . Enjoy your stay,' meddai wedyn y tu ôl iddo.

'Siŵr o neud, mechan i,' sibrydodd Felix, wrth gerdded gan gydio yn y bag du oedd wedi dychwelyd adref i Milano gydag o.

Roedd yr awyren gymharol fechan – yr Embraer 195 a oedd yn eiddo i'r cwmni hedfan Flybe – yn eithaf llawn. Ond gan fod Felix yn eistedd yn y blaen, roedd ymysg y cyntaf o'r tua chant o deithwyr i gael eu dadlwytho i mewn i dwnnel cysylltu, yna'n syth ymlaen i mewn i adeilad anferth maes awyr Malpensa. Mwmiai'r awyr yn ddi-baid â thwrw isel y system awyru anferth yn gymysg â chlebran pobl.

Doedd dim rhaid iddo ymuno â gweddill y plebs wrth loteri'r carwsél bagiau gan fod ei drôns a'i grys glân yn y bag llaw du. Dyna'r oll y byddai arno ei eisiau ar ei ymweliad cyntaf â'r Eidal. Un noson. Noson ym Milano. Taith fer i Bergamo yn y bore, derbyn y pecyn, dychwelyd i Malpensa i ddal yr awyren gyda'r nos yn ôl i Fanceinion. Dyna'r trefniant, dyna'r gobaith.

Aeth drwy'r system ddiogelwch a'r doll heb drafferth, yna cerddodd yn bwrpasol a distaw drwy'r dorf liwgar, swnllyd gan ddilyn y cyfarwyddiadau at yr allanfa.

Gadawodd Felix gysgod cynfas anferth y maes awyr a theimlai'r gwres gormesol fel agor drws popty. Cafodd y teimlad sydyn, diflanedig ei fod yn boddi wrth i'w ysgyfaint dynnu'u hanadl cyntaf o'r aer ganol dydd, trwchus a phoeth ar gyrion y ddinas. Waw, meddyliodd, gan dynnu cap pêl fas allan o boced ochr y bag a'i osod am ei ben, i gysgodi'i wyneb. Roedd 'C' gwyn wedi'i wnïo ar gynfas coch ar flaen y cap, logo tîm pêl-fas y Cincinnati Reds. Tîm a welsai Felix yn chwarae ac yn curo'r Detroit Tigers ym mis Mai 2006 yn ystod ei siwrnai fawr ar draws yr Unol Daleithiau gyda Mair. Dyma pryd gychwynnodd y sôn am ddechrau teulu, a Mair yn jocian i ddechrau am enwi'r plentyn yn Ramada. Ramada oherwydd y gwesty eithaf rhad lle roedden nhw'n aros. Ramada Felix, for ffycs sêcs.

Wrth edrych yn ôl rŵan, sylweddolai Felix mai dyma oedd dechrau'r diwedd i'r berthynas. Ar y pryd roedd o'n ymuno yn yr hwyl â'r dewisiadau'n cynyddu yn ystod y mis. Ignacio, gwesty yn St Louis. La Quinta, neu jest

Quinta, meddai Mair yn Tulsa. Neu Quinta Tulsa Felix meddai hi wedyn, gan chwerthin yn llawn cyffro ac yn rowlio blew ei frest o gwmpas ei bys yn chwareus. La Quinta arall wedyn yn Alberquerque, felly roedd yn rhaid cael yr hwyl ôl-gyfathrachol, Quinta Alberquerque Felix. Be am honna, ta? Winar, meddai Mair. Gwenodd Felix arni.

Erbyn cyrraedd y Beverly Garland Holiday Inn yn Los Angeles roedd Felix wedi cael llond bol ar y gêm ac wedi dechrau treulio mwy o'i amser gyda'r nos yn y bar er mwyn osgoi cael rhyw gyda'i gariad orllyd. Dechreuodd ddod i ddeall pêl-fas yn well ar ôl sgwrsio efo Clifton Cassell, un o'r dynion tu ôl y bar. Fel pawb yn Los Angeles, artist yn disgwyl ei gyfle oedd Clifton, neu Cliff. Sgriptiwr oedd Cliff am fod, nid barman. Ychydig bach o actio weithiau, gwaith ecstra yn bennaf, neu *supporting artist* fel roedd Cliff yn ei alw. Mair, wedyn, yn dod i lawr i ofyn pryd oedd Felix yn dod i fyny. Nes ymlaen, ar ôl y gêm. Ty'd i gyfarfod Cliff. Mair yn gwenu'n ddilornus o gyflym ar Cliff, ei breichiau wedi'u plethu'n bwdlyd o'i blaen.

'What'll you have, Mair? On the house,' meddai Cliff yn gyfeillgar.

'Nything, ai'm ffain. Wela i di'n munud, ta.'

'Iawn,' meddai Felix.

'Iawn, ta,' meddai Mair gan droi a cherdded am y lifftiau, ei phen-ôl yn llenwi'i hotpants glas tywyll.

'Nice ass,' meddai Cliff yn reddfol, cyn ychwanegu, 'Sorry man,' a dal ei ddwylo i fyny.

Chwarddodd Felix a nodio'i ben arno.

Ar y bws i mewn i'r ddinas o Malpensa, roedd pob ffenest yn agored ond heb gynnig unrhyw gysur oddi wrth y gwres. Ni allai Felix gofio'r tro diwethaf iddo deimlo'r fath wres – os erioed. Glynai ei grys gwyn llewys byr i'w gorff ac ymddangosai ei dethi'n amlwg wrth i haen o chwys wylchu'r crys fel papur trasio dros ei gorff. Tynnodd ar ei fotymau a diflannodd ei dethi. Gwenodd ar y ferch dlos oedd yn ei wynebu yn sedd flaen y bws cyn chwythu'n ormodol allan o'i geg wrth chwifio'i law o flaen ei wyneb. Ceisiodd beidio ag edrych ar ei bronnau hi, gan eu bod hwythau'n dioddef o'r un broblem ag yntau. Doedd hi ddim yn gwisgo bra, ac ni wenodd yn ôl arno chwaith. Edrychodd Felix allan o'r ffenest ar y môr o dai gwynion, dillad yn sychu ar leiniau o bob balconi, bron, ac yn y rhan fwyaf o'r gerddi bychain hefyd. Dysglau lloeren fel pysl *join the dots* yn britho'r adeiladau. Dotiau du ar adeiladau gwyn dan awyr angerddol o las. Glas fel y lapis laswli, fel ddudodd Meic, meddyliodd Felix.

Ymhen ychydig, diflannodd yr adeiladau o ochr Felix o'r bws, wrth iddo edrych drwy ffenest ar y chwith, a daeth cefn gwlad digon tlawd ac anial i gymryd eu lle. Ambell docyn o goedwig, â choed anghyfarwydd i Felix. Edrychodd Felix drwy'r ffenest ar yr ochr dde a gweld bod y ddinas yn parhau fel o'r blaen yr ochr draw i'r draffordd brysur. Yna, wedi hanner awr o deithio, diflannodd y tir agored llwm a llyncwyd y draffordd gan y ddinas, wrth i'r lôn suddo i mewn i fol y bwystfil. Codai'r adeiladau'n ddannedd bob siâp o'u cwmpas a daeth rhywfaint o ryddhad o'r gwres wrth iddynt deithio heibio i'r nendyrau a guddai rywfaint ar yr haul. Ni welodd Felix unrhyw wyrddni pellach hyd nes i'r bws ddod i stop wrth y *Stazione Centrale* yn Piazza Duca d'Aosta, heb fod yn bell o ganol y ddinas. Yno, roedd parc anferth agored, ar amryw o lefelau, ar draws y ffordd o'r man gollwng. Gwelai gannoedd o bobl yno'n mwynhau eu cinio, yn torheulo, neu'n gwau trwy'i gilydd wrth grwydro drwy'r parc. Doedd y gwres ddim yn teimlo mor ffyrnig yma chwaith, ac am hynny roedd Felix yn wir ddiolchgar. Aeth i mewn i'r orsaf ac edrych ar y byrddau am y trên metro cywir fyddai'n ei hebrwng i'w westy, yr Hotel JFK ar y Viale Tunisia. Ar ôl iddo wneud ei waith ymchwil sylwodd y byddai'n haws iddo gerdded am y gwesty. Chwarter awr ar y mwya, meddyliodd.

Cerddodd drwy'r parc ac i lawr y brif rodfa lydan tua chanol y ddinas. Glynodd i'r pafin chwith â'i swyddfeydd a gwestai digymeriad yn ei gysgodi rhag yr haul. Ymhen deng munud trodd i'r chwith, cyn cyrraedd y Piazza Della Republica, gan gychwyn i lawr y Viale Tunisia. Stryd lawer culach â thipyn llai o draffig arni a mwy o gymeriad yn perthyn i'w phensaernïaeth. Naws Eidalaidd, eithaf gwerinol, meddyliodd. Roedd siopau bwyd arbenigol yma, tai bwyta traddodiadol, a fflatiau â balconïau *art deco* crwn a chydymffurfiol yn dringo fel grisiau ysgolion trwchus uwch eu pennau. Roedd bwrlwm hamddenol yn perthyn i'r stryd a'i phobl. Âi'r traffig ysgafn heibio'n bwrpasol ond roedd twrw'u cyrn i'w glywed bob eiliad yn dod o bob cyfeiriad. Ymlwybrai un o dramiau'r ddinas heibio iddo o dro i dro, ei gerbydau'n debyg i eliffantod lliw oren yng nghanol y lôn. Safai dynion wrth ddrysau'r siopau yn smocio neu'n sgwrsio, ac un dyn yn bloeddio'n llawn cynnwrf ar neb yn benodol, nes i Felix sylwi bod ffôn symudol wrth ei glust. Merch ganol oed yn bodio llysiau ar fwrdd arddangos o flaen siop fechan, ei gwallt, brawychus o ddu, mewn pelen dynn ar dop ei phen. Dynes arall yn dwrdio merch yn ei harddegau mewn chwydfa dreiddiol o Eidaleg gan blycio ci bach nerfus yr olwg rhyngddynt gerfydd ei dennyn aur tenau, yn frith o ddiemanté. Y ferch wedyn yn anwybyddu'r fam ac yn syllu'n syth o'i blaen yn ddifynegiant wrth i swigen o gwm pinc chwyddo, ymledu a chuddio'i hwyneb.

Sylweddolodd Felix fod angen iddo groesi i ochr arall y stryd. Arhosodd am ei gyfle cyn nyddu'i ffordd ar draws rhwng moped a hen fan fach rechlyd, gan droedio dros rychau haearn bas a syth y cerbydau tram. Glaniodd ac edrych ar yr arwydd sgwâr ymwthiol ar yr adeilad ar gornel y stryd o'i flaen. Hotel JFK, meddai'r arwydd wrtho, â dwy seren fach ddu oddi tano. Ffliwc go lew, meddyliodd Felix wrth gamu'n nes at ddrws eithaf cyfyng yr adeilad. Dau blât gwydr oedd i'r drws â wal wydr i'r dde ac uwchben. Roedd yr holl wydr wedi'i dywyllu'n lliw brown a cheisiodd dynnu ar yr handlen alwminiwm fertigol ac yna pwyso arni, heb ddim lwc. Gwelodd flwch arian ar wal fas yr alcof ac enwau hanner dwsin o wahanol fusnesau ar rai o'r botymau. Hotel JFK meddai'r un ar y brig a phwysodd y botwm am rai eiliadau. 'Wait for the click,' meddai llais o rywle ger y drws gan wneud i Felix edrych o'i gwmpas. Doedd neb yn agos ato. Edrychodd i fyny a gweld uned sain â rhwyd ddu drwchus yn ei hamddiffyn uwch ei ben. Clywodd glic pendant a chrynodd gwydr y drws rhyw fymryn. Gwthiodd arno ac agorodd y drws gan ganiatáu mynediad i'r cyntedd iddo. Caeodd y drws ar ei ôl a lladd sŵn rhythmig y ddinas yn syth. Gwelodd risiau yr ochr draw i ddrws gwydr clir y tro hwn, a oedd hefyd wedi'i gloi.

'Please, take elevator,' dywedodd y llais di-gorff. Yr un llais ond yn hollol glir y tro hwn yn nhawelwch y cyntedd. Gwelodd Felix y lifft ar y wal dde heibio dwsinau o flychau post arian, pob un wedi'i gloi ac enwau a rhifau ar y mwyafrif ohonynt. Pwysodd y botwm ac agorodd drws arian, tolciog, budur y lifft gan wichian a hergydu. Gwasgodd i mewn i'r bocs pitw, a meddwl tybed sawl Americanwr tew oedd wedi dianc allan o'r adeilad ar y pwynt yma, cyn heddiw. Pwysodd y botwm uchaf o dri â'r geiriau HOTEL JFK y tu ôl i orchudd plastig. Roedd rhywun rywdro wedi ysgrifennu UC mewn pin ffelt du rhwng y ddwy lythyren olaf. 'Clasi,' dywedodd Felix wrth i'r drws ymdrechu'n swnllyd i gau.

Cyrhaeddodd y lifft ben ei siwrnai ymhen hir a hwyr, ond credai Felix y buasai Stephen Hawking wedi cyrraedd yn gynt gan ddefnyddio'r grisiau. Roedd y bocs clawstroffobaidd hefyd yn chwilboeth, ac wedi gwneud iddo deimlo braidd yn sâl. Pan agorodd y drws gwelodd hogyn tua deunaw oed, o dras y Dwyrain Pell – Corea efallai – yn eistedd ar sedd uchel wrth ddesg y dderbynfa fechan. Hymiai hen oergell chwe throedfedd, llawn diodydd, yn swnllyd wrth ysgwydd dde'r hogyn. Cymerodd hwnnw gipolwg sydyn ar Felix wrth iddo stryffaglu allan o'r lifft. O'i osgo a'i wedd, a'r ffordd roedd ei gorff yn plycio o bryd i'w gilydd, roedd Felix yn eithaf sicr bod y llanc yn chwarae gêm ar y cyfrifiadur, ond erbyn iddo gyrraedd y ddesg gwenai'n gyfeillgar arno, wedi codi ar ei draed o'i eistedd, ei ddwylo wrth ei ochr.

'May I help you?' gofynnodd, ei acen yn gymysgfa ryfeddol o ryngwladol. Y llais di-gorff bellach wedi cwrdd â'i gymar corff.

'Felix, bwcd for wan nait. And can ai haf wan of ddôs bîrs bihaind iw?' Yn fy acen gog ddiflas arferol, meddyliodd.

'Of course, Mister Felix. Which one would you like, sir?' gofynnodd yr hogyn gan agor y drws i gôr swynol o boteli'n siglo'n ysgafn yn eu rheseli.

'Whitshefyr's coldyst. Enithing cold,' dywedodd gan estyn ei waled. 'Haw mytsh?'

'Five euro, Mister Felix. And may I see your passport, please?' Rhoddodd botel o San Miguel ar y ddesg o'i flaen a dechrau pwnio'r bysellfwrdd ar silff o dan y ddesg.

'It's ocê. Ai'm pei-ing cash, yp-ffrynt.'

'It's policy, Mister Felix.'

'Jest Felix. Lisyn, mai ffrend. Jyst tic ddy bocs and gif mi e cî,' dywedodd Felix yn gyfeillgar ond yn ddiamynedd gan osod papur ugain ewro wrth ymyl y San Miguel. 'And cîp ddy tshenj. Ocê?'

Cymerodd yr hogyn y papur ugain a dweud yn ddi-wên, 'Number ten.' Gosododd oriad â darn trwchus o blastig wedi'i gadwyno i'w gylch allweddi wrth y botel gwrw. 'Eighty euro, cash.'

'It sed sicsti a nait on ddy websait,' dywedodd Felix.

'Passport,' dywedodd yr hogyn, eto, heb wenu.

Chwarddodd Felix a llyfu'i fys uwd cyn gosod pedwar papur ugain arall ar y ddesg. Rhoddodd y llanc ffurflen gofrestru o'i flaen. 'Iw ffil it,' dywedodd Felix gan gymryd ei gwrw a'i oriad, gwenu ar y llanc, codi'i aeliau a phwyntio a cherdded i lawr y coridor i'r dde wedi i'r hogyn nodio i'r cyfeiriad yn bwdlyd.

'You share bathroom, last door on left,' gwaeddodd yr hogyn arno, eiliad cyn i Felix ddiflannu rownd y gornel. Stopiodd i edrych ar yr hogyn gan synhwyro bod mwy ganddo i'w ddweud. 'But only you here tonight. Call me – Soo. You need anything, OK?'

'Ocê, Soo,' meddai Felix gan feddwl, pam dwi'm yn synnu na dim ond fi sy'n aros yma.

Llusgodd ei draed yn flinedig i lawr y coridor cul, ei sandalau CAT yn gwichian ar y llawr leino dilychwin. Cyrhaeddodd ben draw'r coridor a sylwi bod Soo o leiaf wedi'i roi yn yr ystafell gyferbyn â'r ystafell 'molchi. Agorodd y drws gan ddeffro'r golau'n otomatig ac amlygu siom yr ystafell. Cell fysa'n ddisgrifiad tecach, ella, meddyliodd wrth i chwilen ddu fawr sgrialu ar draws y llawr teils am gysgod y gwely.

'Grêt! Cocrotshys, blydi grêt.' Llyncodd hanner y cwrw wrth sefyll yn y drws cyn mentro i mewn a gadael i'r drws siglo ar gau y tu ôl iddo.

Archwiliodd y pum eitem oedd yn dodrefnu'i ystafell. Gwely dwbl â matres denau a chwilt a gobennydd gwyn arno, ag o leiaf un chwilen ddu yn cuddio o dano. Wardrob dau ddrws gwyn, cwbl wag heblaw am un gobennydd ychwanegol ar y silff uchaf a chwpwl o gambrenni plastig ar bolyn. Tynnodd ei grys gwyn a'i drôns sbâr allan o'r bag cyn eu gosod ar silff ucha'r wardrob ac alltudio'r gobennydd i silff waelod y dodrefnyn. Rhoddodd y dillad ar ben y teledu bychan a oedd ar ben y gist ddroriau wrth ochr y wardrob. Roedd pedwar drôr y gist yn lân ac yn wag ac eithrio Testament Newydd Eidaleg mewn un; neu dyma be gymerodd Felix oedd y testun *Nuovo Testamento E Salmi* ar y clawr yn ei feddwl, a beiro rhad. Gosododd ei ben-ôl ym mwced yr unig gadair yn yr ystafell wrth ochr y gwely. Y dodrefnyn olaf. Cadair, 'run fath â dodrefn patio, anghyfforddus wedi'i gwehyddu a'i phaentio'n wyn rywdro 'nôl yn ystod amser Crist, meddyliodd Felix wrth orffen y botel ac edrych ar ddrws agored o'i flaen, wrth ochr drws yr ystafell. Cododd a gweld mai toiled, a dim byd arall, oedd yn yr ystafell. Dyfalodd fod y wardrob yn fwy nag ystafell y tŷ bach, o bosib.

'O leia mae o'n lân,' sibrydodd wrtho'i hun cyn i ias gosi'i war wrth weld chwilen ddu fawr arall yn gwasgu'i hun i wagle amhosib o gul rhwng gwaelod troed y toiled a'r llawr teils. Diffoddodd y golau a llusgo'r drws ynghau ar hyd y reilen, ond ni chaeodd yn llwyr gan adael rhyddid yr ystafell i'r chwilod yn ei absenoldeb. 'Grêt. Diolch, Llyn; dewis ffycin perffaith,' meddai dan ei wynt. Cerddodd at y cyrtans llaes oedd yn gorchuddio'r wal ar ei hyd tu ôl i'r gadair cyn eu hagor droedfedd neu ddwy. Mwmialodd synau gwrthgyferbyniol di-fin y ddinas islaw drwy'r drysau-ffenestri a sylweddolodd Felix fod ganddo falconi. Gwelodd hefyd ei bod hi bron â bod yr un maint â'r ystafell ac wedi'i dodrefnu â chyfeillion y gadair wen tu fewn. Bwrdd a chadair wedi'u difwyno gan y tywydd ac amser. Safai ambell blanhigyn egsotig, fel babi Triffids, meddyliodd – yn hanner marw mewn potiau wedi cracio wrth wal y balconi.

Penderfynodd yn y fan a'r lle nad oedd am dreulio eiliad yn fwy nag oedd raid iddo yng nghwmni'r trychfilod. Teimlai fod y bygars bach du, a'r gell wen, yn sicr o fod wedi rhoi argraff gyfeiliornus iddo o ddanteithion y ddinas. Edrychodd ar ei oriawr – chwarter i chwech. Chwarter i bump 'nôl adra. Roedd o angen bod yn y clochdy yn Bergamo erbyn hanner dydd, fory. Dim yn rhy hwyr heno felly, Felix, meddyliodd wrth dynnu'i gap a gwthio'i fysedd drwy'i wallt chwyslyd mewn ymgais i roi rhyw fath o drefn arno. Lluchiodd y cap ar y gwely. Agorodd ei waled a chymerodd gant o'r ddau gan ewro a oedd yn weddill ganddo a'u rhoi ym mhoced flaen ei drywsus brown golau. Edrychodd eto ar y tocyn i'r Il Campanone cyn ei roi yn ôl yn ei waled. Agorodd ei felt lledr, ei fotwm a'i falog gan adael i'w drywsus ddisgyn. Roedd rhwymyn fel sydd ar beiriant cymryd pwysau gwaed ynghlwm i'w goes dde. Rhwygodd y felcro a gosododd y belt, oedd â dwy boced zip, yn fflat ar y gwely. Aeth i'r wardrob a thynnu'i basbort allan o boced ochr y bag du. Rhoddodd ei waled mewn un boced yn y belt lliw croen a'r pasbort yn gwmni i'w docyn awyren, yn y llall cyn ei rwymo'n dynnach ac yn uwch, unwaith eto i'w goes dde. Cododd ei drywsus a chymerodd sniffiad cyflym dan ei gesail.

'Dim yn rhy ddrwg,' sibrydodd. 'Ocê, Oswyn Felix, be am i ni flasu 'bach o nos Sad yn Milan? Ti'n gêm?' dywedodd yn uchel gan nodio'n hyderus ar y cyrtans gwyn llaes, o'r nenfwd i'r llawr, o'i flaen. 'Pres, goriad, sbectol haul. Gadal yr het, rhy fflash. Reit.'

Symudodd ei geilliau i fan mwy cyfforddus wrth ochr y belt felcro, gosod ei sbectol haul i nythu ar ben ei wallt aeth allan a gadael llonydd i'r chwilod du mawr.

'Wêr's y gwd pleis ffor steic, Soo? Wêr dw ddy locyls ît?' gofynnodd wrth dop gwallt du Soo. Syllai ei wyneb yn daer ar ei laptop o dan y ddesg yn y dderbynfa. Daeth ei ddwylo i stop ymhen ychydig, pan oedd yn amlwg ei bod yn gyfleus i oedi chwarae'r gêm, ac edrychodd Soo i fyny ar Felix. 'You like steak? Saturday night? Mmmm, maybe try El Paso, Argentino place across street, two minutes. Very busy.'

'*Grazie mille*,' dywedodd Felix.

'*Prego*,' dywedodd Soo gan ailgydio yn ei gêm a dweud heb edrych i fyny, 'Please, leave key here.'

'Ai mait bi leit.'

'No problem, someone always here.'

Safodd Felix yno am rai eiliadau'n pendroni a oedd unrhyw beth gwerth ei ddwyn yn ei ystafell – het goch? Yna rhoddodd yr allwedd ar y ddesg a chymryd y reid wyllt, chwarter milltir yr awr yn y lifft, i lawr i'r stryd. Tynnodd ei sbectol dywyll i lawr am ei drwyn a cherdded allan o'r adeilad. Trawyd Felix gan y gwres, yn fôr anweledig llethol, ond erbyn iddo gamu i ymyl y pafin llifai awel lled oer fel afon i lawr y stryd i leddfu'r poethdonnau. Gwasgodd ei ffordd drwy'r traffig a cherdded yn y cysgod i lawr y stryd. Roedd y siopau bychain i gyd ar gau, heblaw am gwpwl o archfarchnadoedd bychain. Cadwyd ffenestri'r siopau, yn ddieithriad, gan rwyllau diogelwch wedi'u anharddu gan chwistrelliadau o baent hyll.

'Di'r bobl 'ma rioed 'di clywad am Banksy, meddyliodd Felix.

Safai dyrnaid o ddynion du y tu allan i un archfarchnad

yn smocio. Dynion tal Somali, dyfalodd Felix, ag wynebau urddasol a dillad rhad, henffasiwn, tlawd. Roeddynt yn siarad a chwerthin ymysg ei gilydd a cherddodd Felix heibio fel ysbryd yn gwrando, ond yn deall dim ar eu sgwrsio ysgafn, gan arogleuo'r tybaco a'r mariwana'n melysu'r aer. Cyrhaeddodd y gornel a gweld El Paso de los Toros, tŷ bwyta tipyn o faint, a phrysur er ei bod hi brin yn chwech o'r gloch. Arwydd da, meddyliodd Felix.

Atmos oedd y gair a ddaeth i feddwl Felix wrth iddo gerdded am y bar, 'bach yn shabi-shîc. Doedd y lle yn amlwg ddim yn newydd, ond roedd safon uchel i'r dodrefn a'r bensaernïaeth. Patrymau lliw coch ac oren ar y waliau a gwyntyllau pres, maint propelors awyren, yn aflonyddu'r aer ar y nenfwd uchel. Eisteddai torf o bobl wrth y pymtheg neu fwy o fyrddau – pobl brydferth a chyfoethog yr olwg. Pobl broffesiynol mewn bling a gêr cynllunwyr yn chwerthin ac yn sgwrsio â'i gilydd. Pawb yn gwenu, pawb yn hapus. Roedd y lle'n drewi o bres.

Ffeindiodd sêt wrth ben draw'r bar hir o bren caled brown tywyll, cyfoethog. Edrychodd ar y poteli ar y silffoedd y tu ôl i'r dwsin barstaff hynod brysur – degau o winoedd, a'r stwff poeth uwchben, cannoedd o wahanol wirodydd, rhai nad oedd Felix erioed wedi'u gweld. Grappa Tosolini a Nardini, poteli wisgi mewn siapiau rhyfedd ac enwau anghyfarwydd arnynt fel Blantons a Heaven Hill. Penderfynodd mai'r Blantons fyddai ei ei ddiod olaf heno, ymhen rhyw bedair neu bum awr.

Gweld sud eith hi, meddyliodd, gan ddal llygad merch dlos o'r ochr arall i'r bar.

'*Sì, signore*?' meddai'r ferch wrth bwyso'i dwylo ar y bar, ei breichiau'n syth o'i flaen.

'*Scusi, no Italiano,*' meddai Felix. '*Parla Inglese*?' Edrychodd yn obeithiol ac ymddiheuriol arni.

'Or *Spagnolo*, or *Francese*. What you rather?'

'*Gallese*?' meddai Felix, yn awyddus i'r ferch dlos beidio â'i gamgymryd am Sais.

'Wales?' dywedodd y ferch â'r pwyslais ar yr e, ei hwyneb yn ymlacio mewn gwên agored a diffuant. 'My grandmother half Welsh,' meddai gan gynnig ei llaw i Felix.

Ysgydwodd yntau flaen ei fysedd a dweud, 'Oswyn Felix, plîsd tw mît iw.'

'Oshwyn, I like. What I get for you, Oshwyn?'

Hoffai Felix ei enw yn llawer gwell y ffordd roedd y ferch yma'n ei ynganu. Oshwyn, bron yn secsi, meddyliodd. Ymledai craith anferth a hynafol fel rhigol o'i chlust dde i ganol cwr ei gwallt, ac er bod y graith honno wedi dwyn ei phrydferthwch ryw dro, roedd ganddi'r wyneb tlysa i Felix eto ei weld yn yr Eidal.

'Can ai haf y stêc and y botyl of red, plis?'

'Anything with the steak?'

'Jyst y smôl salad meibi, for me to ignôr?'

'A man of simple taste, Oshwyn Felix. How you want it?' Cydiodd y ferch mewn pad bach hirsgwar a thynnu pensel o'r tu ôl i'w chlust.

'Stil tshiwing on ddy gras,' dywedodd ac wrth i'r ferch edrych i fyny o'i phad ysgrifennu gan wgu arno'n ysgafn, ymhelaethodd, 'Rêr, feri rêr. Sori, mai aidîa of y jôwc.'

'Ha! I understand,' chwarddodd hi'n garedig. 'And the wine, still in the barrel, maybe?'

'Awtsh,' meddai Felix. 'Ddat bad, ei?'

'I've heard worse,' meddai hi'n llai caredig.

'Watefyr iw syjest, arawnd ddy thyrti iwro marc?'

Winciodd hi ar Felix. 'I know what you'll like,' meddai gan droi a sgipio yr un pryd. Pwniodd ddrws ochr dde y ddau ddrws gwyn o'i blaen yn agored a diflannu i mewn i gegin swnllyd a phrysur iawn yr olwg.

Dwi'n siŵr dy fod ti, meddyliodd Felix gan chwibanu'n fud, ei aeliau wedi'u gwasgu'n rhychau dwys wrth iddo wylio'i phen-ôl yn siglo mynd.

Câi'r ddau ddrws o'i flaen eu waldio'n agor yn gyson, yr un dde i ddod i mewn i'r gegin a'r chwith i adael, a'r staff yn weithgar fel gwenyn mewn cwch. Cafodd Felix gipolygon cyson ar y cogyddion yn waldio sosbenni ac yn gweiddi gwahanol gyrsiau ac amseroedd ar ei gilydd wrth i'r drysau chwifio'n ôl ac ymlaen. Daeth y ferch yn ôl drwy'r drws chwith, potelaid o win coch a gwydryn mawr clir yn disgleirio yn ei llaw dde, a chytleri a gwydraid o ddŵr yn ei llaw chwith.

'This isn't really a thirty euro bottle. It's a Giovanni Rosso Barolo, but the bill will say thirty,' sibrydodd wrth wyro dros y bar a wincio'n gynllwyngar arno. 'It will taste amazing with your barely-cooked cow.'

'Won't iw get into trybyl widd iôr bòs?'

'Why you think I'm whispering, Oshwyn Felix? Look around, he make plenty of money tonight. How you say, he no starve.'

'Diolch yn fawr, as wi sei in Weiyls,' dywedodd yntau wrth dywallt ychydig o'r gwin i'w wydryn cyn ei godi i gyfarch ei ffrind newydd. 'And iechyd da.'

Illic appŏsĭto narrābis multa Lyæo

Yno, â gwin ar y bwrdd, mi wnei di
adrodd aml i hanes

DEFFRODD FELIX yn ei gell yng ngwesty JFK. Ni symudodd am amser hir, ei lygaid yn agor yn raddol, ac yntau ar wastad ei gefn ar y gwely. Gwyddai, er nad oedd wedi'i gweld na'i chyffwrdd, fod merch yn gorwedd wrth ei ochr. Teimlodd awel yn dod o'r un cyfeiriad, a golau gwan yn cripian i mewn i'r ystafell drwy'r bwlch yn y cyrtans cilagored. Cofiodd mai Eliana o'r El Paso, y ferch o'r tŷ bwyta, oedd wedi dod yn ôl gydag ef i'w ystafell. Sylwodd ei fod yn noeth heblaw am ei drôns, a'i ddynoliaeth chwyddedig boreol yn gwasgu'n anghyfforddus yn ei erbyn. Roedd hi'n boeth yn yr ystafell ac nid oedd unrhyw ddilledyn gwely drosto. Trodd ei ben, gan ddifaru'n syth wrth i boen salwch-y-gwin geisio waldio'i ffordd allan o'i benglog.

Cadarnhaodd bresenoldeb Eliana, a hithau'n ei wynebu ac yn cysgu wrth ei ochr. Roedd hithau hefyd heb flanced na chwilt drosti ac yn ei dillad isaf, nicyr a fest camisol sidan du. Syllodd Felix ar ei chraith a chofiodd Eliana yn gwirfoddoli'r hanes wrtho. Ei mam, oedd yn dioddef o epilepsi, yn cael ffit tra oedd hi'n cario Eliana'n fabi ac yn dringo'r grisiau symudol yng nghanolfan siopa enwog yr Abasto yn Buenos Aires. Erbyn i'r ddwy gyrraedd y top roedd ei mam wedi marw ac Eliana angen llawdriniaeth a thri deg o bwythau yn ei phen. Ro'n i'n saith mis oed, dywedodd wrtho heb unrhyw emosiwn, a bu bron i Felix feichio crio.

*

Digwyddodd y sgwrs wedi i'r bar ddistewi'n sylweddol, a phawb mwyaf sydyn fel petaen nhw wedi penderfynu bod y parti yn rhywle arall. Roedd Felix wedi archebu potel arall o win tua wyth o'r gloch, ac wedi cael help gan Eliana i'w gwagio pan ddaeth ei shifft hi i ben am naw. Hithau'n sôn am dad ei nain wedyn, y cysylltiad Cymreig. Ffarmwr o sir Benfro, Evan George, oedd wedi mentro allan i Batagonia i geisio gwneud ei ffortiwn. Nid oedd wedi mynd ymhellach na'r brifddinas ac yno yr arhosodd, gan briodi Archentwraig a chychwyn teulu. Gweithiodd fel cigydd mewn marchnad dan do hyd ei farwolaeth. Nid aeth erioed yn ôl i'w famwlad, nac ychwaith i Batagonia.

Aeth y ddau ymlaen wedyn i un o'r bariau cyfagos, ar ôl i Felix gael joch o'r Blantons. Gwelodd Felix ambell wyneb cyfarwydd o'r El Paso ar y llawr dawnsio yn gwingo i gerddoriaeth ewrodisgo affwysol o uchel mewn ymgais ormodol i ymddangos yn rhywiol. Doedd dim modd sgwrsio gyda'r fath dwrw ond roedd Felix yn ddigon hapus, yn eistedd wrth y ffenest agored yn derbyn yr awel drosto ac yn edrych ar groen brown llyfn Eliana. Awn ni, gofynnodd hi wedi chwarter awr. Nodiodd Felix ei ben arni'n frwdfrydig a chwarddodd Eliana i mewn i'w llaw gan wenu'r wên ryfeddol agored honno o weld pa mor anghyfforddus oedd Felix yn y lle. Dywedodd Felix ei fod yn gorfod mynd yn ôl i'w westy, beth bynnag, a dyma Eliana'n cynnig ei ddanfon yno. Dim y ffordd arall mae hyn i fod i weithio, gofynnodd, ond roedd y ferch yn cydio'n dynn yn ei fraich ac yn ei dynnu allan o'r bar dienaid.

Roedd Felix erbyn hyn wedi dechrau'i dal hi, y gwin a'r awyr iach yn cyfuno i wneud newid ffocws o bell i agos yn gyflym yn anodd ei wneud, ond doedd y gwesty a'i wely cocrotshys ddim yn bell. Siaradai Eliana yr holl amser, a Felix yn nodio ac yn rhoi atebion unsill i'w chwestiynau. Yna arhosodd Eliana i siarad â dau ddyn du wrth ddrws archfarchnad agor-yn-hwyr. Gwenodd Felix arnynt a dweud *ciao* yn ôl wrthynt. Roedd Eliana yn amlwg yn eu hadnabod yn dda ac ymhen ychydig cafodd Felix gynnig tôc ar sbliff denau gan un o'r dynion. Tagodd unwaith wrth i'r cyffur ymledu'n ddwfn i'w ysgyfaint. Cododd fawd ar y dyn a hwnnw'n gwenu arno fel pe bai'n falch bod ei fariwana wedi trechu'r ymwelydd. Ffarwelion nhw â'r dynion a dal i fynd am y gwesty, y strydoedd yn wag. Dywedodd Eliana fod un o'r dynion yn gweithio yn y gegin yn El Paso o bryd i'w gilydd, dim yn swyddogol gan ei fod yn *immigrato clandestino*.

Cyrhaeddwyd y gwesty a chynigiodd Eliana eu bod nhw'n mynd i eistedd ar y balconi, er mwyn smocio'r sbliff roedd hi'n ei rowlio'n chwareus rhwng ei bys a'i bawd. Iawn, grêt, meddai Felix – y balconi oedd yr unig beth positif roedd Felix wedi gallu sôn wrthi am ei stafell. Cafodd fynediad i'r gwesty gan y llais di-gorff eto. I fyny wedyn yn y lifft bondigrybwyll, ond y tro hwn roedd Felix yn ddigon hapus i godi'n araf a gwasgu'n agos at ei gyd-deithiwr, croen noeth ei hysgwydd yn arogli'n bersawrus a melys. Nid Soo oedd wrth y ddesg ond hogyn arall, ychydig yn hŷn, o'r enw Joo-Chan. Roedd Joo-Chan wedi cael ei hanes gan Soo, dyfalodd Felix, gan fod pris cwpwl o boteli o gwrw oer wedi codi, erbyn hyn, i bymtheg ewro. Talodd, gan luchio'r ddau bapur arian at y llanc cyn gwenu a chodi'i law arno gan fachu'r poteli a'i oriad oddi ar y ddesg. Nos da, Joo-Chan, dywedodd wedyn mewn Cymraeg aneglur wrth iddo weithio ar gadw'i lygaid yn agored. Swniai'n debycach i 'Hosta Hwshan', ac edrychodd Joo-Chan yn goeglyd arno.

Roedd Felix yn falch o weld bod y trychfilod yn cadw i'r cysgodion, pan aethant i'r stafell. Llawn cymeriad, datganodd Eliana yn sarcastig wrth chwifio'i breichiau'n agored, yn ddramatig. Brwydrodd Felix â chlo'r drysau ffenestri cyn i Eliana ddod i'r adwy a'u hagor yn hawdd. Llifodd awel gynnes i'r stafell a chydiodd Felix yn y gadair a'i gwthio'n ffwdanus drwy'r drws a'i gosod ar lawr concrid y balconi. Tynnodd ei grys a churodd sêt y gadair ag ef a'i chyflwyno i Eliana gael eistedd. Gafaelodd yn y gadair flêr a oedd allan yn barod, rhoddodd ei grys arni ac eistedd. Tynnodd dopiau'r poteli cwrw a'i law, tric tafarnwr, a chynigiodd un i'w westai. Byrlymai synau'r ddinas yn ei glustiau fel dŵr bath yn rhedeg mewn stafell gyfagos – cyrn ceir yn hwtian yn gyson ond yn llai aml nag yn ystod y dydd. Edrychodd ar Eliana, yr aer ffres wedi'i ddeffro ac yn sychu'r chwys oddi ar ei gorff noeth. Syllodd hithau arno hefyd, ei sgidiau ar y llawr a'i thraed ar y sêt, ei phengliniau o dan ei gên. Ble gest ti'r dannedd aur 'na, Oshwyn, gofynnodd ymhen ychydig. Presant gan Ffrancwr ym Mharis bymtheg mlynedd, neu fwy, yn ôl, atebodd. A beth am y graith 'na ar dy ochr? Edrychodd ar fodfedd a hanner o slaes denau a phinc o dan ei asennau chwith. Cyllell, rhywun ddim yn lecio pobl yn deud wrtha fo pan oedd o 'di ca'l digon i yfed. Dydi hi ddim yn ddyfn, ond mae o! Chwe troedfedd i lawr, meddai Felix gan bwyntio'i fys yn ara deg am y llawr. Dim fi roddodd o yno, ategodd Felix wedi i Eliana ddal ei hanadl. Cradur, gafodd o 'i roi ar dân i lawr rhyw ali gefn yn Abertawe, mwy na chan milltir i ffwrdd o lle dwi'n byw. Mae genna i alibyi solad, onest! Roedd wyneb Eliana yn gwneud pob math o stumiau wrth iddo adrodd hanes ffawd Paul Coyle, y trempyn gwyllt.

Taniodd Eliana y sigarét lysieuol a rhannodd y ddau

ei mwg hyd nes i'r gwres ddechrau cosi'u gwefusau. Yna rhannodd Felix ei galon â'i ffrind newydd. Soniodd am ddisgyn allan o gariad gyda Mair, ac am ei deimladau tuag at Karen, y fam o Dwylan. Dywedodd hefyd am ei ddiffygion personol. Yr adegau pan y disgynnai'n fud mewn ffrae, gan ddatgysylltu'n emosiynol yn ôl ei gariadon. Y ffaith nad oedd am gael plant. Y ffaith ei fod yn anffyddiwr. Ei fwynhad a'i fwriad o grwydro trwy fywyd gan gadw'i gyfrifoldebau i'r lleiafswm posib. Ei ddiffyg pwyll ar brydiau, pwyntiodd at ei ddannedd a'i amryw greithiau fel prawf o'r pwynt hwn. Yna holodd hi Felix am ei deulu. Disgwyliodd am amser hir cyn dechrau adrodd yr hanes. Ei fam yn marw o ganser erchyll a phoenus. Ei hewyllys i gael marw yn ei gwely ei hun. Ei dad yn prynu gwasanaeth nyrs breifat er mwyn galluogi hyn. Brad ei dad wedyn wrth ei gyrru i'r hosbis yng Nghaernarfon. Roedd Felix wedi dyfalu paham, ac wedi cyhuddo'i dad o fod yn odinebwr ac yn llwfrgi diawl. Roedd Rhydian wedi gwadu'r cyfan a dyna'r tro olaf i Felix siarad â'i dad. Yn wir fe briododd Rhydian â'r nyrs dri mis wedi claddu'i wraig. Gofynnodd Eliana, wedyn, a oedd Felix yn meddwl y buasai byth yn gallu maddau i'w dad. Byth bythoedd, dywedodd cyn ychwanegu ei fod wedi marw fis yn ôl. Beth ddigwyddodd i'r nyrs, gofynnodd Eliana. Roedd Nyrs Nicholls wedi'i adael ar ôl pedair blynedd o briodas am ddoctor go iawn, dim doctor llenyddiaeth fel Rhydian. Nid oedd Felix wedi rhannu hanes ei ymrafaelion â'i dad â neb, heblaw am y Llyn. Dim hyd yn oed â Luned na Mair, ei gariadon hiraf. Ond roedd Eliana'n wrandawraig dda ac yna wedi rhannu peth o'i hanes hithau ag ef yn ogystal. Ei magwraeth hapus gan ei thad pruddglwyfus ond cariadus; ni wnaeth ailbriodi gan fod ei galon wedi'i thorri, dywedodd hi'n syml. Ei chariad cyntaf, Carlos, yn marw wedyn mewn damwain car yn ninas Córdoba, 'nôl yn yr Ariannin. Dagrau yn llifo, heb iddi wylo, wrth gofio am yr hogyn tlws na thyfai fyth yn ddyn.

Ei bywyd yma yn yr Eidal, yn gweithio i'w hewythr, perchennog El Paso a llawer o fariau eraill yn Milano. Dyma hi'n cynnig ffeindio swydd i Felix os oedd o am fentro oddi ar yr ynys fach 'na, i'r byd go iawn, fel y dywedodd hi. Rhyw ddiwrnod efallai, meddai Felix cyn dylyfu gên yn rhodresgar a datgan ei angen am gwsg. Edrychodd ar ei oriawr. Roedd hi'n chwarter wedi dau. Dangosodd wyneb ei watsh i Eliana a dyma'r ddau'n chwerthin mewn syndod wrth iddynt godi a mynd i'r stafell dywyll. Aeth Felix i'r tŷ bach ac erbyn iddo orffen roedd Eliana wedi cil-gau'r drysau-ffenestri a'r cyrtans ac wedi mynd o dan gwilt tenau'r gwely dwbl. Dylyfodd ei gên a phatio'r fatres wrth ei hochr yn gwahodd Felix yno. Rywsut nid oedd dim yn rhywiol am yr amnaid a dadwisgodd hyd at ei drôns gan roi ei felt felcro, a'i arian a'i bapurau ynddo, yn y bag du yn y wardrob. Gorweddodd ar y gwely yn wynebu Eliana, y ddau yn gwenu'n gysglyd a chyffforddus ar ei gilydd. Nos da, dywedodd wrthi mewn Cymraeg cyn ei chusanu'n ysgafn ar ei gwefus. Buenas noches, Oshwyn, atebodd Eliana, ei llygaid ar gau.

*

Cododd Felix, wedi iddo gofio am y rhan fwyaf o ddigwyddiadau'r noson cynt, ac aeth yn ei drôns i nôl ei frwsh dannedd o ochr ei fag yn y wardrob. Edrychodd ar ei oriawr, bron yn ddeg munud wedi saith. Agorodd ddrws yr ystafell gan edrych am unrhyw arwydd o fywyd yng nghoridor y gwesty. Distawrwydd. Rhoddodd un o'i sandalau wrth waelod ffram y drws i'w nadu rhag cau ar ei ôl ac aeth i'r bathrwm. Cymerodd gawod sydyn a brwsiodd ei ddannedd cyn dychwelyd yn ddistaw ac yn noeth, ei drôns yn ei law ac yn arbed ei swildod, i'w stafell.

'Hi, Oshwyn Felix,' mwmialodd Eliana'n gysglyd o'r gwely, ei breichiau'n ymestyn am y nenfwd.

'Hei,' dywedodd Felix wrth daflu'i drôns i gornel dywyll ar waelod y wardrob ac estyn un glân oddi ar y teledu. 'Slîp wèl?'

'Like a baby, I always do.'

'Iw can stei iff iw laic, ai haf tw go. Ai'f peid ffor ddy rŵm.' Roedd hi'n gwenu wrth edrych ar Felix yn gwisgo.

'Are you OK, Oshwyn?'

'Ai'm ffain; busi dei, ddat's ôl,' dywedodd wrth fotymu'i grys gwyn glân llewys byr. Agorodd ddrôr top y cwpwrdd ac estyn y Beibl a'r beiro. Rhwygodd dudalen wag allan o gefn y llyfr a sgriblo'r beiro arno'n gyflym gan annog yr inc du i lifo. Ysgrifennodd gan ddweud, 'Ddis is mai adrés and contact dîteils. Iff iw efyr nîd y ffrend or y pleis tw stei, col mi.' Cynigiodd y papur iddi.

'You'll go to hell, Oshwyn Felix, *profanar la Bibila.* Oh! I forget, you no believe in *Dios*, in God.'

Cydiodd Felix yn ei thraed a chosodd eu gwaelodion yn chwareus fel cosb am ei thynnu coes. Chwarddodd Eliana gan erfyn arno i stopio. Gadawodd iddi fynd ac eisteddodd ar ymyl y gwely wrth ei chlun.

'Siriys, Eliana. Eni taim, ocê?' Gafaelodd yn dyner, am eiliad, ym mlaen ei gên. 'Enithing, eni taim.'

'OK, OK. Can't we just keep in touch on Facebook?' gofynnodd hi'n ysgafn.

Chwarddodd Felix, 'Ffyc Ffeisbwc, wi'r *rîyl* ffrends.' Cosodd ochrau ei hasennau'n gyflym wedyn gan wneud iddi wingo a hel ei chorff yn belen, fel draenog. 'Ai haf tw go.'

'Give me the *bolígrafo*,' dywedodd gan estyn ei llaw. Cododd Felix y beiro oddi ar y cwpwrdd a'i ddangos iddi wrth godi'i aeliau gan ofyn y cwestiwn, heb siarad. Nodiodd ei phen arno a thaflodd Felix y beiro ati'n ysgafn. Cydiodd Eliana yn y darn papur o'r Beibl a'i rwygo'n ei hanner. Sgriblodd gyfres o rifau arno'n gyflym a chyflwyno'r darn papur i Felix. 'There,' meddai. 'Now, I go with you to hell.'

Res sunt humānæ flēbĭle lūdĭbrium

Gwamal galarus yw materion dynol

RHOWLIODD Y TRÊN yn swnllyd a hamddenol drwy gefn gwlad Lombardi rhwng Milano a Bergamo. Weithiau, am amser byr, byddai'r trên yn cyflymu i rywbeth tebyg i garlam wyllt. Doedd dim ots gan Felix. Roedd o'n mwynhau edrych ar y tir estron, oedd yn ddarluniau prydferth newydd sawl gwaith mewn munud, ac Alpau'r Swistir yn gefndir parhaol yn y pellter. Croesodd y trên afon fawr a'r bont reilffordd yn uchel fel awyren o'r dŵr, yr hafn yn llydan a dwfn. Roedd hi'n debyg i'r Fenai, meddyliodd Felix, a chofiodd mwyaf sydyn am Gerald Foxham, a'r ddelwedd olaf ohono'n diflannu, yn dawel ac am byth dan lif twyllodrus yr afon.

Dinas sy'n cynnwys dwy ran nodweddiadol yw Bergamo. Daeth hynny'n amlwg i Felix wrth iddo gerdded y chwarter milltir i'r Piazza Vittorio Veneto o'r orsaf drenau. O'i gwmpas, ar ddarn anferth o dir gwastad, safai Bergamo Bassa – Bergamo Isaf – dinas fodern wedi'i hadeiladu ar system grid synhwyrol â'r prif rodfa, a wynebai Felix yn syth fel lôn Rufeinig, yn arwain at droed Bergamo Alta – Bergamo Uchaf– y ddinas ganoloesol oedd wedi'i chodi ar fryn serth a'i hamgylchynu gan wal amddiffynnol. Nid oedd Felix erioed wedi gweld unrhyw le tebyg. Roedd yr hen ddinas yn cynnwys cannoedd o adeiladau trawiadol o gerrig urddasol lliw tywod, rhai'n anferth, un drws nesa i'r llall a'r awyr yn las fel crysau pêl-droed yr Azzurri, ac yn gefndir trawiadol i nenlinell blith draphlith pensaernïaeth hynafol y lle. Adnabu Felix amlinelliad y Campanone, ar ôl gweld lluniau ohono ar y we, a hwnnw'n codi'n uwch nag unrhyw adeilad ond dau yn yr hanner hynafol o'r ddinas ar y bryn.

'Waw,' dywedodd Felix yn gegagored gan syllu drwy ei sbectol dywyll, a bywyd dydd Sul y ddinas yn prysuro o'i gwmpas. Roedd y bag du wedi'i guddio ganddo mewn bag sbwriel plastig du o ddrôr cegin Cefni. Y gobaith oedd y byddai'n prynu ychydig o amser ychwanegol iddo cyn cael ei adnabod fel pridwerthwr y Raphael. Cydiodd yn nolen y bag gwag drwy'r plastig wrth gerdded i fyny'r brif rodfa lydan. Edrychodd ar ei oriawr, bron yn hanner awr wedi deg. Awr a hanner tan ei apwyntiad gyda'r clochdy.

Penderfynodd gerdded yn hamddenol am y *funicolare* ar ben draw'r rhodfa, a ddyfalai oedd tua thri chwarter milltir i ffwrdd. Dawnsiai'r awel bob sut o'i gwmpas gan dynnu'r diawl allan o wres tanbaid yr haul; er hyn roedd crys Felix yn glynu'n anghyfforddus i'w gorff chwyslyd unwaith eto. Eisteddodd am ychydig ar risiau carreg cysgodol adeilad anferth ar ymyl y *piazza* a llwybr a cholofnau Rhufeinig yn ei amgylchynu, er mai adeilad modern ydoedd. Agorodd y bag plastig ac archwilio pob poced yn y bag du gan wneud yn siŵr ei fod yn gwbl wag. Roedd Felix eisoes wedi gwneud hyn pan deithiodd o Milano, ond roedd hynny pan oedd yn dal i ddioddef o effeithiau'r noson cynt a doedd o prin yn cofio'r weithred. Cododd a chamu'n ôl i wres y dydd. Difarodd am eiliad ei fod wedi lluchio'i gap pêl-fas at Eliana yn rhodd, wrth i'r haul llachar boenydio'i lygaid bregus dros dop ei sbectol dywyll. Ei weithred olaf cyn gadael ei stafell 'nôl ym Milano.

Erbyn iddo gerdded drwy'r ail *piazza* roedd y rhodfa lydan wedi distewi'n sylweddol, y siopau a'r swyddfeydd y tu ôl iddo, a thai moethus â gerddi trwsiadus o'u blaen wedi cymryd eu lle. Gostegodd y gwynt wrth i Felix ddechrau dringo'r allt a'r pafin yn gogwyddo i'r dde. Doedd o ddim yn gallu gweld adeiladau'r hen ddinas bellach, dim ond y bryn serth a'i wal amddiffynnol. Roedd y Fenesiaid ddaru godi'r lle 'ma'n gwbod be oeddan nhw'n neud, meddyliodd. Fasan nhw wedi gweld y gelyn, neu unrhyw fygythiad, yn dod o bell, a wedyn wedi iddyn nhw gyrraedd, y gelyn yn wynebu'r walia 'ma, yn amhosib o uchel a serth. Ymlaen i'r dre nesa, dyna ble fyswn i'n mynd.

Arhosodd Felix am sbel yng nghysgod llawryfen anferth, ei changhennau'n gwyro allan o ardd odidog, ei lawnt fel grîn bytio yn barod am gêm o golff. Gardd miliwnydd, siŵr o fod. Rhowliodd bws oren gwag heibio, ei olwynion yn cadw twrw fel un plaster hir yn cael ei dynnu'n ara deg ar hyd y tarmac tawdd. Pwysodd, ac edrych i fyny, drwy'r can troedfedd o ddail tywyll, ar yr haul eirias yn serlwch tlws drwy'i sbectol dywyll. Gosododd ei law ar ei dalcen chwyslyd cyn ei hel yn wlyb diferol trwy'i wallt trwchus. Gwelai orsaf y *funicolare* ar ben yr allt a gwthiodd ei ben-ôl oddi ar y wal gan anelu amdano.

Cerbyd cysylltu oedd y *funicolare*, rheilffordd halio yn tynnu cerbyd oren llachar deulawr y chwarter milltir o'r orsaf waelod i'r top. Digon tebyg i dram y Grêt Orm yn Llandudno, meddyliodd Felix, wrth ddangos ei docyn i'r gyrrwr. Roedd ganddo lawr uchaf y cerbyd iddo'i hun gan fod y gyrrwr wedi dychwelyd i'w gaban pitw ar y llawr isaf. Fo oedd yr unig deithiwr. Dringodd y cerbyd gan droi'n raddol i'r chwith cyn dadlennu golygfeydd arbennig o'r blerdwf dinasol islaw, yn ymestyn hyd nes iddo doddi'n donnau gwlanog ar orwel di-freg.

Cerddodd allan o orsaf eang y *funicolare* gan godi ambell daflen wybodaeth oddi ar y stondin dwristiaeth ym mhorth bwaog y fynedfa. Wrth ymyl y ffordd yng nghysgod yr orsaf pwysai dau yrrwr tacsi yn erbyn eu cerbydau gan smocio. Astudiodd Felix fap o'r Città Alta a sylwi bod y clochdy yng nghanol y ddinas hynafol fechan, fwy na heb, tua chwarter milltir i ffwrdd. Edrychodd ar ei oriawr, hanner can munud i fynd. Aeth yn ôl i mewn i'r orsaf led oer a thrwy'r brif atriwm uchel i gyfeiriad y caffi yn y cefn, gyda'i falconi hir y tu draw i'r wal o ffenestri, a hwnnw'n edrych dros y ddinas wasgaredig islaw. Archebodd *cappuccino* ac eistedd wrth y ffenest yn edrych ar ei daflenni a dyfeisio'i gynllun. Ychydig iawn o bobl oedd o gwmpas y lle. Ambell hen ŵr yn sipian paneidiau, criw o Americanwyr tew yn chwyrnu siarad ar ei gilydd, eu cotiau ysgafn lliwgar yn sgleinio a hetiau pêl-fas am bennau'r dynion. Iwnifform y twristiaid. Dau gwpwl o bacpacyrs, wedyn, yn eistedd ar wahân yn edrych wedi blino a braidd yn byglyd. Hangofyrs, siŵr o fod, meddyliodd Felix. Roedd o'n cydymdeimlo. Eisteddai'r hogyn a oedd yn gweithio yno allan ar y balconi yn darllen papur ac yn codi'i ben o bryd i'w gilydd i weld a oedd rhywun angen ei wasanaeth. Mae hi'n lot rhy ddistaw, meddyliodd. Os bydd hi fel 'ma 'mhob man, fydd raid gneud cwic getawê.

Tynnodd sylw'r hogyn ar y balconi a chododd hwnnw'n awyddus am gwsmer.

'*Sì, signore?*' meddai'r Eidalwr ifanc wrth ddynesu at fwrdd Felix gan wenu'n ddiffuant.

'*Per favore . . .*' Agorodd Felix ei ddwylo a gwneud stumiau ymddiheurol. 'Siswrn, sisorno?' Roedd yn dynwared y teclyn, a'i ddau fys yn agor a chau dan drwyn yr Eidalwr.

Ymunodd yr hogyn yn y weithred gan holi, '*Forbici? Forbice?*'

Pwyntiodd Felix ato gan ddyfalu nad oedd modd efelychu dau beth gwahanol yn y fath fodd. '*Forbice,*' dywedodd, '*per favore.*'

Diflannodd yr hogyn y tu ôl i'r cownter am hanner

munud. Ailymddangosodd yn cydio mewn siswrn ac yn gwenu'n orfoleddus. Cododd Felix ei fawd arno, a phan ddychwelodd at ei fwrdd cymerodd y siswrn oddi arno a dweud, '*Grazie mille.*'

'*Prego.*'

'*Cinque munudo?*' gofynnodd Felix gan ddal pum bys i fyny.

'*Minuto, va bene signore, va bene,*' dywedodd yr Eidalwr cymwynasgar gan nodio'i ben yn hamddenol.

'O! *A acqua, per favore,*' dywedodd Felix gan estyn papur ugain ewro iddo.

'*Sì, con gas?*'

'*Sì,*' atebodd heb fod yn siŵr am beth.

Dychwelodd yr hogyn mewn munud gyda'i ddŵr a'i newid. Mynnodd Felix ei fod yn cadw'r newid, dros ddeg ewro, a derbyniodd yntau, ar ôl ychydig o brotestio llawen. Doedd hi ddim yn weithred gwbl anhunanol gan Felix gan ei fod am adael yr adeilad am funud gyda'r siswrn ac yn gobeithio y câi lonydd i wneud hynny. Gadawodd y dŵr, y bag du a'i sbectol haul ar y bwrdd a chafodd fynd o'r caffi a'r orsaf yn cario'r siswrn a thaflen.

'*Parla inglese?*' gofynnodd wrth agosáu at y ddau yrrwr tacsi. Chwythodd yr un pella gwmwl o fwg sigarét allan, fel pe bai'n ddraig wedi rhedeg allan o fflamau, gan anwybyddu'r cwestiwn. Rhwbiodd y llall – dyn bach esgyrnog â lliw haul garddwr a thrwyn Rhufeinig – ei dalcen gan edrych ar ei esgidiáu.

Grêt, meddyliodd Felix. Ond wedyn, dyma'r sgerbwd brown yn ailfeddwl a dweud, 'Sì, I speak some.'

'Sym's ffain,' meddai Felix. 'Haw mytsh ffrom hîr tw Malpensa?' Dyma Felix yn dynwared awyren, yn frysiog, â'i freichiau, 'Êrport.'

Stwffiodd y gyrrwr tacsi gnawd ei foch chwith i fyny tuag at dwll ei lygaid â'i law, a sugno aer trwy'i ddannedd, ei wefusau ychydig ar wahân.

Ty'laen, meddyliodd Felix, jest dwbla dy ffigwr gwreiddiol – 'dio ffwc ots gynna i.

Pan na allai ei ysgyfaint lyncu mwy o aer, dywedodd y dyn tacsi, 'Eighty euro, *amico*. Eight, zero.'

Ripys offys myddy ffycy, meddyliodd Felix. 'Iawn. Ocê. Ocê.' Gwenodd ar y dyn ac agorodd hwnnw'i lygaid yn fawr gan fethu'n llwyr â chelu'i foddhad a'i syndod. Estynnodd Felix dri phapur hanner can ewro o boced ei drywsus a dangos un i'r dyn tacsi cyn ei roi'n ôl yn ei boced. Yna cymerodd y siswrn a thorri'r ddau bapur hanner cant arall yn ddau ddarn cyfartal.

Eto, dangosodd yn glir i'r dyn ei fod yn rhoi dau hanner gwahanol o'r ddau bapur yn ôl yn ei boced a rhoddodd y ddau arall yn un o ddwy law estynedig y gyrrwr. Roedd hwnnw wedi drysu'n llwyr. 'Pic mi yp hîr at ten past twelf, *dodici, sì*?' dywedodd gan bwyntio at y Via Colleoni wrth ochr y clochdy ar fap o Bergamo Uchaf ar y daflen.

'Midday, yes?'

'Ten past,' meddai Felix gan ddal deg bys allan.

'OK.'

'Iw get wan yddyr hâff dden, and anyddyr wen wî lîf Bergamo, and ai'l gif iw anyddyr ffiffti at ddy êrport. Ocê? Wan hyndryd and ffiffti oltwgeddyr. Ocê?'

'What you gonna do, rob a bank?' gofynnodd y dyn yn ysgafn gan syllu ar y ddau hanner papur, oedd yn ddiwerth am y tro, yn ei ddwylo esgyrnog.

'Haf tw catsh y plein, ddas ôl,' atebodd Felix yn ddigynnwrf.

Cododd y gyrrwr ei ben gan syllu ar Felix cyn codi'i aeliau, gostwng ei ysgwyddau ac ymylon ei wefusau, ac ysgwyd ei ben o'r dde i'r chwith yn gyflym. 'OK, why no. Yes?'

'Ies!' ebychodd Felix gan daro braich y dyn yn ysgafn a chyfeillgar a dangos ei oriawr iddo. 'Ten past. Ocê?' Hanner awr wedi un ar ddeg ar ei oriawr. Cododd y gyrrwr tacsi ei fawd arno a wincio nes bod ei holl wyneb yn crychu.

Gormod o haul, meddyliodd Felix. Mae'n siŵr ei fod yntau'n meddwl yr un peth amdana i, meddyliodd wedyn, gan droi i fynd â'r siswrn yn ôl at yr hogyn yn y caffi.

Res in cardĭne est

Mae'r mater yn troi ar golyn drws

HANNER AWR yn ddiweddarach, crwydrodd Felix i mewn i heulwen y Piazza Vecchi, ac Il Campanone'n codi'n ffalig yng nghornel bella'r sgwâr ar y llaw dde o'i flaen. Dangosai'r cloc anferth a orchuddiai chwarter wal agosa'r clochdy ei bod hi eisoes yn hanner dydd. Teimlai ei groen yn tynhau unwaith eto wrth i'r gwres tanbaid gydio ac yntau wedi mwynhau cysgod y strydoedd cul wrth ymlwybro i fyny'r allt serth o'r orsaf. Poerai gargoel angladdol lif parhaus o ddŵr clir i ffynnon fawr yng nghanol y *piazza*. Gwarchodid y gargoel gan gylch o seirff a llewod dychrynllyd yn brathu cadwyni haearn du a thrwchus, y cyfan wedi'u naddu o farmor gwyn.

'Rŵan, ma hwnna *yn* seicadelic,' dywedodd Felix wrth neb yn arbennig gan basio'r cerflun dyfrllyd.

Cosai pluen nerfusrwydd yn ei fol wrth iddo chwilota ym mhocedi'i drywsus am y tocyn mynediad i'r clochdy. Gafaelai yn nolen y bag Eidalaidd gan fod y bag sbwriel du, erbyn hyn, mewn bin wrth ymyl y sgwâr. Er bod efallai hanner cant o bobl ar wasgar o gwmpas y lle, roedd y *piazza* yn teimlo'n eithaf gwag i Felix ac yntau'n teimlo'n rhy amlwg, fel pe bai pawb yn edrych arno. Paranoia, meddyliodd, gan ysgwyd ei ben yn sydyn ac ochneidio wrth ailddarganfod y cysgod. Cysgod Il Campanone.

Ymestynnai pedwar porth anferth bwaog i fyny ar wal bella'r sgwâr o'i flaen, ac i'r dde gyfres arall o dri phorth llai o dan risiau cerrig swmpus yn arwain at falconi llydan dan do yng nghornel bella'r *piazza*. Codai Il Campanone, adeilad hirsgwar mawreddog, i fyny y tu ôl i'r balconi. Cerddodd Felix, ei ben i lawr, drwy'r porth canol o'r tri a thwnnel hir, iasol yn oeri chwys ei dalcen. Daeth allan i atriwm agored wrth droed y clochdy, lle roedd porth arall i'w ochr dde a lifft modern i'w weld o'i flaen yng nghrombil y clochdy. Safai giât dro o grôm gloyw rhyngddo fo a'r lifft, a gwelai risiau hynafol yn erbyn wal bella'r clochdy yn cychwyn wrth ochr y lifft. Roedd ffenest fechan y swyddfa docynnau i'r chwith cyn y giât dro, rhyw ddau fetr oddi mewn i waliau sgwâr a chadarn Il Campanone. 'Chiuso' datganai'r ysgrifen wen ar y bleind-rholio du y tu draw i wydr y ffenest, a 'Closed' o dan yr Eidaleg. Curodd Felix yn ysgafn ar y gwydr. Codwyd y bleind ar unwaith.

Edrychodd dynes ganol oed yn ddiflas arno o ochr draw'r ffenest, cyn i'w mynegiant droi'n ddirmygus. Edrychai fel pe bai'n trio'i gorau i wenu ond yn methu'n llwyr; roedd ei llygaid wedi chwyddo ac yn gysglyd fel rhai jiráff, y tu ôl i lensys potiau jam mewn ffrâm sbectol anffasiynol. Gweithiai ei dwylo'n nerfus o'i blaen ar y cownter byr, fel pe bai'n gweu â gwlân a gweill anweledig.

Ti'n gwbod yn iawn pwy 'dw i, dwyt, meddyliodd Felix heb roi dim iddi, dim hyd yn oed ei wên reddfol. Gosododd y tocyn, dri munud yn hwyr, yn y blwch cul ar waelod y gwydr, a chodi'r bag du iddi gael ei weld. Cymerodd hithau gipolwg sydyn ar y tocyn heb ei gyffwrdd, cyn syllu ar Felix unwaith eto.

Chdi sy'n ennill, meddyliodd, a gwenu arni'n sydyn, ei ddannedd aur yn fflachio'n ôl arno yn adlewyrchiad y gwydr tywyll. Llonyddodd y ddynes cyn ochneidio a symud ei phwysau o un foch i'r llall ar ei stôl. Pwysodd fotwm cudd a chlywyd sŵn grwnian cyson cyn iddi giledrych i'w hochr chwith, heb symud ei phen, a syllu hyd yn oed yn fwy anffafriol arno.

If lwcs cwd cil, fysa Tony Blair ar ôl hon, meddyliodd, WMD.

Roedd Felix yn falch o fynd o'i golwg. Gwthiodd drwy'r giât dro, a dannedd yr olwyn ynddi'n clician yn esmwyth wrth i Felix fynd drwyddi. Peirianwaith cywrain a drud, pres mawr yn amlwg wedi'i wario ar y tŵr. Pan oedd yn eistedd yng nghaffi'r orsaf yn astudio taflen Il Campanone, roedd o wedi penderfynu, heb bwyso a mesur rhyw lawer, y byddai'n mynd i fyny'r grisiau. Llarpiodd Felix y staer, dwy ris garreg lydan ar y tro, yr adeilad yn iasol oer o'i gymharu â'r tu allan. Chwifiai'r bag gwag fel doli glwt yn ei law wrth iddo fynd. Dringodd hanner dwsin rhes o risiau cyn stopio i ddal ei wynt, ei waed yn curo'n swnllyd a chyson yn ei glustiau fel pe bai rêf yn cael ei chynnal yn ei ben. Dwff, dwff, dwff . . .

'Dwi'm yn mynd i feddwi'n wirion eto,' dywedodd wrtho'i hun am y canfed tro.

Cychwynnodd eto i fyny'r grisiau, un gris ar y tro, ei law rydd ar ei ben-glin wrth gamu'n frysiog tuag i fyny, a'i sbectol haul yn nythu uwchben ei dalcen yn ei wallt llaith. Lladdwyd sŵn ei draed gan drwch y waliau ac roedd yr adeilad yn dawel, yr aer yn llonydd fel bod mewn eglwys wag a thwrw'i anadl yn uchel yn ei glustiau. Cyrhaeddodd ystafell y gloch a golau'r dydd yn ei ddallu drwy ddwy ffenest fwaog anferth heb wydr na ffrâm. Edrychodd Felix ar y gloch fawr yn hongian yng nghanol yr ystafell a'i hwyneb pres yn batina gwyrdd. Doedd neb na dim yno, ond roedd un rhes arall o risiau i fynd. Clywodd y gwynt yn chwibanu drwy beirianwaith y clochdy ar y llawr uchaf uwchben, sŵn unig ac arswydus. Crafodd Felix ar ei ddannedd aur am ychydig, cyn cychwyn i fyny'r grisiau. Nodiodd ei ben mewn un symudiad sydyn wrth gyrraedd y top a disgynnodd ei sbectol dywyll ar ei drwyn cyn ei gwthio i fyny i'w lle. Roedd to ar ben y llawr uchaf cwbl agored, a rhwydwaith o drawstiau haearn amlwg yn dal y darnau o waliau hynafol a oedd yn cynnal y to. Roedd rheiliau haearn wedi'u gwneud o fariau du tenau, dipyn talach na Felix, ar draws yr agoriadau llydan gan ganiatáu golygfeydd anhygoel o'r ddinas islaw a'r wlad o gwmpas.

Safai dyn, ei gefn at Felix a'i ddwylo wedi'u plethu tu ôl ei gefn, ger yr agoriad pellaf oddi wrth dop y grisiau. Wrth ochr y dyn ar y llawr concrid, gorweddai bag du, yn union fel yr un yn llaw Felix oedd yn llawnach a phorthiannus yr olwg. Gwisgai'r dyn grys gwyn llewys byr wedi'i dycio i'w drywsus du llaes, a belt â dryll wrth ei glun. Gwisgai *epaulettes* du ar ei ysgwyddau llydan a chadarn. Rhyw fath o blisman, meddyliodd Felix, neu un o'r hanner-copars, hanner-soldiwrs 'na. Be 'di enw nhw hefyd? Y Carabinieri. Camodd Felix tuag ato, a dim ond sŵn y gwynt yn chwibanu'n gwmni iddo.

'Helo,' dywedodd ar ôl syrffedu syllu ar gefn y dyn.

Heb droi, dywedodd y dyn mewn Saesneg ag acen Eidalaidd, 'Understand this. This is my money. Until the *Ritratto di giovane uomo* is delivered safely to this tower, you are holding my money. Are we clear?'

'Y-hy,' atebodd Felix. Teimlai ei wrychyn yn codi, a'i fochau'n fflamio. 'Ddat's mai myni, is it?' meddai wedyn gan anwybyddu darlith y dyn.

'Take it,' meddai'r dyn gan droi a rhoi cic i'r bag. 'Three hundred thousand English pounds.' Edrychodd y dyn golygus yn ei dridegau ar Felix am y tro cyntaf, ac agorodd ei lygaid yn fawr am eiliad fel pe bai wedi cael syndod.

'Di malog i'n agor neu rwbath, meddyliodd Felix, gan gamu'n nes at y bag. Chwifiodd y bag gwag yn ei law. 'Shal ai jyst lîf ddis hîr, dden?'

Nodiodd y dyn arno a ffeirio'r gwag am y llawn, y pwysau yn hwnnw'n sylweddol. Dywedodd Felix, 'Blydi hel,' yn syfrdan wrth godi'r llwyth.

'Seven and a half kilos, without the *sacca*. Heavy, yes?'

'Hefi, ies,' cadarnhaodd Felix. Sylwodd fod tair seren wen yr un ar ei *epaulettes*. Armi, meddyliodd. 'Enithing els, Tshîff?'

'What is your name?'

'Naw, wai wyd ai tel iw ddat?'

'Because I find out when you leave the country.'

'Iff iw dw, then iw'l now,' dywedodd Felix gan wenu'n sarcastig ar y dyn. Trodd i adael.

'Hey, *denti d'oro*,' gwaeddodd y dyn drwy sgrech y gwynt at gefn Felix. 'See you soon, *denti d'oro*, see you soon.'

Cododd Felix ei law arno wrth gychwyn i lawr y grisiau, fel llong danfor yn suddo o'i olwg.

Urit grata protervĭtas, et vultus nĭmium lūbrĭcus aspĭci

Mae ei hoedeniaeth hwyliog yn fy nghorddi, ac mae ei hwyneb yn rhy ddisglair i'm golygon

AGORODD FELIX ddrws cefn y tacsi a dweud, 'Go, go!' wrth y gyrrwr cyn eistedd ar y sedd lydan a llusgo'r bag llawn o bres, fel bag sment, ar ei ôl. Cydiodd yn y bag a gweld y dyn tacsi'n syllu arno yn y drych ôl.

Crychodd y gyrrwr ei dalcen a gwasgu'i lygaid yn holltau amheus arno. 'What your hurry, *signore*?'

'Êrport, plein tw catsh, rimembyr?' Symudodd y dyn yr un modfedd. Yna cofiodd Felix mwyaf sydyn ac aeth i'w boced a thynnu allan yr haneri hanner can ewro. 'Ddêr iw go. *Andare, andare!*' dywedodd gan osod un o'r papurau yn llaw'r gyrrwr, yntau bron â chrogi'i hun wrth ymestyn yn ôl. Doedd o ddim yn siŵr pa iaith ddefnyddiodd, na beth yn union yr oedd newydd ei ddweud wrth y dyn, ond daeth y cymeriad cartŵn Speedy Gonzales i'w feddwl.

Ochneidiodd y dyn tacsi wrth gymharu dau hanner y papur yn ei ddwy law yn hamddenol cyn tanio'r peiriant a chychwyn yn ara deg allan o'r *piazza*. Gwelodd Felix y dyn o'r clochdy yn cerdded heibio'r ffynnon yng nghanol y sgwâr. Gwisgai Dyn y Clochdy het big ddu y fyddin a rhyw fath o emblem trawiadol arni, a fflam wen yn ffrwydro allan o wy neu rywbeth, ar ei blaen. Feri sdeilish, feri Italian, meddyliodd Felix wrth edrych ar y milwr, neu blisman neu beth bynnag, yn codi'i law arno.

'So mytsh am y ffycin cwic getawê,' mwmialodd Felix dan ei wynt.

Unwaith roedd y tacsi y tu allan i furiau'r Città Alta, dechreuodd y gyrrwr bwyso'i droed ar y sbardun, a theimlodd Felix yr awel yn gynnes a braf drwy'r ffenest hanner agored. Disgynnai'r ffordd lydan yn raddol o'r ddinas ar y bryn gan anwesu'r wal amddiffynnol am gyfnod cyn dychwelyd i lawr rhan isa'r ddinas a phasio gorsaf y *funicolare* unwaith eto. Rhwbiodd Felix ei ysgwydd dde fynafus. Roedd pwysau'r bag wedi tynnu'n drwm ar ei gyhyrau wrth iddo gamu'n frysiog i lawr grisiau'r clochdy. Fel cario sach o frics, meddyliodd, wrth rwbio'i ysgwydd ac edrych drosti ar yr un pryd i weld a oedd rhywun yn dilyn. Neb i'w weld. Doedd fawr ddim traffig a chymerodd y gyrrwr ddim amser bron i nyddu'i ffordd allan o strydoedd llydan Bergamo cyn darganfod y draffordd am Milano.

'Haw long?' gofynnodd Felix gan osod hanner arall y papur arian ar ysgwydd y dyn tacsi, fel y cytunwyd ynghynt. Gwenodd y gyrrwr arno yn y drych ôl, fel pe bai wedi anghofio'r cytundeb, a chododd y darn papur mewn diolch.

'*Uno ora, signore.*'

Daliodd Felix ei fys i fyny iddo'i weld yn ei ddrych a nodiodd y gyrrwr arno'n gadarnhaol a gwenu'n hapus. Dyn sy'n mwynhau ei waith, meddyliodd, ac am gant a hanner o ewros yr awr, pam fysa fo ddim? Edrychodd Felix eto drwy ffenest ôl y cerbyd, ond roedd pawb yn mynd tua Milano erbyn hyn, felly roedd hi'n amhosib gweld a oedd unrhyw un yn eu dilyn. Caeodd ei lygaid a chydio'n dynn yn y bag du wrth ei ymyl.

Meddyliodd am Eliana a'r ffordd y buont yng nghwmni'i gilydd, fel pe baen nhw'n adnabod ei gilydd erioed. Roedd pob dim mor hawdd, heb unrhyw ddistawrwydd annifyr pan oedd y sgwrsio'n dod i ben. Na chamsyniadau lletchwith ynghylch rhyw chwaith, a'r ddau ohonyn nhw bron yn noeth yn y gwely. Roedd pethau mor wahanol gyda Mair, a Felix yn gorfod camu'n ofalus o gwmpas ei thymer a meddwl ddwywaith cyn agor ei geg. Nid fel yna mae hi i fod, 'di'r peth ddim yn iawn, dywedodd y llais bach yn ei ben. Ac erbyn hyn, roedd yn gorfod gwthio'r cwch allan – a saethu ffycin fflêr i fyny hefyd – os oedd o am gael unrhyw fath o sylw rhywiol ganddi. Dim amsar, 'di blino, rhwbath ar y bocs, un esgus ar ôl y llall. Daeth Karen Milward, mam Neville, i'w feddwl, yn ddarlun perffaith yn sefyll yn nrws ei thŷ, ei braich i fyny ac yn cydio yn y ffrâm, a'i bronnau'n falch a hudolus mewn fest dynn. Teimlodd Felix y bwystfil yn dechrau symud yn ei drywsus, ac agorodd ei lygaid er mwyn torri ar y swyn erotig, lledrithiol. Rhuthrodd twrw'r draffordd a'r gwynt drwy'r ffenest yn ôl i lenwi'i glustiau, a sylweddolodd Felix ei fod wedi hepian cysgu am eiliad. Edrychodd ar ei oriawr, chwarter i un. Ocê, mwy nag eiliad efallai, meddyliodd.

Treuliodd Felix weddill y siwrnai'n meddwl am Rhydian a'i etifeddiaeth. Roedd y Llyn yn siŵr o wybod am rywun fyddai'n fodlon bwrw golwg dros y llyfrau prin 'na'n Cefni. Cynnig pris am y job-lot, ella. A beth am gêm ola Rhydian? Byddai'n rhaid gofyn am help y Llyn gyda'r pos ar y papur a ffeindiodd yn *Beau Geste* hefyd. Beth oedd llythyr ei dad yn ei ddweud eto? Rhywbeth fel, iddo fo gloddio '. . . union ddeg troedfedd i fyny o'r lle na all y pili-pala ddianc o'i glyw.' Ac wedyn, 'Trysor, fy mab!' Be ffwc ma hynna fod i feddwl? Pili-pala, glöyn byw, *papillon*? Steve McQueen? Na. Glöyn byw? Dim byd. Butterfly. Butter fly? But to fly? Digon i neud dy ben di fewn. ' . . . na all y pili-pala ddianc o'i glyw.' 'O'i glyw!' Pwy 'di 'O'? Ella bydd honna'n drech na'r Llyn hyd yn oed. Ella 'na jôc ola Rhydian Felix ydi hi. Malu cachu am ddim byd. Ella, ella wir.

Caeodd ei lygaid eto a gwrando ar dwrw mesmeraidd y traffig yn gwibio yn ôl ac ymlaen o Bergamo.

Quid furor est, census corpŏre ferre suo!

Am wallgo ydyw, cario ffortiwn gyfan ar gefn dyn!

'Signore, destare, signore!'

Agorodd Felix ei lygaid yn sydyn, ei ben yn ddryslyd wrth frwydro i ddeffro. Cydiodd yn reddfol dynn yn y bag du wrth sylweddoli ei fod yn dal yng nghefn y tacsi, a'r cerbyd yn rhowlio'n araf mewn ciw o draffig ac yn hercian dros bonciau cyson yn y ffordd.

'*Malpensa, signore. We arrivò.*'

Gorweddai adeiladau tra modern y maes awyr yn hir a gwastad ar waelod y lôn wrth iddi wyro i'r chwith o'u blaenau. Stopiodd y tacsi gyferbyn â drysau llydan y prif adeilad – arwydd anferth yn datgan *PARTENZE* ac yna Departures oddi tano, uwch eu pennau.

'*Grazie mille,*' meddai Felix gan wyro a rhoi papur hanner can ewro yn llaw'r gyrrwr a gofyn, 'Dw iw haf y card, *signore?*'

'*Sì, sì,*' atebodd yntau gan estyn cerdyn o flwch persbecs llawn a lynwyd at y dash.

Cymerodd Felix y cerdyn, yna ysgydwodd law â'r gyrrwr wrth edrych ar y cerdyn a dweud, '*Grazie, Signore*

Bianchi.' Rhoddodd y cerdyn ym mhoced ei grys a mynd allan o'r tacsi.

Edrychodd ar y bwrdd anferth yn lolfa'r maes awyr i'w atgoffa o amser ymadael ei awyren. Chwarter i bump. 'Check-in – 3.45.' Edrychodd ar ei oriawr – hanner awr wedi un. Aeth Oswyn Felix i chwilio am far.

Erbyn chwarter i bedwar, roedd Felix wedi llenwi'i fol â *pizza* gwael a chwrw drud. Sut ddiawl ma'r Italians 'di manejo ffwcio *pizza* i fyny, dwi ddim yn gwbod, oedd o wedi meddwl wrth stwffio'i hun. Hefyd, roedd o hanner ffordd drwy gopi clawr meddal o *The Grifters* gan Jim Thompson a adawyd gan rywun neu'i gilydd dan sêt gyfagos yn y bar anferth. Teimlai fod digon o afael yn y stori i fynd i'r drafferth o gario'r llyfr efo fo ar yr awyren, i'w orffen o leiaf. Er bod y bar yn eithaf prysur, roedd Felix wedi sylwi'n syth ar ymddangosiad ei gyfaill o'r clochdy – heb ei het ac yn gwisgo siaced ysgafn erbyn hyn – pan eisteddodd ar ben arall y bar. Roedd hyn wedi digwydd tua awr yn ôl, a nawr roedd dyn arall, ei wyneb pygddu'n galed a difynegiant a'i wefusau'n syth a thenau fel slaes llafn rasal, wedi dod i eistedd wrth ei ymyl. Boi calad, meddyliodd Felix yn syth.

Cerddodd y coridorau llydan am y 'Check-in', a chael cipolwg ar y ddau ddyn – y boi caled hanner cam o flaen ei feistr fel rhyw fath o Rottweiler ufudd ar dennyn byr, wrth iddo droi un gornel, yna un arall. Buasai Felix yn taeru bod rhywun wedi sleifio dau gan mil yn ychwanegol i'r bag, a'i fraich dde'n tynnu'n boenus fel pe bai magnet yn y llawr. Trosglwyddodd y bag i'w law chwith i gael seibiant.

Rhoddodd ei docyn i'r ferch wrth gownter Flybe ac ysgwyd ei ben arni pan ofynnodd a oedd ganddo unrhyw fagiau. Dim ond hwn, atebodd gan godi'r bag du a cheisio edrych yn hamddenol ynghylch y peth. Pluen ydio, dywedodd wrth ei hun, pluen.

Aeth i sefyll yn y ciw ar gyfer yr archwiliad diogelwch, a'r dorf yn ufuddhau fel defaid i'r bariau eiddil oedd yn troelli ac yn llenwi'r gofod eang. Hanner awr yn ddiweddarach roedd Felix yn tynnu'i oriawr ac yn gwagio'i bocedi i ymuno â'r bag a'i lyfr mewn basged fawr o blastig glas, a honno wedyn yn diflannu drwy'r peiriant pelydr-x. Cerddodd Felix drwy'r giât ddatgelu metal, gan obeithio y byddai ei ddannedd aur yn byhafio. Nid oedd ei ddannedd wedi effeithio ar unrhyw beiriant ers iddo fynd drwy faes awyr O'Hare yn Chicago yn 2006. Yr Americanwyr, y tro hwnnw, yn gorymateb ac yn ei holi am awr, a hynny ar ôl cynnal noeth-chwiliad darostyngol. Y tro hwn, ni wichiodd y peiriant, a gwenodd Felix ar y ddynes fer, groen tywyll, anferth, oedd yn ffrwydro allan o'i hiwnifform o'i flaen. Os bysa gynna fi bìn, fyswn i'n gallu byrstio hi, meddyliodd wrth iddo ailwisgo'i oriawr a stwffio'i eiddo i'w bocedi.

'Open the bag, please,' dywedodd y ddynes, ei hacen yn Eidalaidd a diog.

'Is ddêr e problem, mìs?' gofynnodd Felix gan osod ei sbectol haul ar dop ei ben.

'Open the bag, please, *signore*,' meddai, ei llais hyd yn oed yn fwy diflas.

Ffycin hel, ffyc, ffyc, ffyc, meddyliodd gan wenu'n ddel ar y ddynes a chydio yn zip y bag. 'Oci doci,' dywedodd, am y tro cyntaf yn ei fywyd. Oci doci? O lle uffar ddoth hwnna? meddyliodd wrth i'w galon suddo a'r zip yn llithro ar agor yn ei law.

Edrychodd eto ar y ddynes. O lle uffar ddoth hwn, 'wân ta? meddyliodd wedyn, wrth i'w ffrind o'r clochdy ymddangos gan gydio ym mraich y ddynes forloaidd a sibrwd yn ei chlust. Trodd hithau mewn syndod i edrych ar y dyn a'i llaw chwyddedig wedi'i chodi mewn ystum amddiffynnol. Dangosodd Dyn y Clochdy fathodyn mewn waled iddi a syllu i fyw llygaid Felix gan wenu arno wrth iddi astudio'i gymhwyster. Nodiodd Felix ei ben arno'n gegagored, yna chwarddodd yn sydyn cyn chwythu ar flaen ei fys a'i bwyntio ato.

Smŵdd, ca'l 'y ngwarchod gan y cops. Diolch yn fawr iawn.

Gwyrodd y ddynes rawiau'i dwylo i'r dde yn gyfochrog gan wahodd Felix i adael, cyn eu gollwng i orwedd yn llipa a phwdlyd, ar ei chluniau helaeth. Edrychodd y ddynes yn amheus a rhwystredig ar Felix.

'*Grazie mille*, ti'n werth y byd i gyd yn grwn,' dywedodd Felix wrth lusgo'r bag oddi ar ei chownter, cydio yn ei lyfr, nodio'i sbectol haul oddi ar ei ben i ddisgyn ar ei drwyn, a cherdded i ffwrdd.

Amsar mynd adra.

Abīte nummi, ego vos mergam, ne mergar a vōbis

Ymaith, arian, fe'th foddaf, fel na chaf fy moddi gennyt ti

POERAI'R AWYR LWYD law ar gefn noeth Oswyn Felix wrth iddo wyro i estyn crys glân o gist ei Golf. Roedd y crys a fu ar ei gefn drwy'r adeg y bu dramor wedi'i luchio fel cadach i gornel yn rhywle. Un peth roedd Felix wir yn ei gasáu oedd teimlo'n fudur. Dewisodd un o'r ddau grys, lliw glas tywyll, o'r bag Tesco a'i wisgo'n sydyn, ei freichiau'n groen gŵydd i gyd yn yr hanner gwyll oer.

Ochneidiodd yn flinedig wrth godi a chau'r gist ac edrych o gwmpas y maes parcio Park and Go. Doedd neb o gwmpas, a theimlai Felix yn wastraffus am iddo alw'r bws mini mawr allan i'w hebrwng ar ei ben ei hun yr ychydig filltiroedd o faes awyr Manceinion. Dyna pam ti'n talu dy wyth bunt ar hugain, dywedodd wrtho'i hun, gan gydio yn y bag du rhwng ei goesau ac agor drws cefn y Golf. Gwthiodd y bag ar hyd y sêt gefn a mynd i eistedd wrth ei ochr. Roedd hi'n bum munud i chwech y nos ar gloc y car, ac atgoffwyd ef i droi ei oriawr yn ôl awr.

Agorodd y bag, a dechrau ar y gwaith o fynd drwy'r pecynnau arian yn unigol i chwilio am unrhyw ddyfeisiau electronig. Papurau ugain punt i gyd, wedi'u defnyddio eisoes a'u lapio'n fwndeli, gyda chylchoedd o fandiau papur trwchus a £5,000 wedi'u printio arnynt. Erbyn iddo orffen, roedd y bag du'n wag a'r arian yn chwe deg o fwndeli taclus o'i gwmpas ar y sêt a'r llawr. Yna archwiliodd y bag yn ofalus gan dynnu'r cardbord trwchus oddi ar ei waelod a thalu sylw arbennig i'r pocedi. Dim un ddyfais. Ella fod yr Italians wedi dysgu'u gwers y tro dwytha, meddyliodd wrth ail-lwytho'r bwndeli a chau'r zip.

Aeth allan o'r Golf ac yn ôl i mewn i eistedd yn sêt y gyrrwr. Agorodd y cwpwrdd yn y dash i'w chwith ac estyn y ffôn symudol pinc. Un bar, digon da, meddyliodd, wrth chwilio am rif ail ffôn y Llyn.

'Helo,' chwyrnodd llais digamsyniol yng nghlust Felix.

'Ddy îgyl has landud,' dywedodd.

'Sut a'th hi?' gofynnodd y Llyn.

'Fel tysa fi'n gwbod be o'n i'n 'i neud. Clocwyrc. Tecstbwc. Ma'r cash wrth 'yn ochr i'n fama.' Wel, ar y sêt gefn, ond 'di hwnna ddim yn swnio mor cŵl, meddyliodd cyn ychwanegu, 'Thrî hyndryd thawsynd smacyrs. O, a ma'r bag yn lân. Dwi yn y Parc an' Go yn Manceinion.'

'Ti 'di archwilio'r pres hefyd?'

'Do!' meddai Felix yn ddiamynedd. 'Bob tamad. Dwi'n cychwyn 'nôl rŵan. 'Nath Heddwyn fyhafio?'

'Do, ond fo 'di'r bòs. Os 'dio am fynd allan mae o'n syllu arna i nes mod i'n ildio, sy ddim yn hir iawn, ma genna i ofn. Ac os dwi'n bwyta rhywbeth, mam bach.'

'Dwi'n gwbod,' meddai Felix, 'mae o'n driblo dros dy drywsus di i gyd.'

''Fatha byta wrth y Niagra Ffôls.'

'Fydda i 'nôl tua wyth, hanner awr wedi, ballu.'

'Rhwydd hynt i ti, fy ffrind,' dywedodd y Llyn cyn gadael Felix yn nhawelwch y maes parcio gwag.

Caeai'r tywyllwch o'i gwmpas wrth iddo wasgu'r pedal i'r llawr a gwibio ar hyd y draffordd nos Sul dawel am ogledd Cymru. Dechreuodd fwrw glaw'n drwm a chyson wrth iddo basio'r allanfa i Gaer, a'r llychau dŵr yn cymylu'r ceir o'i flaen. Meddyliodd, am y tro cyntaf, beth allai o brynu efo tri chan mil o bunnoedd. Tri chan mil o bunnoedd ar y sêt gefn.

Tri chan mil.

Symudodd ei ddrych ôl i edrych ar y bag Eidalaidd du. Hwnnw'n eistedd yno, ar y sêt gefn. Ei gyd-deithiwr mud.

'Pam ffwc dwi'n gneud hyn? Atgoffa fi eto, 'nei di?' gofynnodd i'r bag.

O, ia. Er mwyn i'r byd gael y llun mawr coll yn ei ôl, meddyliodd. Ac i Victor gael rhoi'i draed i fyny ym Mhortiwgal. Ar y bag 'na os lecith o. Heblaw am y Llyn, ella byswn i'n gallu temtio'n hun. Neu temtio fy hun i ga'l fy nhemtio, beth bynnag. Paid â bod yn wirion, fysa chdi byth!

Ond, tri chan mil o bunnoedd. Jîsys.

Ysgydwodd ei ben a chynnodd y gwres, ei goesau'n oer yn ei drywsus tri-chwarter. Roedd cenllysg yn gymysg â'r glaw, ac yn hel yn llinell wen ar hyd y weipars di-baid. Tri chan mil o bunnoedd, gwerth dros ddegawd o dynnu peintiau.

Dwi ddim isho cyfri faint o beintiau ydi hynna, meddyliodd wrtho'i hun wrth symud y drych ôl i fyny i ganolbwyntio unwaith eto ar lwydni gwlyb y ffordd yng ngwydr cefn y Golf.

Sbonciodd wyneb Karen i'w feddwl, yn edrych yn ofalus arno, hanner gwên secsi o dan ei thrwyn pwt. Cosodd gwefr sydyn i fyny o'i fron i'w wddf a theimlodd ei fochau'n fflamio ryw ychydig.

Stwff cry gan yr hogan 'na, meddyliodd. Dwi erioed o'r blaen wedi meddwl fel 'na am ddynas arall tra mod i mewn perthynas. Edrach ar benolau merchaid del, do. Pwy sy ddim? Ond ddim methu stopio dychmygu'i hwyneb yn syllu arna i. Ceisio cofio sut mae croen esmwyth ei thalcen yn toddi i mewn i'w gwallt o sidan aur. Ei llygaid yn frown tywyll, bron yn byllau duon, i ddyn gael boddi yno.

Teimlodd Felix euogrwydd yn gorlifo dros y ddelwedd wrth i Mair ymddangos yn ei ddychymyg.

'Jyst ffycin dreifia, Felix,' mwmialodd, ei dalcen wedi crychu fel talcen Methwsela ei hun.

In vino vēritas

Yn y gwin y ceir y gwir

EDRYCHODD AR gloc y Golf wrth yrru i fyny'r allt am Cefni, arwydd pentref Dwylan yn fflachio'n wyn wrth i'w oleuadau daro heibio. Bron yn chwarter wedi wyth ac roedd y glaw bellach wedi troi'n niwl ysgafn a gwlithog. Roedd golau oren y stryd tu allan i Cefni ar daen yn y gwyll gwlyb. Daeth i stop y tu ôl i Yaris y Llyn, a diffodd y peiriant am y tro cyntaf ers gadael Manceinion. Agorwyd drws ffrynt Cefni, a safai'r Llyn yno, un llaw yn ei boced a'r llall yn crafu cefn ei ben.

'Be ti'n neud yn sefyll yn fanna'n chwara 'fo dy farblis? 'Sgin ti'm gwydriad o rwbath g'lyb i deithiwr sychedig?' dywedodd Felix o'i sêt, ei draed allan ar y tarmac a'i ddwylo'n ymestyn uwch ei ben. 'Str-e-etsh,' dywedodd gan ddylyfu gên.

'Wyff,' cyfarthodd Heddwyn wrth ymddangos, ei wyneb yn gysglyd, gan rygnu yn erbyn clun y Llyn.

'Helo i chditha hefyd.' Cododd Felix a rhynnu yn yr oerfel cyn ymdrechu i estyn y bag a chau drysau'r Golf ar ei ôl â'i droed. 'Gobeithio bod y sentral hîtin 'mlaen gin ti – dwi'n ffycin ffrîsin,' meddai wedyn, wrth gerdded drwy'r giât fach ddu.

Daliodd y Llyn ei ail ffôn symudol o'i flaen. 'Pam dwi'n cael y teimlad mai dyna oedd rhan hawsa'r prosiect bach yma?'

Sodrodd y frawddeg honno Felix i'r llawr yn yr adwy. 'Pam, be sy?'

Aeth y Llyn yn ôl i mewn i'r tŷ a daeth Heddwyn allan drwy'r drws er mwyn troi rownd i fynd 'nôl i mewn. Cafodd fwythau ar ochr ei glust gan Felix, ac yntau'n eu dilyn i mewn tua goleuni'r bwthyn.

'Be sy 'di digwydd?' gofynnodd eto wrth gau'r drws, a'r tŷ'n gynnes fel nyth dryw.

'Ysbyty Ysgawen newydd ffonio rŵan hyn.'

'Y lle newydd 'na'n Port?'

Nodiodd y Llyn. 'Victor Toye wedi cael hartan, neu dyna maen nhw'n ama, ar hyn o bryd.'

'Paid â tynnu 'nghoes i, dwi'm yn y mŵd.'

'Na, o ddifri. Y cradur wedi mynnu bod y nyrs yn ffonio fi, medda hi. Dio'm yn mynd i farw na dim byd. Dio'm ar 'i wely anga.'

'O, wel. Ma hynna'n ocê, ta! 'Sgin ti rhwbath 'di agor, ta ydw i'n mynd i nôl rwbath?' Sganiodd Felix yr ystafell am botel wrth roi'r bag i lawr yn drwm. Bownsiodd hwnnw unwaith ar glustog swmpus y gadair freichiau.

'Mae 'na waddodion, chydig yn fwy, ella – potel o Barolo – wrth y cyfrifiadur,' dywedodd y Llyn gan bwyntio heibio ysgwydd Felix i'r stafell ar y chwith. 'Ro'n i'n meddwl bysa fo'n llymaid addas neithiwr, hefo chdi yn yr Eidal. Gorffenna honna, ac mi a' i i nôl un arall, 'li.'

Diflannodd y ddau o'r ystafell i gyfeiriadau gwahanol a Heddwyn yn dilyn y Llyn am y gegin. Cododd Felix y botel win dan olau'r lamp yn y swyddfa a gweld nad oedd digon ar ôl ynddi i foddi pry. Llyncodd yr hanner llond ceg o win yn syth o'r botel, heb gysidro chwilio am wydryn. Aeth yn ôl i'r stafell fyw a chlywed sŵn digamsyniol dannedd ci'n chwalu bisgeden yn atseinio o gyfeiriad y gegin. Ymddangosodd y Llyn wrth y *coridor aur* a'r corcsgriw yn y corcyn, ar hanner ei waith, a'r botel dan ei fraich. Cariai wydryn ym mhob llaw.

'Fiw i mi fynd i'r gegin – mae'r bwystfil 'na'n gorfodi fi i estyn rhywbeth iddo fo fyta bob tro. Taswn i'n byw yma'n llawn amsar, fysa fo'm yn ffitio trwy'r drws 'na 'mhen wsos.' Eisteddodd y Llyn a gwasgu i lawr ar adenydd y teclyn i orffen y gwaith, ogleuodd y corcyn yn reddfol cyn arllwys y gwin mewn i ddau wydryn, hyd at eu chwarter.

Eisteddodd Felix ar y soffa arall yn edrych arno'n tywallt. ''Dan ni ar rashyns ne rwbath?'

''Di'r gwin ddim yn mynd i 'nunlla, nac 'di?' atebodd y Llyn. 'Ac mae 'na ragor yn y gegin. Ti'm yn y dafarn rŵan, 'sdi. Decôrym, dîr boi.'

Llyncodd Felix gynnwys ei wydryn cyn gwenu braidd gormod ar ei gyfaill ac ail-lenwi'r gwydryn o fewn centimetr i'r ymyl. 'Ma'r Italians yn gwbod pwy ydw i,' dywedodd yn dywyll.

'Pam ti'n deud hynna?' gofynnodd y Llyn wrth sipian

o'i wydryn yntau, tyfiant deuddydd yn fwstásh piws ar ei wyneb.

'Oeddan nhw'n yr êrport, diolch byth. Boi hefo dipyn o pẁl, pwy bynnag oedd o. Stopio fi rhag ca'l 'yn interygeitio gan y seciwriti gŵns. O'n nhw isho gweld be oedd yn y bag.'

'Sud ti'n gwbod bod y boi 'ma'n gwbod bod y pres yn y bag? Ella 'na 'mond brysio petha'n 'u blaena oedd o?'

'Fo roth y pres i mi yn y twr. 'I bres *o* oedd o, medda fo, nes 'i fod o'n ca'l y llun. 'Run boi ddaru safio fi yn yr êrport, heblaw bod partner gynno fo erbyn hynna. Boi calad, edrach fel gangstyr, maffioso neu'r cosa nostra neu rwbath, timbo. Llgada llofrudd.'

'Chdi sy'n meddwl. Busnas 'di hwn, 'na'r oll. Ma nhw'n ca'l bargen, ac ma nhw'n gwbod hynny, siŵr iawn. Gwatshiad ar ôl 'u buddsoddiad oeddan nhw, dyna i gyd.'

Edrychodd Felix yn ymostyngol arno. 'Os ti'n deud.'

'Be 'nest ti neithiwr, yn Milano, ta?'

'Neithiwr oedd hynna?' atebodd Felix gan rwbio pont ei drwyn, ei lygaid ar gau. 'Ffycin hel, mae o'n teimlo fatha wsos dwytha.' Yna deffrodd o'i synfyfyrdod gan bwyntio'i wydryn yn ei law estynedig at y Llyn a dweud, 'O, ia! Diolch am yr hotel recomendeishyn hefyd. Lyfli, mêt. Nais wŷn.'

'Be oedd yn bod efo fo?' gofynnodd y Llyn dan chwerthin.

'Oedd o 'fath â jêl. Coc-yr-otshys a papur toilet calad a bob dim.'

'Lle rhad oedd o. Be ti'n ddisgwl – bîdeis a chynfasa sidan?' holodd y Llyn gan chwerthin mwy fyth.

'O leia oedd o'n agos at y steishon,' dywedodd Felix gan ymuno yn y chwerthin, 'ac yn agos at y lle stêcs Arjentinian 'ma, rownd y gornel.'

'Ma'r Archentwyr yn gwbod sut ma coginio stêcs. Dyna fuist ti'n neud?'

'Stecan, gormod o win, sbliffan ridicilysli cry, aros i fyny'n rhy hwyr, wedyn deffro bore 'ma efo penmaen-mawr yn trio cofio neithiwr a dynas gorjys yn gorfadd drws nesa i fi'n gwely.'

'Paid â deud!'

'Wir-yr.' Gadawodd Felix y geiriau'n hongian ar yr awyr am ychydig cyn ychwanegu, ''Nes i'm ffwcio hi na'm byd, cofia. Jest 'di aros am 'i bod hi'n hwyr oedd Eliana, dim hanci-panci.'

'Eliana, ia?' holodd y Llyn. 'Dwi fod i goelio hynna, yndw? Eliana! Ma hi'n swnio fath â Bond gyrl.'

'Plesia dy hun. Be 'di'r sgôr hefo Victor a'r llun 'ma, ta?' gofynnodd Felix gan lenwi'u gwydrau â gweddill y gwin.

'Ga i 'i weld o? gofynnais i i'r nyrs. Pnawn fory, ar ôl un, medda hi. Ella bydd o'n ca'l mynd adra ddydd Mawrth, medda hi wedyn.'

'Mae o'n swnio mwy fath â indijestiyn na hartan i fi,' dywedodd Felix gan godi a chydio'n y bag Eidalaidd. Eisteddodd 'nôl ar y soffa, y bag rhwng ei goesau ar lawr. Agorodd y zip a thynnu un o'r bwndeli allan. Rhedodd ei fawd drwy dop y papurau tyn yn gyflym gan greu twrw chwip sydyn. Gwenodd yn ormodol ar y Llyn, ei lygaid yn fawr, gan lyfu ei fys uwd. 'Un, dau, tri, pedwar . . .' dechreuodd gyfri mwy o'r papurau ugain yn ddistaw, ei fys yn eu gwahanu'n unigol wrth fynd, a'i ben yn nodio fymryn bob tro.

'Be ti'n neud?' gofynnodd y Llyn wrth i Felix fwyta'n ddyfnach i mewn i'r pecyn. 'Felix?'

'Pedwar deg wyth, pedwar deg naw.' Ffliciodd un papur arall ar wahân, cyn dweud, 'Dyna ni. Mil o bunnoedd.' Tynnodd yr hanner cant o bapurau'n rhydd o weddill y bwndel. 'Ecspensys, plys ryw ganpunt am fynd, ballu. Iawn?'

'Os ti'n deud. Iawn efo fi. A ma Victor Toye yn disgwyl i ni gymryd, faint ddudodd o?'

'Pum mil ar hugian. Dyna ddudodd o oedd cŷt ni.'

'Mae o'n mynd i ga'l syrpréis neis fory felly, tydi?'

'Odi, g'lei,' dywedodd Felix, yn uchel yn acen y de. Gwyrodd tuag at y Llyn a'i wydryn o'i flaen yn ei law.

'O'n i'n meddwl bod hynna'n ban'd,' dywedodd y Llyn wrth i'r ddau wydryn llawn o Pinot Noir gusanu'i gilydd yn ysgafn.

Ab actu ad posse valet illātio

O'r hyn a ddigwyddodd, gallwn gasglu beth a ddigwydd

GYRRODD Y GOLF i fyny'r allt droellog ar y lôn fer i'r ysbyty, a Felix yn gwneud ugain milltir yr awr.

'Pwy wyt ti, Ayrton Senna?' gofynnodd y Llyn gan bwyntio at yr arwyddion ar ymyl y lôn – 10, mewn cylchoedd coch.

'Ti'n meddwl bod ambiwlans yn gorfod sticio at hynna?' gofynnodd Felix.

'Nadw, dyna pam *ti* i fod i neud.'

'Ocê, Nain. Paid â ca'l thrombo.'

Arafodd i ufuddhau wrth i'r Golf gyrraedd y maes parcio ar dop yr allt. Disgleiriai'r haul ganol bore'n arian llachar oddi ar y tarmac gwlyb, y cawodydd wedi troi'n awyr las a chymylau candi-fflos gwyn. Roedd y Llyn yn ymladd i rwygo paced o gloeon clec ar agor, a'r plastig yn gyndyn i wahanu oddi wrth y cardbord.

'Dwi'n casáu'r petha 'ma,' dywedodd trwy'i ddannedd gan ollwng y paced ar ei lin a hofran ei ddwylo drosto'n grynedig.

Estynnodd Felix i boced allanol ei siaced denim ddu gan dynnu allan gyllell boced Swiss Army a'i chynnig i'w ffrind.

'Diolch.'

'Croeso.'

'Sdim rhaid i ti ddod i fewn, 'sti,' cynigiodd y Llyn gan gyfeirio at alergedd, neu gasineb, Felix at ysbytai.

Oedodd Felix cyn dweud, 'Na, well i fi fynd i weld y cradur. Dwi'm isho pechu, nag oes. Ella neith o adal rwbath i fi'n 'i wyllys; aparyntli, ma hynny'n ôl ddy rêj efo'r hen stêjars dyddia 'ma, 'sti.'

'Ia, a ti 'di gneud mwy i Victor Toye mewn penwythnos na 'nest di i dy dad mewn degawd.'

'Cyn bellad â'i fod o ddim yn gadal ffycin ci anferth, a llwyth o bysyls i fi, fydda i'n hapus. Ty'laen ta,' dywedodd Felix gan ddatod ei wregys a diffodd peiriant y Golf.

Aeth allan o'r car ac agor y gist gan estyn am y bag Eidalaidd a'i dynnu allan dan riddfan. Ymunodd y Llyn ag ef wrth ben-ôl y Golf, un o'r cloeon clec yn ei ddwylo ac yntau'n ffidlan i'w agor gyda'r goriad bychan. ''Bach yn stiff,' dywedodd y Llyn.

'Dwi'n gwbod su' mae o'n teimlo,' meddai Felix gan rwbio gwaelod ei asgwrn cefn.

Duces tēcum

Tyrd ag ef gyda thi

'Fysa Mistyr Toye wedi ca'l 'i dransffyrio i Bangor os bysa fo'n hai risg,' dywedodd y nyrs gwrywaidd wrth gerdded o flaen y ddau i lawr coridor byr yng nghrombil yr ysbyty. ''Dio 'mond yma i ni gadw llygad arno fo ac i godi'i fflwid lefyls o.'

'Reit,' meddai Felix.

'Iawn,' meddai'r Llyn, yr un pryd.

'Trwy fanna, hogia, ffyrst on ddy lefft. Gwely cynta wrth y drws.'

'Diolch,' meddai'r ddau mewn un llais wrth basio'r nyrs, ac yntau'n dal un o'r drysau dwbl i'r ward ar agor iddynt.

Cyffyrddodd Felix ei fochau poeth â'i fysedd oer cyn eu hel i wasgu'i ffroenau ynghau ac anadlu'n ddwfn sawl gwaith i mewn i'w geg trwy'i ddwylo. Teimlai ychydig yn benysgafn, a daeth cur fel pinnau i bigo wrth gefn ei lygaid.

'Hwda,' meddai, gan ailgodi'r bag wrth ei draed a'i ddefnyddio i bwnio'r Llyn, a dau falog y zip wedi'u cloi at ei gilydd gan y clo clec. Trodd y Llyn i weld Felix yn cau un llygad yn dynn, ac yna cau'r llall i geisio rhyddhau'r boen.

'Ti'n iawn?'

'Dim rili,' atebodd Felix wrth roi'r bag i'w ffrind cyn darganfod y wal â'i law.

'Ti'n edrych yn uffernol.'

'Diolch, mêt. Fydda i'n iawn os ga i ista.'

''Dan ni yma 'li. Dwi'n medru gweld Victor Toye yn 'i wely. Yli. Tiwbs yn 'i drwyn o a bob dim,' dywedodd y Llyn gan roi llaw ar ysgwydd Felix.

'Ty'laen ta,' meddai Felix gan wthio'r Llyn oddi wrtho, ei glawstroffobia'n gwasgu'r aer o'i gwmpas ac yn gwneud i'w ben deimlo'n fawr ac yn drwm.

'Mistyr Lewis,' dywedodd Victor Toye, ei lais yn gadarn, nid yn annhebyg i'w cyfarfod cynt. Aeth ei lygaid yn syth i chwilio am y bag du, llawn a thrwm, yn llaw chwith y Llyn.

'Mistyr Toye, Victor,' dywedodd y Llyn gan wenu. 'Dach chi'n o lew?'

'Dwi'n teimlo'n ddigon tebyg i sut mae Felix yn edrych,' dywedodd Victor cyn pwyntio at y gadair freichiau o sgerbwd haearn wrth ochr y gwely. 'Cym, dîr ffelow, steddwch, steddwch.'

Nid oedd clywed hyn wedi gwneud i Felix deimlo'r cetyn lleiaf yn well, a suddodd ei ben i'w ysgwyddau wrth eistedd yn yr unig gadair wrth y gwely. Cododd ei law, heb edrych ar Victor. Canolbwyntiodd Felix ar oroesi'r tonnau o gloesyctod a oedd yn nofio trwy'i gorff gan wybod bod y *crescendo*'n agos, ac y deuai rhyddhad yn ei sgil.

'Tydi Felix ddim yn or-hoff o ysbytai,' dywedodd y Llyn gan wneud yn ysgafn o anawsterau'i ffrind. 'Mi fysan ni wedi dod â ffrwythau neu rwbath, ond 'di dyn ddim yn gwbod be ma rhywun yn lecio.'

'Mae'n edrych yn debyg eich bod chi wedi dod â rhywbeth i mi, Mistyr Lewis,' dywedodd Victor gan lygadu'r bag.

'I Felix ma'r diolch am hwn,' meddai'r Llyn gan gerdded o amgylch y gwely a gosod y bag ar y bwrdd wrth ei ymyl. Tynnodd y goriad allan o'i boced ac agor y clo. Edrychodd o'i gwmpas; roedd pedwar gwely arall yn yr ystafell – un drws nesa, un arall yn wag, a'r ddau glaf arall i'w gweld fel petaent yn cysgu. Agorodd y zip a thynnu allan becyn pum mil o bunnoedd a'i roi yn llaw Victor. 'Dau gant naw deg a naw o filoedd o bunnoedd.'

'O?' dywedodd Victor Toye gan godi un o'i aeliau.

'Mil o bunnoedd o gostau, dyna'r oll 'dan ni'n gymyd.'

'Dwi ddim yn meddwl, Mistyr Lewis. Dach chi'n cael twenti-ffaif thawsynd, dyna 'di'r dîl,' meddai Victor, ei lais yn codi fymryn.

''Dan ni'm isho'r pres, Victor,' meddai Felix ar ochr arall y gwely, ei ben i lawr ac yn ei ddwylo. Cododd ei ben am eiliad i edrych ar yr hen ddyn, ei wyneb yn lliw'r meirw. 'Pres chdi 'dio. Stori chdi, llun chdi, pres chdi. Jest helpu 'dan ni, 'na i gyd. Wedyn be am i ni fynd i nôl y peinting 'na o dy selar di a rhoi'r busnas 'ma yn 'i wely, ia? Be ddudi di?'

Eisteddai Victor yn ei wely, y ffrâm wedi'i phlygu i fyny ar ongl gyfforddus, yn syllu ar y pecyn pres yn ei ddwy law. 'Wel, os dach chi'n siŵr,' dywedodd o'r diwedd, gan roi'r pecyn yn ôl i'r Llyn. Gosododd yntau'r pecyn papurau yn ôl efo'i ffrindiau yn y bag cyn cau'r zip a'i gloi unwaith eto.

'Iawn ta, be am y llun 'ma, Victor?' holodd Felix.

'Agor y ddrôr 'na'n fanna,' dywedodd Victor wrth y Llyn gan bwyntio at y cwpwrdd tal yn ymyl y bwrdd wrth ben y gwely. 'Welwch chi'n haws-cîs i?'

Cydiodd y Llyn mewn tusw bychan o oriadau a'i dincial yn ysgafn.

'Yr Yale aur ydi'r drws ffrynt. Yale silfyr wedyn i ddrws y selar. Wŷn nain sefyn ffaif i imobyleisio'r alarm,' esboniodd wrth bwyntio i gyfeiriad cyffredinol y tusw. 'Wedyn unrhyw un o'r rhai bach 'na i agor y cabinet. A dyna ni.'

'Ti am fynd, Felix? Ta' a' i?' gofynnodd y Llyn. Trodd at Victor. 'Pa mor bell ydi o, yno ac yn ôl? Awr bob ffordd?'

'Dwy awr, ryffli, inclwding nôl y llun o'r biwtiffyl boi,' atebodd Victor.

'Arhosa i yn fama, 'li. Dos di,' dywedodd Felix, a chloriau'i lygaid yn ddu ac yn drwm.

'Ti'n siŵr?'

'Dwi'n teimlo'n ocê tra dwi'n ista, ac ma'r bog yn ddigon cyfleus yn fama, 'li,' dywedodd Felix gan bwyntio at y drws i'r dde o'r gwely.

'Iawn, ta. Gadawa i'r bag yn fama efo chi. Wedyn, pan

ddo' i 'nôl efo'r llun, gei di'r goriad 'ma.' Daliodd y Llyn y goriad bach i glo'r bag i fyny, 'Mi awn ni â'r Raffaello adra i'r Eidal. Wedyn fydd pawb yn hapus – cytuno?'

'Cyn i chi fynd, Mistyr Lewis . . .' dywedodd Victor.

'Ia?'

'Down't teic offens, ond fyswn i'n cael gweld y tu mewn i'r bag, os gwelwch yn dda?'

'Victor!' ebychodd Felix gan agor ei ddwylo'n llydan a fflachio gwên. 'Ti'm yn trystio ni, neu rwbath?'

Pesychodd Victor Toye cyn gwenu'n ysgafn a dweud, 'Jentylmen, os ydach chi wedi trefnu'r holl dîl yma awt of ddy caindnes of iôr harts, congratiwleishyns. Ond mae o'n fyd sinical ac ma'n rhaid i hen ddyn watshiad ar ôl 'i infestmynts. Dwi ddim yn trio achosi unrhyw offens. A dyna, cym tw ddat, pam mae Felix am aros yma, ia ddim? Dim i gadw cwmni i hen ddyn sâl, ond i gadw llygad ar y pres. Ydw i'n gywir?'

'Ti ddim yn anghywir,' dywedodd y Llyn gan osod y bag wrth ochr Victor ar y gwely. Edrychodd dros ei ysgwydd ar y ddau glaf arall yn rhochian cyn agor y clo a'r zip. Agorodd llygaid Victor yn fawr wrth syllu ar ei wobr am warchod y *Ritratto di giovane uomo* am yr holl ddegawdau. Plymiodd ei law dde i ddyfnderoedd y bag fel pe bai'n pysgota am frithyll. Ymddangosodd ei law yn cydio mewn bwndel o bapurau ugain. Ffliciodd ei fawd ar hyd top y bwndel hyd at rywle yn ei ganol a thynnu un papur allan. Daliodd y papur i fyny at olau'r ffenest ochr draw i'r ystafell.

'Mae'n ddrwg iawn genna i, gyfeillion,' dywedodd Victor a'r papur yn crynu fymryn yn ei law, 'am eich amau chi.'

Daeth nyrs i mewn i'r ystafell, ei chefn atynt yn tynnu troli ar ei hôl a rhoddodd y Llyn yr arian i gadw cyn cau'r zip yn gyflym.

'Reit, Mistyr Toye. O, helo, gynnoch chi fisityrs,' dywedodd y nyrs ifanc, dal, gan wenu'n hawdd ar bawb.

'Dwi'n mynd, fel mae hi'n digwydd bod,' meddai'r Llyn, cyn codi'i law ar y nyrs ryfeddol o dal, 'dim byd personol.' Gosododd y clo ar y bag a gwenu arni, cyn rhoi'r bag yn ôl ar y bwrdd.

'A-ha, ha, ha,' chwarddodd hithau'n llipa cyn dweud wrth Victor, 'dwi angen profi'ch gwaed chi, a dwi angen sampyl dŵr hefyd, Mistyr Toye.'

'Victor, plis, 'y ngeneth i,' dywedodd yntau wrth dorchi'i lawes.

'Dwi'n mynd ta, Victor, wela i chi heno.' Edrychodd y Llyn ar Felix gan awgrymu, â'i lygaid, ei fod yntau'n dod allan o'r stafell hefyd. Ysgydwodd Felix ei ben arno, ddim isho codi, a cododd y Llyn ei aeliau arno cyn mynd o gwmpas y nyrs a'r gwely at ei ffrind.

'Olreit, dîr boi, diolch am alw,' dywedodd Victor gyda'r nyrs yn pwnio nodwydd i'w fraich wrth chwilio am wythïen. Gwingodd Felix gan edrych i ffwrdd oddi wrth y weithred ac ar y Llyn.

'Paid â bod yn fabi,' dywedodd ei ffrind. 'Mi ffonia i chdi o'r tŷ pan dwi 'di cyrradd, iawn?'

'Dim galwada mobails yn yr ysbyty, os gwelwch yn dda, hogia,' meddai'r nyrs. 'Switshiwch nhw off neu cerwch tu allan, ia?'

'Dwi'm yn mynd i allu mynd i fewn ac allan o'r 'sbyty 'ma drw'r amser,' meddai Felix, oedd yn dal yn welw fel delw farmor.

''Na i ffonio ffôn gwely Victor ta, iawn?' gofynnodd y Llyn, gan nodio at y bocs adloniant oedd yn hofran uwchben y gwely, a'r ffôn wrth ymyl y sgrin deledu fechan.

''Di incyming côls ddim yn gweithio, sori,' dywedodd y nyrs wedyn. ''Mond ffonio allan ma'r system yn gallu neud tan ma'r enjinîr yn gallu dod allan.'

'Ocê, ta. Dwy awr fydda i, ar y mwya,' dywedodd y Llyn yn dal ei dalcen wrth drio meddwl. 'Fel arall, dos di allan i tshecio dy ffôn os ti'n gallu.'

'Fydd pob dim yn iawn. Be sa'n gallu mynd yn rong?' dywedodd Felix ar ei draws.

'Dyna ma nhw'n 'i alw'n eiriau olaf enwog, Oswyn Felix,' dywedodd y Llyn gan bwyntio bys hir at ei gyfaill.

Jānuis clausis

Â drysau caeedig

Dwi'n nabod hon o rwla, dywedodd Felix wrtho'i hun gan edrych ar y nyrs dal, ei chorff yn fain ac iddo ystum dawnsiwr bale, a'i gwallt melyn hir wedi'i lapio'n belen dynn a thwt ar gefn ei phen. Daliodd ei llygaid wrth iddi gymryd pwysau gwaed Victor, a gwenodd hithau'n ddi-hid arno cyn edrych i lawr ar unwaith. O lle dwi'n nabod hi, meddyliodd eto. Chloe Parry oedd yr enw ar ei bathodyn GIG. Dim clychau'n canu fanna.

Gofynnodd Felix, "Dan ni'n nabod 'yn gilydd?'

Rhychodd y ferch ei thalcen a dweud, 'Dwi ddim yn meddwl, ond dwi ddim yn dda efo wyneba.'

'Dwi byth yn anghofio wynab, dyna'r draffath,' dywedodd Felix. 'Ysbyty Gwynedd. Ti 'di gweithio'n Bangor erioed? Nabod Mair Fraser, ella? Ward Ogwen?'

'Do, dwi 'di gweithio'n Ysbyty Gwynedd. Rînal iwnit – ella bod chi 'di gweld fi ar y coridor. Dwi'm yn nabod unrhyw Mair Fraser, sori.'

"Dio'm yn bwysig,' meddai Felix a'i gwylio'n estyn padell wely o'i throli.

'Dwi angen y sampyl 'na rŵan, Mistyr Toye, ocê,' dywedodd y nyrs gan gydio yn y cyrtan a'i chwipio ynghau o gwmpas y gwely. 'Dach chi'n meindio?' meddai wrth gyrraedd Felix a safodd yntau gan ganiatáu iddi guddio swildod Victor.

Gadawodd y nyrs yr ystafell ac edrychodd Felix ar y dwsin neu fwy o luniau, reit amrwd eu harddull, o olygfeydd Eryri wedi'u printio ar y cyrtan o'i flaen. Y Cnicht, yn ddigon hawdd i'w adnabod, yn debyg ryfedda i'r mynydd ar ddechrau ffilm o stiwdio Paramount. Yr Wyddfa, wedyn, a'r trên bach yn dringo'i lethrau. A lle 'di hwnna? Cwm Idwal siŵr . . .

Dychwelodd y nyrs yn cario powlennaid o ddŵr poeth, a stêm yn codi ohono. 'Dach chi'n meindio?' meddai wrth nodio i gyfeiriad y cyrtan.

'Ti'n dîsynt, Victor?' gofynnodd Felix gan godi a chydio yn un pen o'r cyrtan.

'Job dỳn,' atebodd yntau.

Agorodd Felix y cyrtan hyd at ben y gwely, a gosododd Chloe Parry ei phowlen ar y troli. 'Dach chi'n meindio eto?' meddai hi wrth Felix. Roedd maneg glir am ei llaw dde a honno'n gafael mewn sbwnj.

Cymerodd Felix eiliad neu ddwy i ddeall ei bod hi ar fin rhoi bath gwely i'r hen Victor. Symudodd fel pe bai wedi cael sioc drydanol fechan, a chau'r cyrtan eto. Diawl lwcus, meddyliodd wrth symud ei gadair yn nes at ddrws yr ystafell a gwên lydan ar ei wyneb llwyd.

Eisteddodd ac edrych o gwmpas yr ystafell. Roedd gweld y cleifion – sgerbydau hanner marw yn eu gwlâu – yn achosi i'w ymennydd nofio'n rhydd yn ei ben. Tynnodd ei waled allan a chydio yn ei gynnwys. Mân bapurau o wahanol feintiau yn gentimetr o drwch ar ei lin. Ma hyn yn well, meddyliodd. Canolbwyntia ar sortio rhain allan am bum munud. Rhoddodd ei bapurau arian, un papur deg a dau bapur pump, yn ôl yn ei waled a chychwyn ar y gwaith o sortio'r hen dderbynebau a thocynnau Tesco a Morrisons oddi wrth fân bapurau llai cyffredinol. Crensiodd dwmpath o'r darnau diwerth i orwedd yng ngafl ei drywsus denim. Llwyth o sbwriel.

"Sach chi'n gallu troi ar 'ych ochr i fi, plis, Mistyr Toye?'

Daeth Felix ar draws y papur gyda rhif ffôn Eliana. Un ta saith 'di hwnna, meddyliodd gan syllu ar y rhifau yn sglefriad blêr ar y papur. Plygodd y darn yn ei hanner a'i osod yn un o bocedi cardiau credyd ei waled.

'Dannedd nesa,' meddai'r nyrs yn uchel, fel pe bai'r hen ddyn yn hanner byddar. Cychwynnodd swnian y brwsh dannedd trydan, a'i ganu grwndi'n codi a disgyn bob yn ail.

Edrychodd Felix o'i gwmpas yn ofer am fin sbwriel cyn gwthio'r bwndel bychan o bapurach i boced fewnol ei siaced. Syllodd o bob ongl ar ei waled – wedi ca'l crash daiyt, meddyliodd, cyn ei rhoi i gadw. Teimlai'n well am ryw reswm. Roedd y brwsh dannedd yn dal wrthi a meddyliodd Felix; iesgob, faint o ddannedd sgin yr hen Victor 'na? Cododd a cherdded heibio'r cyrtan at ffenest yr ystafell a'r olygfa, a Moel y Gest yn mynnu'r sylw, yn datgelu'i hun wrth iddo agosáu. Meddyliodd Felix tybed beth oedd ei ffrind Eliana'n ei wneud yr eiliad hon. Edrychodd ar ei oriawr – chwarter i ddeuddeg ar ddydd Llun ym Milan. Ella bod yr El Paso de los Toros newydd agor, neu ar fin agor beth bynnag. Eliana'n gwisgo'i ffedog fach ddu ac yn tynnu coes efo'r hogia yn y gegin, efallai? Yn gosod y gwydrau gwin disglair ar y silffoedd tu ôl y bar. Yn meddwl am ei ffrind newydd o Gymru, efallai – pwy a ŵyr?

Cerddodd yn ôl am ei sêt fel roedd y nyrs yn agor y cyrtan yn ddigon llydan i wthio'r troli allan. Roedd hwnnw'n wag heblaw am y bowlen ddŵr, tywel tamp yr olwg, ac ambell declyn meddygol. Cafodd Felix gipolwg ar y bag du yn gorwedd ar y bwrdd, heb ei styrbio ac yn dal ar glo, ac wedyn ar Victor yn hanner noeth ar ei wely. Edrychodd i ffwrdd yn sydyn ac ar y nyrs.

Caeodd y nyrs y cyrtan eto cyn dweud, 'Dach chi'n meindio pwshio hwn i fi? Dwisho mynd i nôl jamis glân i Mistyr Toye.'

Jamis glân? meddyliodd Felix. 'Lle 'dan ni'n mynd?' dywedodd.

'Drwadd i stafell y sincs yn fanna.' Pwyntiodd Chloe Parry at yr ystafell, ar ochr arall y coridor, gyferbyn.

'Lîd ddy wei,' meddai Felix, ei law'n estynedig.

'Fysach chi'n rhoi'r troli mewn yn fanna, plis?' dywedodd y nyrs gan fynd i lawr y coridor ac i mewn i'r stafell drws nesa i Felix. Ailymddangosodd yn y coridor, yr un pryd â Felix, gan ymdrechu i wthio cawell haearn anferth ar olwynion afreolus, a dilledyn gingham mewn plastig clir dan ei braich.

'Ga i helpu?' gofynnodd Felix.

'Os dach chi isho. Cymerwch bar o fenig oddi ar y cownter yn stafell y sincs.'

Diflannodd Felix am eiliad cyn ailymddangos yn y broses o wisgo menig rwber tenau, glas tywyll. 'Lle 'dan ni'n mynd, tro 'ma?' holodd gan gydio yn y gawell. Gwthiodd Chloe Parry'r gawell am ystafell Victor, heb ei ateb a llwyddodd Felix i gael trefn go lew ar yr olwynion.

'Dwi'n casáu gwagio'r biniau,' sibrydodd Chloe'n gynllwyngar wrth Felix.

'O, dyna 'di hyn?'

Nodiodd y nyrs arno gan godi'i haeliau a gwenu'n drist arno. Aeth ei llygaid yn groes am eiliad, a chwarddodd Felix yn fyr. Stopiodd y gawell ar ganol llawr yr ystafell, rhwng y ddwy res o wlâu.

Cymerodd y nyrs y dilledyn yn ei dwylo a'i agor gan daflu'r plastig yn y gawell. 'Rŵan ta, Mistyr Toye,' dywedodd wrth droi ato ac ysgwyd y top pyjamas newydd yn agored. Edrychodd Felix arni'n codi Victor, a hwnnw i'w weld yn fwy na hanner cysgu, ac yn ei wisgo'n gelfydd yn y dilledyn glân. Gorweddodd yr hen ddyn yn ôl yn erbyn ei wely, poer yn llifo o ymyl ei geg, ei lygaid ynghau. Cerddodd Nyrs Chloe, heibio i Felix dan wenu arno. Nodiodd Felix arni a'i geg yn gam, cystal â dweud ei fod yn edmygu'i sgiliau.

'Hwn 'di'r bin gwaetha,' dywedodd Chloe gan dynnu'r

caead metal oddi ar y bin mawr wrth ochr y gwely gyferbyn â Victor Toye. Dechreuodd hi ymladd i ryddhau'r bag plastig du oddi ar ymyl y bin.

'Tisho fi ga'l go?' gofynnodd Felix.

'Dach chi'n meindio? Ddyliwn i ddim gofyn ond ma hwn yn hen gythral,' meddai'r nyrs gan ollwng ei hysgwyddau'n ormodol. Camodd yn ôl at ganol yr ystafell i wneud lle i Felix. 'Mae'r lleill yn dipyn haws,' meddai hi, wrth i Felix ddechrau ffidlan. Llwyddodd ymhen rhai eiliadau i ryddhau'r bag o'i focs mawr metal ag oglau annifyr yn codi o'i waelodion. Gwyrodd ei ben tuag yn ôl wrth roi cwlwm yn nhop y bag a'i dynnu i fyny ac allan o'r bocs. Trodd Felix; roedd Chloe Parry wrthi'n gollwng bag du i'r gawell ac yn anelu am y gwely gwag drws nesa i Victor. Sylwodd Felix fod top y bin wrth ymyl gwely Victor yn agored ac yn wag wrth iddo osod ei fag sbwriel yntau ar ben un Victor.

'Ma hwn yn iawn,' meddai Chloe wrth godi caead y bin nesa. Cerddodd draw at y gwely gwag arall wrth y ffenest ar yr ochr draw a chodi'r caead a chodi'i bawd ar Felix, heb edrych arno. Rhychodd ei thrwyn wrth bwyntio at y bin wrth wely'r trydydd claf rhwng y gwlâu eraill, yr ochr draw i Victor. 'Dim ond hwn,' sibrydodd mor dawel nes bod Felix wedi darllen ei gwefusau yn hytrach na'i chlywed hi, a'r claf yn dal i gysgu'n llonydd. Cododd y bag sbwriel, eithaf gwag yr olwg, allan o'i focs cyn sbecian ar ei gynnwys.

Dechreuodd y nyrs roi cwlwm yng ngwddf y bag

pan gofiodd Felix am y darnau papur o'i waled. 'Disgwl am eiliad,' dywedodd wrth godi'i law chwith a mynd i chwilota gyda'i un dde ym mhoced mewnol ei siaced. Rhoddodd Chloe y bag yn y gawell a'i ddal ar agor i Felix gael gwagio'i boced.

'Dach chi'n meindio rhoi bag glân ym min Mistyr Toye?' gofynnodd y nyrs wrth roi cwlwm yn y bag a phwyntio'i thrwyn at y rholyn o fagiau du yn gorwedd ar ddolen y gawell.

'Dim o gwbwl,' meddai Felix gan rwygo un, yna un arall, ac wedyn drydydd bag yn rhydd o'r rholyn.

'Diolch,' meddai Chloe, gan wenu'n ddiffuant arno. 'Dach chi'n help mawr.'

Edrychodd Felix ar Victor yn cysgu'n aflonydd wrth iddo osod y bag gwag yn y bocs metal. Yna edrychodd yn syth ymlaen ar y bag du yn llawn pres o'i flaen. Edrychodd ar y clo clec a chafodd awydd aruthrol i'w gyffwrdd. Cydiodd yn y clo a'i dynnu'n dynn yn erbyn balogau'r zip. Popeth yn iawn.

'Dach chi'n ocê?' gofynnodd Chloe.

Trodd Felix, 'Yndw, fel y boi.' Caeodd y cyrtan unwaith eto o gwmpas Victor a'i arian a mynd i'r afael â rhan flaen y gawell. ''Nôl i lle ddothon ni?' gofynnodd, a nodiodd Chloe wrth wthio'r gawell yn dawel allan o'r ystafell.

Dedĕcet philosophum
abjicĕre anĭmum

Nid yw'n gweddu i athronydd fod yn brudd

TAFLODD Y LLYN y llun ar sêt gefn y Golf cyn waldio'r
drws cefn ynghau, y twrw'n atseinio fel bwled o wn i
lawr y stryd lonydd.

'Anhygoel!' gwaeddodd, gan edrych ar ei ddwylo'n
graddol gau'n ddyrnau crynedig o'i flaen. Curodd ochrau
ei ddyrnau ar do'r car, ei lygaid wedi'u cau'n dynn.
Agorodd ei lygaid a syllu allan ar yr olygfa fendigedig o
fae Ceredigion. Ysgydwodd ei ben am amser hir a'i ên
yn gorwedd ar dop ei ddyrnau ar do'r Golf.

'Victor Toye,' chwarddodd yn ostyngedig, 'ti'n ffy-cin
anhygoel.'

Honesta paupertas prior quam opes malæ

Mae tlodi gonest yn well na chyfoeth budr

'NEWCH CHI ddweud wrth Mistyr Toye 'na' i 'i weld o fory, pan mae o'n effro?' dywedodd Chloe Parry wrth Felix wrth adael yr ystafell yn gwthio'r gawell.

'Wrth gwrs; ti off rŵan?'

'Diolch byth. Shifft hir – dwi yma ers pump.'

'Dwi'n dal i drio cofio lle dwi 'di gweld chdi o'r blaen. Ti 'di bod yn y Penrhyn ym Mangor Ucha 'rioed?'

'Dwi'n meddwl mod i 'di bod ym mhob pỳb ym Mangor; mae rhan fwya o nyrsys wedi, siŵr o fod.'

'Dyna fo, felly, am wn i. Fi sy'n rhedag y Penrhyn, 'li. Mae'n debyg bo' fi 'di dy weld di yno ryw dro.'

'Ella,' meddai'r nyrs yn fywiog. 'Ma fama'n iawn,' dywedodd wrth ddod â'r gawell i stop wrth ddrws arall ymhellach i lawr y coridor. 'Diolch am 'ych help.' Tynnodd ei maneg ac estyn ei llaw i Felix.

Tynnodd Felix ei faneg las yn frysiog cyn cydio ym mlaenau'i bysedd. 'Oswyn Felix,' meddai.

'Diolch, Mistyr Felix,' dywedodd hi gan wenu arno a phwyntio at ei henw ar y bathodyn.

'Croeso, Miss Parry?' gofynnodd Felix, gan fflyrtio'n ôl.

Nodiodd y nyrs a chwifio blaenau'i bysedd ar Felix. 'Twdylŵ, Mistyr Felix,' meddai wedyn gan droi a cherdded i lawr y coridor.

Mae'n anodd i ferch gerdded yn secsi mewn sgidia fflat, meddyliodd Felix wrth edrych ar ei phen-ôl bach yn siglo mynd, ond fel 'na ma gneud. Curodd ei ddwylo'n ysgafn ar ochr y gawell cyn troi a mynd yn ôl i stafell Victor. Tynnodd y cyrtan yn ôl yn dawel. Roedd Victor yn cysgu'n gegagored a'r poer wedi sychu'n wyn i lawr ei ên a'i wddf. Edrychodd Felix ar y bag ar y bwrdd yr ochr arall i'r gwely. Bron i dri chan mil o bunnoedd, meddyliodd eto, yn dal prin yn gallu coelio'r peth.

Tynnodd y cyrtan ynghau yn dawel a mynd i eistedd ar ei sêt. Edrychodd ar ei oriawr – chwarter wedi dau. Ymestynnodd ei goesau allan o'i flaen, plethu'i freichiau ar ei fol, gwyro'i ben a chau ei lygaid.

Fere libenter hŏmĭnes id quod volunt credunt

Ar y cyfan, mae dynion yn fodlon credu yr hyn y dymunant iddo fod yn wir

'FELIX!'

'Be?' Neidiodd Felix yn effro o'i gwsg ysgafn. Safai'r Llyn o'i flaen yn edrych yn wyllt ac allan o wynt, chwys ar ei dalcen, a'i frest yn codi a disgyn yn gyflym. Synnodd Felix o'i weld yn cydio mor ddi-hid yn nhop y llun hynafol. Nid oedd y Llyn yn gwenu.

Pwyntiodd at y cyrtan. 'Pam mae rhain 'di cau?'

'Mae o'n cysgu. *Mae* o yna, paid â phoeni. Jyst cau'n ll'gada o'n i.'

'Mi oedd y llun *yna* hefyd,' meddai'r Llyn gan ei ollwng i orffwys ar dop ei esgidiau i Felix gael ei weld.

'Now wei!' dywedodd Felix yn ddistaw, a'i anadl wedi'i sugno o'i ysgyfaint gan y braw. Syllai'r *Ritratto di giovane uomo* arno â llygaid cartŵn anferth a gwên llawn danncdd yn gorchuddio hanner ei wyneb. Bellach, doedd ei law chwith ddim yn cydio yn ei siôl ffwr ond yn hytrach wedi'i throi ac yn codi bys canol allan ar y gwyliwr. Ac i wneud yn gwbl sicr bod y gwyliwr yn deall y neges, peintiwyd awyren ar yr awyr las yng nghornel dde'r llun.

'Wei!' dywedodd y Llyn gan godi'r llun a'i wthio i ddwylo Felix. Cydiodd yn y cyrtan a'i fflachio ar agor, yr ystafell yn atseinio i dwrw rhwygo wrth i'r cylchoedd plastig glecian ar hyd y rheilen. Gorweddai Victor yno, ei lygaid ar gau yn ei 'jamis' gingham, a'i ddwylo'n gorffwys y naill ar ben y llall ar ei lengig.

'Ti'n gweld, 'dio'm 'di mynd i 'nunlla.'

''Sa rywun 'di bod yma?' gofynnodd y Llyn yn flin.

'Nag oes, neb. Dim ond y nyrs 'na. Be uffar sy'n mynd ymlaen? Be ffwc mae o 'di neud i'r ffycin llun 'ma?'

'Dim yr un iawn ydi o. Ffêc ydi o. Sgam 'dio, Felix.'

'Sgam? Be ti'n feddwl? Ma'r pres yn fanna. Yli,' dywedodd Felix gan edrych ar y bag du yr ochr draw i'r gwely. 'Dwi'n gaddo i chdi 'dio'm 'di symud o'r gwely 'na.'

'Ti'n gwbod y ffordd ma ysbytai'n gneud i ti deimlo'n sâl?' dechreuodd y Llyn wrth gerdded o gwmpas y gwely, y cyrtan yn dal yn ei law ac yn agor o'i flaen. 'Wel, ti'n mynd i deimlo'n ddeg gwaith gwaeth mewn eiliad,' ychwanegodd wrth gydio yn nolen y bag du a'i godi'n ddidrafferth oddi ar y bwrdd. Agorodd gwaelod y bag yn fflap du hirsgwar, a disgynnodd bwndel o dywelion gwyn i'r llawr.

'Paid â ffwcian!' meddai Felix yn gegagored, a'r lliw'n cilio o'i fochau. 'Chloe Parry, y nôti nyrs,' sibrydodd.

'Pwy?'

'Dyna 'di'i henw hi, Chloe Parry. 'Nes i hyd yn oed

helpu hi i rowlio'r ffycin pres allan o'r stafell. Dim bo' fi'n gwbod hynny ar y pryd.'

'Faint yn ôl oedd hyn?'

Edrychodd Felix ar ei oriawr – ugain munud i dri. 'Llai na hanner awr yn ôl? Ond oedd hi ar fin gadal.'

'Reit, ty'laen,' dywedodd y Llyn gan ruthro allan o'r stafell a throi i'r dde drwy'r drysau dwbl llydan agored. Trodd tuag at Felix wrth afael ynddynt. 'Ti'n dod?' gwaeddodd. 'A gad y llun.'

Cadwodd Felix ei ben i lawr a syllu ar y leino wrth iddo ddilyn sŵn traed y Llyn yn gwichian eu ffordd yn frysiog drwy goridorau'r ysbyty. Roedd y ddau allan o'r adeilad mewn llai na munud a'r awel oer ar ei wyneb yn deimlad ffantastig o dan yr amgylchiadau, meddyliodd Felix. Gwelodd ei Golf wedi'i barcio'n flêr ar y pafin yr ochr draw i'r gylchfan y tu allan i fynedfa'r ysbyty. Roedd hen Land Rover gwyrdd wedi parcio'n ddwbl, y blaen yn eu hwynebu, wrth ei ochr. Eisteddai Chloe Parry yn sêt y teithiwr yn edrych arnynt a chodi ei llaw gan afael yn ei ffôn symudol. Canodd iPhone y Llyn ym mhoced ei siaced. Neges destun. Gafaelodd yn y teclyn ac edrych arno am eiliad cyn dangos y sgrin i Felix.

HASTA LA VISTA, DADDY-O.

Roedd y gyrrwr yn gwisgo iwnifform dyn ambiwlans, a'i ben i lawr; doedd dim modd gweld ei wyneb. Dywedodd Chloe rywbeth a chododd y dyn ei ben a rhoi cusan iddi ar ei boch, Lester Toye. Baciodd y Land

Rover yn ôl a throi i mewn i'r maes parcio cyn gyrru, yn llawer iawn cynt na deg milltir yr awr, i lawr yr allt ac o'r golwg.

Erbyn i'r ddau ddiflannu, roedd y Llyn yn sefyll yn ymyl y Golf, yn ceisio rhoi'r goriad yn ei ddrws, a Felix yn agosáu.

'Paid â boddran,' dywedodd Felix gan gicio olwyn flaen y Golf. Roedd y teiars yn fflat fel brechdan. 'Be ydi o efo 'nheiars i? Be ma 'nghar i 'di neud i neb?'

'Welist ti pwy oedd yn dreifio, do?'

'Ro'n i'n gwbod bo' fi 'di gweld y nyrs 'na o'r blaen. Hi oedd yn aros am, pwy ti'n galw fo, Lester, ia . . . ?'

'Fentra i dri chan mil o bunnoedd nad dyna ydi'i enw iawn o,' dywedodd y Llyn, gan grafangu to'r Golf a'i gorff yn gorffwys yn erbyn ei ochr.

'. . . Hi oedd y pishyn 'na oedd yn aros amdano fo tu allan i Dafarn y Crydd yn y Bermo y dwrnod 'na.'

'Chewch chi'm gadal hwnna'n fanna, hogia,' dywedodd dyn canol oed mewn iwnifform gwarchodwr.

'Pynctiar,' meddai Felix gan gicio'r rwber llipa.

'Geith o'm aros yn fanna, 'run fath,' dywedodd y dyn, gan ysgwyd ei ben moel yn ara deg a hwnnw'n sgleinio yn yr haul.

Ochneidiodd Felix ac edrych ar y Llyn. 'Wyth, naw, deg . . .' sibrydodd cyn dweud, 'dos di i edrych ar ôl Victor. 'Na i newid hwn a dilyn chdi, iawn?'

Rhwbiodd y Llyn ei wyneb â'i law chwith anferth, ei farf o fonion blew yn gwneud twrw sgiffran fel matsien yn cynnau. Gwthiodd ei gorff yn rhydd o'r Golf, nodio, a cherdded tuag at yr ysbyty gan roi pwniad cyfeillgar i Felix ar dop ei fraich wrth basio.

Fraus est celāre fraudem

Twyll yw cuddio twyll

CERDDODD FELIX yn ôl i stafell Victor yn yr ysbyty a gweld y Llyn yn eistedd yn ei sêt wrth y gwely. Pwyntiodd at yr hen ddyn a orweddai a'i lygaid ar gau, yn chwyrnu'n isel.

'Dwi'm 'di trio'i ddeffro fo; o'n i'n aros amdanach chdi,' meddai, gan ddynwared crogi rhywun, ei ddwylo'n gylch crynedig o'i flaen.

'Dwi'm yn gwbod be ffwc sy'n mynd ymlaen. Ti'n fawr callach, ond ella medrith Victor Slîping Biwti'n fama daflu gola ar betha,' dywedodd Felix.

Cydiodd mewn chwistrellwr plastig yn llawn o ryw hylif clir oddi ar droli wag wrth y drws. Gwasgodd y glicied a dechreuodd cwmwl o niwl ddisgyn yn araf ohono. Trodd ychydig ar drwyn y chwistrellwr cyn ei bwyntio, fel gwn, at wyneb Victor a saethu cawod ysgafn o ddŵr drosto. Gwingodd yr hen ddyn, a chau ei lygaid yn dynnach yn reddfol, cyn gwthio'i dafod allan i flasu'r gwlybaniaeth ar ei wefusau. Saethodd Felix yr hylif unwaith eto. Agorodd Victor Toye ei lygad chwith a sbecian ar Felix, yna ar y Llyn. Ymlaciodd ei wyneb ac agorodd ei lygad dde.

'O, diar. Dwi yn y shit, tydw?' dywedodd, ei lais yn drist a dirwgnach. Nodiodd y ddau ffrind arno'n ara deg, eu hwynebau'n wag. Ochneidiodd Victor gan afael ym mhont ei drwyn â'i fys a'i fawd. 'A'r pres?'

Ffrwydrodd Felix ei ddwylo'n llydan agored, a dweud, 'Wedi went, Victor. A dy nyrs a dy nai, Lester, hefyd.'

'O,' dywedodd Victor cyn ceisio codi ei gorff yn uwch ar y gwely. 'Well i fi ddechra o'r dechra felly, siŵr o fod.'

Homuncŭli quanti sunt, cum recogito!

Pan ystyriaf hynny, creaduriaid truenus yw dynion!

ROEDD STORI Victor Toye, neu Ernest Gregory Boyd, a defnyddio'i enw cywir, wedi cychwyn ar y B-Wing yng ngharchar Walton, Lerpwl. Ym mis Ionawr, roedd gan Ernie Boyd bythefnos i fynd cyn y byddai'n cael ei ryddhau'n gynnar, ar ôl syrfio chwe mis o'i ddedfryd o flwyddyn am dwyll. Dechreuodd Lloyd Evans – un o'r Sgriws y daw Felix a'r Llyn i'w adnabod yn nes ymlaen fel Lester Toye – ei holi am y sgiliau arbenigol oedd ganddo a arweiniodd at ei gyfnod yn mwynhau lletygarwch ei Mawrhydi deirgwaith yn ystod gyrfa o dros hanner can mlynedd. Ffugio lluniau. Peintiadau olew yn bennaf. Artistiaid llai hysbys, gyda llai o arbenigwyr ar gael i allu cadarnhau cywirdeb y gwaith. Tair stretsh fer mewn gyrfa hir iawn, tipyn o record, mewn gêm beryg.

Awgrymodd Lloyd wedyn fod Ernie – pan gâi ei ryddhau – yn cyfarfod â'i gariad. Efallai fod ganddi gynnig iddo. Rhywbeth gwerth chweil. Rhywbeth mawr.

Ac felly, ddechrau mis Chwefror, teithiodd Ernie, y tocyn trên wedi'i dalu amdano gan Lloydi Boi, i lawr i'r Bermo i gyfarfod â Chloe Parry, a golau'r helyntion i ddod eisoes yn dawnsio fel llewyrch llafn cyllell yn ei llygaid gleision.

Roedd y cynllun yn barod, ac Ernie Boyd oedd darn olaf y jig-so i'w ddarganfod, ei recriwtio, a'i osod yn ei le. Prynwyd bwrdd hynafol, o'r maint cywir ac yn dyddio o ddechrau'r unfed ganrif ar bymtheg, o dde Ffrainc. Costiodd ddwy fil ar bymtheg o bunnoedd, y nesa peth at holl gynilion y ferch ifanc. Yna cafwyd gwersi bob dydd, a Chloe'n dyrnu stori Victor Toye ac Acrimbaldi a Hackenholt a phopeth arall i mewn i ben Ernie nes ei fod yn dechrau coelio'r peth ei hun. Ddydd ar ôl dydd, un wythnos ar ôl y llall, a Chloe Parry yn gwneud yn siŵr bod popeth yn dal dŵr cyn cychwyn ar y twyll.

Roedd hi eisoes yn Nyrs Gofrestredig, ac wedi cael swydd yn ysbyty newydd Ysgawen y tu allan i Port. Bellach roedd hi hefyd wedi cael gwaith yno i Lloydi Boi, fel dyn ambiwlans dan hyfforddiant. Roedd y ddau'n rhentio tŷ oedd yn eiddo i ddyn o'r enw Victor Toye yn y Bermo, a'r hen Victor wedi cael ei symud i gartref gofal dwys ers rhai misoedd. Alzheimer's.

Athrylith y cynllun oedd gosod y ffug ymysg y gwir. Roedd Acrimbaldi, wrth gwrs, yn bodoli – cyfarwyddwr ffilm oedd yn byw yn yr Eidal yn ystod y Rhyfel. Felly hefyd y Natsi, Hackenholt. Ond dychymyg Chloe drodd y ddau'n gariadon cudd. Roedd Victor Toye yntau wedi cael gyrfa ym myd y ffilmiau yn Lloegr, ac yn hen lanc, ond doedd dim cysylltiad rhyngddo ef ac Acrimbaldi.

Nid oedd y campwaith o lun yn bodoli, chwaith. Gwaith Ernie Boyd oedd creu hwnnw – pum mis o waith ymchwil a pheintio a difwyno'r bwrdd i wneud i'r llun edrych yn gredadwy, hyd yn oed i arbenigwr. Yna gwagio'r seler a dodrefnu'r lle fel ei fod yn edrych fel cysegrfan i'r *Ritratto di giovane uomo*. Popeth yn barod.

Can mil o bunnoedd i Ernie, dyna oedd y fargen a drawyd, a'r gweddill i'r cwpwl ifanc, ond roedd yn amlwg i Ernie mai Chloe oedd y bòs. Chloe oedd wedi cynllunio'r cyfan, wedi dyfeisio'r stori a'i hymchwilio'n drylwyr. Chloe oedd wedi mynnu bod Lloyd yn cael job yn y carchar ar ôl darganfod bod Ernie yno. Chloe oedd wedi trefnu ymweliad Ernie, fel Victor, i'r ysbyty i gyd-fynd â'r adeg pan oedd yr arian yn cyrraedd o'r Eidal. Chloe oedd wedi'u twyllo nhw i gyd – gan gynnwys, yn y diwedd, Ernie Boyd ei hun.

'Be 'di'r dywediad, hogia?' meddai Ernie wrth orffen adrodd ei hanes. 'No onyr amyngst thîfs.'

'Ond pam ni?' gofynnodd Felix. 'A pham dim ond tri chan mil, pan ma'r llun go iawn yn werth can gwaith hynna, neu fwy?'

'Dim pam chi, Felix. Pam fo?' atebodd Ernie Boyd o'i wely gan bwyntio at y Llyn.

Pwyntiodd y Llyn at ei hun hefyd, a golwg syn ar ei wyneb. 'Am 'y mod i'n newyddiadurwr?'

'Ydi'r enw Non Parry'n canu unrhyw glychau, Mistyr Lewis?' gofynnodd Ernie gan wthio'i hun i fyny unwaith eto yn ei wely.

'Na, ddim felly. Merch o ddyddia coleg, 'run cyfnod â fi. Neb mwy diweddar.'

'Does dim angen i chi fynd dim pellach, Mistyr Lewis. Chloe ydi merch Non Parry. Neu Non Parry oedd mam Chloe – ma hi 'di marw rŵan. Brest cansyr, ddwy flynadd 'nôl.'

Aeth yr ystafell yn ddistaw. Safai'r Llyn yn llonydd. Agorodd Felix ei ddwylo o'i flaen. 'A?' dywedodd.

Edrychodd Ernie ar y Llyn yn amsugno'r wybodaeth ac yn gwneud y cysylltiadau i gyd heb iddo orfod dweud gair ymhellach. Roedd Felix hefyd yn synhwyro hyn ond yn wahanol i'r Llyn doedd o fawr callach.

'A?' dywedodd eto.

'Ti'n deud wrtha i mai fy merch i ydi'r Chloe Parry 'ma?' gofynnodd y Llyn i Ernie Boyd o'r diwedd.

'Wyw, wyw! Hold ffycin on,' dywedodd Felix yn uchel fel pe bai geiriau'r Llyn ar dân.

'Dyna pam ddoth hi ddim yn ôl i Oxford am yr ail flwyddyn,' dechreuodd Ernie. 'Oedd hi'n feichiog efo'ch plentyn chi, efo Chloe. Oedd hi'n 'ych caru chi, medda Chloe, ond doeddach chi ddim am gael perthynas sîriys – rhywbeth felly, ia?'

'Rhywbeth felly,' dywedodd y Llyn yn dawel. 'Caria 'mlaen, Mistyr Boyd.'

'Wel, mi aeth Non i fyw i Gaerdydd. Gweithio i'r Welsh Offis ar ôl ca'l Chloe. Magu hi ar 'i phen ei hun. 'Nath hi erioed briodi. Dyna ddudodd Chloe wrtha i. Mi gafodd Chloe wbod amdanoch chi pan oedd hi'n ddeg

oed, ond 'nath ei mam neud iddi addo peidio â chysylltu
â chi nes ei bod hi'n twenti-wan. Felly 'ych dilyn chi o
bell 'nath Chloe. Darllen 'ych articyls chi yn y papur, a
darllen 'ych poetri chi o bryd i'w gilydd. Wedyn dyma'i
mam hi yn mynd yn sâl. Pum mlynadd, ffaif îyrs, fuodd
hi'n sâl. Y cansyr wedi sbredio drwyddi, a neb ond Chloe
i watshiad ar 'i hôl hi.' Stopiodd Ernie Boyd a chymryd
llymaid o ddŵr o gwpan plastig wrth ochr y gwely. 'Dyna
pryd 'nath hi ddechra'ch casáu chi, byswn i'n feddwl.'

'Ti'n trio deud bod y ferch ifanc 'na,' dechreuodd
Felix, 'wedi ca'l yr hymp efo'r Llyn, Tegid Lewis yn
fama, am bod 'i mam hi wedi marw o ganser?' Camodd
at ochr y gwely a chymryd y cwpan o law Ernie Boyd,
ei wasgu'n lwmpyn diwerth cyn agor y bin a'i luchio i
mewn i'r düwch gwag. 'Wedyn, wedi dod i fyny hefo'r
plan hedffycaidd o wallgo 'ma, sy'n gorffan hefo hi yn
'yn twyllo ni i gyd ac yn dwyn y pres o dan 'yn trwyna ni
allan o'r ffycin bin 'ma'n fama?' Syllodd Felix ar yr hen
ŵr am amser hir a hwnnw'n crebachu'n amlwg o flaen ei
lygaid wrth synhwyro'i lid.

'Mi sgwennis i'r erthygl 'na am y gwaith celf coll
flwyddyn a hanner yn ôl,' dywedodd y Llyn. 'Roddodd
hynny flwyddyn iddi feddwl am y cynllun, cyn mynd
i chwilio am fforjyr gwerth chweil, sef Ernie Boyd yn
fama. Wedyn, mater o fod yn synhwyrol oedd hi wedyn.
Pam 'naethon ni'n dau gredu stori Victor Toye? Am ei
bod hi mor anhygoel, roedd yn rhaid ei bod hi'n wir.
Doedd gan y cymeriad Victor 'na ddim byd i'w ennill o

ddweud celwydd. Ond ar ôl deud hynna, ni sydd wedi cymryd y risg i gyd. Fi hefo fy enw da, a chdi Felix yn gorfforol. I gyd i ddim pwrpas. Tydi tri chan mil yn ddim byd yng nghyd-destun gweithiau mawreddog fel y Raffaello, ond dwi'n gaddo un peth i chdi, Felix. Fydd yr Eidalwyr yn gandryll wallgo. Yn gynta, am nad yw'r llun coll pwysicaf yn y byd wedi'i ddarganfod. Yn ail, am eu bod hwythau hefyd wedi llyncu'r stori dylwyth teg. Ac yn drydydd, balchder. Cywilydd y peth, dwi'n gwbod yn iawn sut fyddan nhw'n teimlo. Cywilydd y peth.' Ysgydwodd y Llyn ei ben wrth ailadrodd y geiriau.

'Ffor ddy record, dim fi 'nath y cartŵn 'na ar ben y llun. Fyswn i byth yn gneud hynna.' dywedodd Ernie Boyd gan bwyntio at y llun ar y llawr wrth ochr y Llyn.

'O, wel!' meddai Felix yn sarcastig. 'Ma hynna'n iawn, ta. Diolch yn fawr iawn i chdi.'

'Dwi'n mynd,' dywedodd y Llyn, a chodi ar ei draed. Aeth i'w boced a lluchio goriadau'r tŷ yn y Bermo i dincial yn swnllyd ar y gwely.

'Lle?' gofynnodd Felix.

'Dwi'm yn gwbod eto. O fama, beth bynnag.'

'Beth amdan hwn, ta?' gofynnodd Felix wedyn gan bwyntio at yr hen ddyn ar y gwely, oedd yn edrych yn pathetig, mwyaf sydyn.

'Be ti'n feddwl? Be ti isho neud hefo fo, Felix? Ffonio'r heddlu? A deud be? Rhoi slap iddo fo? Be di'r pwynt? Yli ar y dyn, mewn difri calon.' Cydiodd yn y darlun a'i roi dan ei fraich. 'Plesia dy hun, dwi'n mynd i drio pwyllo'r

Eidalwyr. Esbonio'r sefyllfa. Dwi'n mynd i orfod dweud y gwir i gyd wrthan nhw, cofia Boyd, i chdi ga'l dallt. Fyswn i'n diflannu am chydig taswn i'n chdi.'

'I ble? A hefo be?' gofynnodd Ernie Boyd, ei ddwylo ar agor o'i flaen fel pe bai stigmata arnynt.

'Dy broblem di . . .' dechreuodd y Llyn gan gychwyn allan o'r stafell.

'Mistyr Lewis?' dywedodd Ernie Boyd wrth gefn y Llyn. Trodd y Llyn, ei wyneb yng nghysgod ffrâm y drws. 'Y diwrnod 'na yn Barmouth, pan 'nathon ni gyfarfod gynta. Diwrnod pen-blwydd Chloe Parry yn twenti-wan.' Aeth yr ystafell yn rhyfedd o ddistaw eto. 'Meddwl fysa chi'n lecio gwbod.'

Trodd y Llyn yn dawel a gwthio'i gorff anferth drwy ddrysau dwbl y coridor, gan ddiflannu fel ysbryd.

Argumentum baculinum

Dadl y pastwn

BYTHEFNOS YN ddiweddarach, roedd Felix ar ei ffordd yn ôl i Cefni ar ôl treulio'r bore yn y Penrhyn Arms. Cafodd ragor o amser gan ei chwiorydd i wagio'r tŷ gan fod y mis gwreiddiol wedi dod i ben ddechrau'r wythnos cynt. Bu'n treulio'r wythnos gyntaf, ar ôl y digwyddiadau yn dilyn ei daith i'r Eidal, yn chwilio'n aflwyddiannus am y Llyn, oedd wedi diflannu i rywle. Ar ôl hynny, bu'n symud y llyfrau o'r *coridor aur* i Fangor. Treuliodd yr ail wythnos yng Nghefni yng nghwmni Heddwyn yn yfed gormod o win, yn darllen, yn edrych ar y ffôn ddim yn canu, ac yn gwrando ar jazz.

Gyrrodd y Golf i mewn i niwl trwchus wrth fynd heibio'r mast teledu, a edrychai fel gwaywffon anferth wedi'i sodro ar ochr mynydd y Graig Goch uwchben pentref Nebo. Cyneuodd ei oleuadau a'i galon yn suddo. Roedd Dwylan wedi bod ar goll yn y niwl bondigrybwyll yma ers diwrnodau, a'r haul wedi mynd yn ddiarth fel pe bai'r pentref yn cael ffug-rediad am aeaf niwclear.

'Blydi dipresing,' sibrydodd wrtho'i hun wrth i synau'r byd y tu allan i'r cerbyd gael eu mygu gan yr aer llwyd a thrwchus. Taniodd ei iPod i gadw cwmni iddo, a gwrando ar Miles Davis yn chwarae 'All of You' yn fyw o'r gorffennol yn San Francisco. Meddyliodd am Heddwyn yn y tŷ – roedd o'n flin, siŵr o fod, ac yntau heb gael ei ginio eto. Roedd hi'n chwarter i dri. Teimlai'n nes at bump o'r gloch i Felix oherwydd gwyll y niwl.

Cymerodd y tro i fyny am bentref Dwylan, y Golf yn llusgo'n ara deg, ei olau cryfaf yn amlygu dim mwy nag ugain troedfedd o'i flaen, a'r llinell wen yng nghanol y ffordd fel pe bai'n cael ei pheintio wrth iddo fynd yn ei flaen. Pasiodd dŷ'r ysgol a gweld dim ond braidd trwy'r niwl bod golau yn fflat Karen a Neville. Roedd Neville yn dal i alw yn Cefni, er bod ei ddyled wedi'i hen dalu; byddai'n ennill ambell bumpunt am fynd â Heddwyn am dro hir neu am dorri'r lawnt. Roedd hefyd wedi dechrau cymryd benthyg ambell lyfr i'w ddarllen oddi ar y silffoedd llyfrau, *Thrillers* a *Westerns* yn bennaf sylwai Felix, a doedd o ddim yn ymyrryd. Darllen be leci di, dyna oedd o'n ddweud. Roedd Felix wedi cael ambell bryd bwyd yng nghwmni Karen hefyd. Dim byd rhamantus – caws a bîns ar dost i de, neu ambell frechdan amser cinio. Ond digon o damaid i dreulio amser yn dod i adnabod ei gilydd ychydig yn well. Roedd Felix yn mwynhau ei hiwmor tywyll a'i pharodrwydd i chwerthin yn agored a gonest, hyd yn oed ar ambell un o'i jôcs gwan yntau.

Gwenodd Felix wrth feddwl am Karen. Daeth y Golf i stop y tu allan i Cefni. Beth bynnag, meddyliodd, wrth ddiffodd y peiriant a'r iPod hefyd. Roedd y pentref yn dawel fel y bedd. Na, mae hi'n dawelach na hynna, meddyliodd. Mae hi'n dawel fel y lleuad, fel y gofod. Gwelodd olau – y lamp ddarllen wrth ochr y soffa, tybiodd – yn lliw melyn piblyd yn ffenest ystafell fyw'r tŷ. Aeth allan o'i gar a'i gloi cyn estyn ei oriadau tŷ a chwilio am yr un cywir ymysg y dwsinau yn y tusw. Dim ond rhyw bedwar goriad yr oedd Felix yn cofio pa gloeon oedden nhw'n eu hagor mwyach. Ond fel yna mae hi, meddyliodd yn ddisynnwyr, wrth wthio'r goriad i'r clo ac agor y drws ffrynt.

Helo! meddyliodd wrth ddeffro o'i synfyfyrdod ac amsugno'r olygfa o'i flaen. Safai dyn mewn siaced ledr ddu a pholyn hir yn ei law, ei wyneb yng nghysgod golau'r lamp islaw.

'Wyyff,' cyfarthodd Heddwyn ar ochr arall y polyn a rhywbeth tyn wedi'i glymu i'w wddf yn dod o'r polyn ac yn newid cywair ei gyfarthiad.

Symudwyd y soffa hefyd i rwystro'r llwybr drwy'r *coridor aur* i'r gegin, ac roedd y rheiddiadur a arferai fod o'r golwg y tu ôl iddo bellach yn amlwg. Roedd bocs mawr glas a chaead arno – tebyg i focs ailgylchu – yng nghanol y llawr, lle'r arferai'r bwrdd coffi fod. Nid oedd Felix yn gallu gweld i ble roedd hwnnw wedi mudo.

'Helo,' meddai Felix yn ysgafn ac yna, wrth i'r dyn ddod allan o'r cysgod, goleuwyd y swyddfa wrth ysgwydd dde Felix. Digwyddodd popeth, wedyn, mewn fflach. Adnabu Felix y dyn ar unwaith, ei geg ddiwefus fel slaes cyllell ar does. Y Rottweiler o'r Eidal. Trodd tua'r golau yr un pryd a gweld y ffrind arall, Dyn y Clochdy, yn sefyll wrth y ddesg yn pwyntio gwn mawr, plastig yr olwg, yn syth at ganol Felix. Taser, meddyliodd Felix, amrantiad cyn i glec ffrwydro'r dartiau o electrodau i'w ystlys, fel darn o bren yn canu cân ar sbôcs beic. Disgynnodd i'r llawr fel pe bai'i sgerbwd wedi'i wahanu oddi wrth ei gnawd, ei gorff yn ddiwerth a dilywodraeth – y teimlad rhyfeddaf, hollol annymunol. Gwelodd Ddyn y Clochdy wedyn yn sefyll uwch ei ben, yntau hefyd yn ei siaced ledr ddu.

Llwyddodd Felix i dagu dweud wrtho gan wenu wrtho'i hun, ''Bach yn gei,' cyn i bastwn bach yn nwrn yr Eidalwr hedfan mewn slo-mo i lawr drwy'r awyr a chysylltu â'i arlais chwith.

Pan ddihunodd Felix roedd ei arddyrnau wedi'u caethiwo bob ochr â gefynnau llaw, a hynny i ochr uchaf chwith a dde'r rheiddiadur yn stafell fyw Cefni. Safai'r ddau ddyn o'i flaen yn siarad â'i gilydd yn dawel. Tybiodd Felix eu bod tua'r un oed â fo a daliai'r dyn ar y chwith iddo bolyn tua phum troedfedd o hyd yn ei ddwy law. Ar ben arall y polyn gwelai Heddwyn, y ci'n cael ei gadw hyd braich gan weiran ar ben y polyn ac o amgylch ei wddf. Y Rottweiler yn dal gafael yn y Schnauzer, meddyliodd. Syllai Heddwyn ar ei ddaliwr fel pe bai'n pendroni dros ei sefyllfa anghyffredin, meddyliodd Felix. Be uffar ma hyn i gyd amdan, efallai? Roedd Felix yn meddwl yr un peth, a'i glust chwith yn curo'n boenus fel pe bai ei galon wedi'i thrawsblannu yno. Gwisgai'r ddau ddyn ddillad digon tebyg i'w gilydd, iwnifform y dyn caled – trywsusau denim, sgidiau lledr brown, crysau-T gwyn, a siacedi lledr du, eu zipiau ar agor erbyn hyn. Yr unig beth rhyfedd ynghylch eu hedrychiad oedd y sglein ar wallt du, trwchus y ddau, a'r olwg ddifynegiant, oer ar eu hwynebau brown, wedi bod yn llygad yr haul yn rhy hir.

'Wat can ai dw for iw tŵ swarddi jentylmen, in ecstshênj ffôr iôr caind giffts of jiwylri?' Ysgydwodd Felix y gefynnau llaw a'r rheiny'n tincial fel breichledau rhad.

Plygodd y dyn ar y dde, Dyn y Clochdy, ar ei gwrcwd o'i flaen a sylwodd Felix ar nid un, ond dau focs plastig glas tywyll ar lawr rhwng y ddau Eidalwr. Roedd caeadau du troedfedd sgwâr arnynt, a dyma'r dyn yn llithro'r bocs agosaf ato yn nes at Felix. Yn amlwg roedd rhywbeth eithaf trwm ynddo. Wrth wyro a syllu'n syth at Felix, dechreuodd Dyn y Clochdy ryddhau'r caead, gornel wrth gornel. Cododd aroglau sur, annymunol i lenwi'r ystafell a gwyddai Felix yn syth bod rhywbeth marw yn y bocs. Daliodd i edrych yn hunanfeddiannol ar y dyn. Doedd o ddim am wenu arno, ond doedd o ddim am ddechrau crio chwaith a nodiodd ei ben fymryn, fel pe bai'n dweud wrtho ei fod yn barod i wynebu cynnwys y bocs. Cododd yntau o'i gwrcwd, heb dynnu'i lygaid oddi ar Felix, a'r caead yn ei law.

Edrychodd Oswyn Felix i mewn i'r bocs a gweld pen Ernie Boyd yn ei wynebu. Roedd yr ystafell yn drewi mwyaf sydyn, a safodd Heddwyn ar ei draed a chyfarth unwaith. Roedd llygaid duon Ernie wedi'u cau, a blaen ei dafod – fel trydedd gwefus – yn gwthio allan o'i geg. Dawnsiai pryfed o gwmpas ei ffroenau pinc, ac roedd ei fochau piws gwelw yn llac ac yn tynnu ymylon ei geg i lawr.

Ti ddim yn edrych yn hapus, Ernie, meddyliodd Felix gan chwythu trwy'i drwyn ac anadlu fesul tipyn, trwy'i geg i geisio osgoi'r drewdod. Rhoddai hyn yr argraff ei fod yn goranadlu mewn panig. Ond roedd Felix yn teimlo'n gwbl effro i'w sefyllfa. Teimlai ei synhwyrau yn codi'u gêm wrth i'r adrenalin ddechrau cwrsio trwy'i gorff.

Gwenodd y dyn arno am eiliad. Gwenodd Felix yn ôl ato a chodi'i ysgwyddau'n ddifater. Blasai gopr yn ei geg a phesychodd i garthu'i wddf cyn poeri cymysgfa binc o waed a phoer ar y llawr teils wrth ei ochr.

'*Ehi, denti d'oro*?' meddai Dyn y Clochdy gan fflicio ewin i glicio'n erbyn gwaelod ochr fewnol ei ddannedd blaen uchaf. Rhoddodd y caead yn ôl ar ben Ernie Boyd.

Reit, meddyliodd Felix. G'na be tisho. Tynnodd ei wefusau'n dynn a dangos ei ddannedd aur i'r dyn gan chwyrnu arno cyn chwerthin fel hurtyn.

Ochneidiodd y dyn cyn gwyro a chodi'r ail focs oddi ar y llawr yn hawdd. Roedd yn amlwg yn wag, ac aeth ag ef tuag at ddrws ffrynt y bwthyn. Gwthiodd y Rottweiler y polyn yn erbyn penglog Heddwyn a'i orfodi i ddilyn

Dyn y Clochdy allan o'r bwthyn gan adael Felix ar ei ben ei hun, y drws wedi'i gau ar eu holau.

Yn y distawrwydd, edrychodd Felix i'r dde ac i'r chwith ar ei ddwy law yn llipa farw, a'i arddyrnau'n friwiau porffor yn y gefynnau tyn. Sylwodd eu bod wedi gadael y goriad yng nghlo'r gefyn llaw chwith a gwyrodd ei ben tuag ato. Ni lwyddodd i wneud dim ond llyfu pen blaen crwn y goriad â blaen ei dafod, ei law dde'n sgrech o boen. Ceisiodd godi ar ei draed, ond roedd y rheiddiadur yn rhy isel ar y llawr a'i ddwylo'n rhy bell ar wahân. Meddyliodd, wrth eistedd ar ei gwrcwd, ei fod yn edrych fel tylluan ar fin hedfan o'i nyth a chwarddodd yn fyr. Gwyrodd ei holl bwysau ymlaen yn sydyn a ffyrnig, fel pe bai'n dylluan ar ei hynt. Atseiniodd y gefynnau wrth gofleidio'r rheiddiadur a dod i stop. Nid oedd yr un rhan o gorff Felix nad oedd yn boenus o anghyfforddus a doedd y rheiddiadur ddim yn mynd i 'nunlle. Er hyn, ceisiodd dynnu'i ddwylo at ei gilydd a phob cyhyr yn ei gorff yn caledu gyda'r ymdrech, ei wyneb yn troi'n biws.

Dim ffycin diawl o beryg, meddyliodd wrth ymlacio ac eistedd yn ôl yn erbyn y rheiddiadur, yr haearn bwrw oer yn lleddfu'i gefn. Reit, Oswyn Felix, be 'di Plan B?

Edrychodd o gwmpas yr ystafell, ond doedd hyd yn oed y rŷg ddim o fewn ei gyrraedd. Ceisiodd gicio allan am y lamp llawr i'r chwith iddo, a darganfod dim byd ond awyr iach.

Plan A eto, meddyliodd wrth roi ei ddwylo, a oedd eisoes yn llawn pinnau bach fferllyd, wrth gefn y rheiddiadur a cheisio cael gafael yno. Roedd fel ceisio cydio mewn sliwen yn gwisgo maneg rwber. Gwelodd siâp du'n pasio heibio'r ffenest lwyd am y drws ffrynt, a'r cyrtans yn gilagored. Ymlaciodd eto ac ymestyn ei goesau'n syth o'i flaen. Gwthiwyd y drws ar agor a daeth Dyn y Clochdy i mewn yn cario'r bocs glas. Gwyrodd ei gefn fymryn yn ôl dan bwysau amlwg y bocs. Rhoddodd y bocs ar lawr o flaen Felix a chodi'r bocs arall oedd wrth ei ochr, yr un a phen Ernie ynddo, gan wenu'n bwrpasol o hir ar Felix. Nodiodd Felix ei ben yn ysgafn a chodi'i aeliau a'i ysgwyddau, hanner gwên ddiflas ar ei wyneb.

'What is it Arnie says?' dywedodd y dyn wrth wagio'i wyneb o unrhyw fynegiant. 'I'll be baaack,' llefodd mewn acen Awstriaidd.

Chwarddodd Felix unwaith trwy'i drwyn gan wenu arno. Ffycin hilêriys, meddyliodd.

Roedd ar ei ben ei hun eto, a drws Cefni yn hanner agored. Cysidrodd weiddi am gymorth ond penderfynodd yn erbyn y syniad. Doedd neb prin byth o gwmpas y lle a buasai'i lais yn mynd ar goll yn y niwl beth bynnag. Ar ben y ffaith nad oedd am godi gwrychyn y Rottweiler.

Ar y gair daeth y gwas yn ei ôl â rhywbeth tebyg i flanced ddu wedi'i rowlio o dan ei fraich. Rhoddodd y pecyn, wedi'i glymu â chortyn, ar lawr wrth y bocs ac aeth i eistedd yn wynebu Felix ar fraich y gadair wrth ymyl y drws ffrynt. Ni symudodd o'i syllu di-wên pan ddaeth Dyn y Clochdy i mewn a chloi'r drws ar ei ôl.

'Mister Felix, I'm sure you know why we are here,' dywedodd Dyn y Clochdy wrth ddod i sefyll o flaen Felix, ei goesau ychydig ar wahân a'i freichiau wedi'u plethu yn erbyn ei stumog gwastad. Pwyntiodd ei fys wedyn yn erbyn ei dalcen. 'I'm sure you remember what I said to you when we last see each other in Bergamo. My money, Mister Felix. *My* money, you remember?'

'Ai'm not e ffycin goldffish, wat's iôr point?' dywedodd Felix gan ddylyfu gên fel pe bai wedi diflasu'n llwyr â'r sgwrs.

Pwyntiodd y dyn ato gan edrych tuag at ei ffrind ar fraich y gadair a dweud, 'Tough guy.' Chwarddodd y ddau a chododd y Rottweiler gan wyro o flaen y pecyn du wedi'i lapio. Tynnodd ar y cortyn a daeth y cwlwm yn rhydd. Gwthiodd dop y pecyn oddi wrtho ac agorodd y flanced yn garped du ac arian ar y llawr teils rhuddgoch.

Offerynnau'r arteithiwr.

Teimlodd Felix dwll ei din yn tynhau ar y llawr oer a meddyliodd, am ryw reswm, am Victor Toye (neu Ernie yn y bocs, fel ag yr oedd o erbyn hyn) a'i beils anghyfforddus. Ceisiodd beidio ag edrych ar y teclynnau o ddur gloyw'n disgleirio yn erbyn düwch cyfangwbl y flanced, ond roedden nhw fel pe baent yn ei hudo.

'*Tortura*, it's a very unpleasant word, yes? *Tortura*, to torture someone. Most unpleasant,' dywedodd Dyn y Clochdy wrth wenu o'i sedd. Cydiodd y Rottweiler mewn fflaim, ei llafn bychan yn grwn a'i gefn yn syth. Disgleiriai'r fflaim, fel y peth mwyaf llachar a welodd Felix erioed, wrth iddo agosáu tuag ato a bawd y Rottweiler yn wastad ar hyd cefn y teclyn. Arhosodd Felix yn gwbl lonydd wrth i'r llafn ddod i orffwys – ei ben blaen yn fain fel pin, filimetrau'n unig o'i lygaid – ar ei ael dde.

'This one you have to take, *questo devi soffrire*,' dywedodd Dyn y Clochdy, a fflachiodd y fflaim o'i olwg gan rwygo ffos yn ei groen trwy'i ael ac i fyny'i dalcen. Trychiad o fodfedd a hanner, a'i waed yn ei ddallu cyn gwlychu'i foch a disgyn yn ffynnon goch i lawr ei wddf a throi coler, ac yna top, ei grys gwyn yn borffor. Caeodd Felix ei lygad dde a gweld â'i lygad arall y Rottweiler yn cilio i aros ar ei gwrcwd wrth y flanced. Cafodd Felix y panig mwyaf sydyn fod pelen ei lygad hefyd wedi'i hollti gan y fflaim, a smiciodd ei lygaid sawl gwaith cyn i'r gwaed gilio a gwelai nad oedd wedi cael ei ddallu.

Chwarddodd Dyn y Clochdy a chlapiodd ei ddwylo. 'Don't worry, Mister Felix! He is very careful. Very, how can I say? Precise.'

Dechreuodd y slaes guro a phigo'n boenus uwchben ei lygaid, a'i waed yn dal i lifo'n rhydd. Gwyrodd ei ben i'r dde i arallgyfeirio'r ffrwd oddi wrth ei lygad. Gwelodd Ddyn y Clochdy'n codi'n gyflym ac yn cymryd dau gam tuag ato – y pastwn yn chwifio fel bag o fferins yn ei law, ei wyneb wedi difrifoli mwyaf sydyn. Cysylltodd y bag fferins, oedd yn debycach erbyn hyn i garreg glan môr, uwchben ei glust chwith a diffoddwyd y golau.

Deffrodd Felix yn llwyr ac ar unwaith, â dŵr yn ei drwyn. Roedd y Rottweiler o'i flaen yn cydio mewn mỳg gwag. Arhosai ei fòs, ei draed i fyny ac wedi'u croesi, ar y gadair freichiau. Crafai ei ên â'i fys canol wrth edrych ar y silff lyfrau wag o'i flaen. Chwythodd Felix y dŵr a gwynt trwy'i drwyn a sylweddoli bod rhwystr yn ei geg. Roedd o wedi cael ei gagio â rhywbeth caled ac anghyfforddus o fawr. Edrychodd i lawr a gweld bod ei goesau'n syth ac wedi'u rhaffu at ei gilydd mewn tri man gwahanol. Roedden nhw hefyd wedi tynnu'i drainers Adidas a'i sanau.

O shit! Tydi hyn ddim yn argoeli'n dda, meddyliodd Felix, ei ben yn curo ac yn chwil fel corddwr sment a bricsen ynddo. Roedd o'n dal wedi'i groeshoelio i'r rheiddiadur.

'I don't like you, Mister Felix,' dechreuodd Dyn y Clochdy heb symud. 'But dead men don't pay their debts.' Cododd y dyn a rhoi ei law ar ysgwydd y Rottweiler. 'My friend here is very good at his work; he knows how to make strong men weak. You understand? Ernie Boyd has paid his debt. He was too good with the paint, you understand?'

Tydi hyn ddim yn dda o gwbwl, meddyliodd Felix, heb ateb y dyn mewn unrhyw ffordd. Arhosodd yn hollol lonydd, er bod ei ben yn nofio fel pwll tro.

Roedd y flanced ddu yn dal i orwedd yn agored, ac aeth y Rottweiler i estyn teclyn newydd.

Be uffar 'di hwnna?!

Gafaelodd y Rottweiler mewn ryw fath o bâr o bleiars o ddur gloyw. Ar flaen y teclyn roedd plât bach arian syth yn gwthio allan hanner modfedd.

O-ho! meddyliodd Felix, ei lygaid yn fawr, wrth i'r Rottweiler agor y ddwy ddolen ac anelu'r teclyn am draed Felix. Trodd Dyn y Clochdy ei gefn ar y digwyddiadau. Tynnodd Felix yn reddfol ac yn wyllt ar y gefynnau llaw, a dechreuodd sgrechian yn fud wrth geisio, heb unrhyw lwc, symud ei goesau i ffwrdd oddi wrth yr arteithiwr. Gwthiodd y Rottweiler y plât miniog o dan ewin bys canol troed chwith Felix. Tan rŵan, doedd Felix ddim yn ymwybodol bod y fath boen i'w chael. Ffrwydrodd y nerfau yn ei droed fel tân gwyllt, a chwrsiodd y boen yn storm drydanol i fyny trwy'i gorff. Cyrhaeddodd ei ymennydd yn rhuthr annioddefol, ac aeth Felix yn anymwybodol.

Unwaith eto, cafodd ei ddeffro gan ddŵr yn diferu ar ei wyneb. Gwyddai nad oedd wedi bod allan ohoni am yn hir. Roedd y mỳg yn dal yn un o ddwylo'r Rottweiler a'r teclyn, yn dal yn sownd o dan ewin Felix, yn y llaw arall. Caeodd y ddolen a daeth dau hanner y pleiars ynghyd i wasgu'n dynn am y gewin.

'This is the painful part, I'm afraid, Mister Felix,' dywedodd Dyn y Clochdy, ei gefn yn dal i fod tuag ato.

Nid oedd yn dweud celwydd. Pan gymerodd y Rottweiler y gewin, roedd fel pe bai holl esgyrn troed chwith Felix yn cael eu rhwygo allan trwy'r bys. Roedd hyd yn oed yr aer o gwmpas yn echrydus o boenus, a'r bys cignoeth yn pylsio ac yn teimlo'n fwy o faint na'i droed gyfan. Yna daeth y gwaed yn beli chwyddedig i ymuno â'r cnawd a'i orchuddio cyn llifo'n figlad porffor i lawr ei droed. Saethodd rhyw oerfel cyntefig rhyfeddol drwy'i holl gorff i wasgu'r boen yn belen lai a'i gwneud yn ddioddefadwy.

Roedd gan y Rottweiler bedwar mỳg o'r gegin ar y llawr wrth ei ochr, a rhoddodd yr ewin a'r teclyn yn un ohonynt. Ysgydwodd yr offeryn yn y dŵr cyn gadael yr ewin yn rhydd i nofio yn y mỳg. Chwifiodd y teclyn sawl gwaith i'w sychu ar y gwynt cyn ei gadw yn y bwlch priodol ar y flanced ddu. Nid oedd y Rottweiler wedi dangos unrhyw emosiwn ers y tro cyntaf i Felix daro llygaid arno.

Fyswn i ddim yn lecio treulio dwrnod yn dy ben di, meddyliodd, a'i droed yn plycio'n waeth, hyd yn oed, na'r gwayw yn ei ben.

Trodd Dyn y Clochdy ac edrych ar ei droed waedlyd. Gwingodd gan bletio'i geg.

'Ughh!' ebychodd. 'What a mess.' Gwyrodd ar ei gwrcwd, gan wynebu Felix, ei bryd a'i wedd yn camystumio drwy lygaid cysgodlyd y tafarnwr. 'This is where you get my first and only offer, Mister Felix.'

Roedd Felix yn teimlo cloriau'i lygaid yn mynd yn drwm ac yn dechrau disgyn, a llais yr Eidalwr yn diflannu i mewn i niwl Dwylan. O ochr ei lygaid, gwelodd y Rottweiler yn codi'r pedwerydd mỳg a daeth llif arall i'w ddeffro.

'*Destarsi, signore*. Are you awake?' gofynnodd y dyn, a llygaid Felix yn agor a chau, fel ffenest car pan mae plentyn yn chwarae â hi, wrth iddo ymladd ei awydd hunanwarchodol i gael cyntun. Aeth y dyn i'w boced a lluchio tocyn ar lin Felix. 'Same place, Mister Felix. Il Campanone di Bergamo, *capisce*?' Nodiodd Felix unwaith. Teimlai ei droed fel balŵn yn cael ei chwythu'n fwy a mwy. 'All my money, Mister Felix. I give you one month. *Tutti i soldi, tutti i soldi, tutti i soldi,* Mister Felix,' dywedodd wrth roi tair swadan i foch Felix. 'Understand? *Capisce*?'

Nodiodd Felix arno eto, ei ben wedi'i wneud allan o blwm a'i wddf allan o blu. Edrychodd Dyn y Clochdy ar Felix am amser hir cyn cydio yn ei wallt a syllu arno am ychydig yn hirach. Welai Felix ddim oedd yn ddrwg yn y llygaid brown tywyll; i'r gwrthwyneb, gwelai gydymdeimlad a chynhesrwydd ynddynt. Dynoliaeth.

Trodd y dyn a nodio ar y Rottweiler cyn gosod pen Felix i bwyso'n ôl ar y rheiddiadur. Gwelodd Felix swigod pinc o waed a llysnafedd yn chwyddo a ffrwydro o'i drwyn wrth iddo oranadlu. Rhowliodd y Rottweiler y flanced ddu i fyny'n silinder tyn a'i rhoi dan ei gesail i orwedd fel gwn hela. Cerddodd allan o'r bwthyn heb edrych ar Felix.

'You are a lucky man. *Lui era solo di cominciare.* There are worse things for a man to lose, yes?'

Llwyddodd Felix i godi'i ysgwyddau a cheisio edrych yn ddi-hid. 'Di hi ddim yn hawdd edrych yn cŵl, meddyliodd, pan ti'n waed ac yn boena i gyd, wedi dy handcyffio fel fersiwn S an' M o Iesu Grist, a pêl ffycin cricet yn llenwi dy gob.

Cerddodd y dyn am y drws ffrynt cyn troi wrth gydio yn y clo. 'Open or closed?' gofynnodd. Agorodd Felix ei ddwylo, cystal â dweud diawl o ots gynna i. Gwenodd y dyn wrth gliciedu'r drws, a gadael y bwthyn â'r drws yn gilagored.

Caniataodd Felix i'w gorff ymlacio'n llwyr a thawelodd gwylltineb ei feddwl am funud hir.

Jyst hongian am chydig, tshilio allan, meddyliodd. Yna clywodd glic o gyfeiriad y gegin i darfu ar y tawelwch llwyr, a rhuo isel a chyson y boeler yn cychwyn ar ei shifft nos.

Grêt, meddyliodd Felix, wrth syllu ar y bocs glas â'i gaead du ar y llawr o'i flaen.

Vĕniat manus, auxĭlio quæ sit mihi

Deued llaw i roi cymorth imi

TEIMLAI EI HUN yn debycach i'r Iesu â phob munud a âi heibio. A'r rheiddiadur bellach yn chwilboeth, roedd Felix yn gorfod gwyro'i gorff ymlaen nes bod y gefynnau llaw yn gwasgu'n boenus, ac esgyrn ei balfeisiau'n cwrdd i grafu'n drwstan yng nghanol ei gefn. Cymysgai'r dŵr o'i lygaid, a ddeuai yn sgil y chwys oddi ar ei dalcen, â'i waed a baw ei drwyn a'i boer i ddiferu'n hylif llysnafeddog oddi ar ddibyn ei ên. Roedd ei droed yn pwmpio poen i fyny'i gorff i rythm curiad ei galon. Daeth cnoc ar y drws.

'Helo?'

Diolch ffycin byth!

Ymddangosodd pen Neville rhwng y ffrâm a'r drws. Dychrynodd yr hogyn a neidiodd ei lygaid bron allan o'i ben; trodd migyrnau ei ddwylo'n wyn wrth gydio'n dynn yn y drws ac amsugno holl ryfeddod yr olygfa o'i flaen. Chwifiodd Felix ei fysedd arno, er gwaethaf poen yr ymdrech, gan erfyn i Neville ddod tuag ato. Roedd o hefyd yn udo fel buwch drwy'r belen galed yn ei geg. Diflannodd Neville o'r golwg am eiliad cyn agor y drws led y pen a mentro i mewn i'r stafell. Nodiodd Felix sawl gwaith, yn bendant, tuag at ei arddwrn chwith a daeth Neville yn agosach gan edrych o'i gwmpas yn ofalus, ei ddwylo allan o'i flaen.

'Be tisho fi neud?' gofynnodd yr hogyn, ei lais a'i ddwylo'n crynu.

Mwmialodd Felix gan ddal i nodio a syllu ar y goriad oedd yng nghlo'r gefyn llaw chwith. Roedd yr ymgais i siarad yn gwthio'r belen yn ddyfnach i'w geg ac yn codi cyfog arno. Disgynnodd y geiniog o'r diwedd i Neville, a chydiodd yng ngarddwrn Felix wrth y gefyn a rhoi clic i'r goriad yn y clo. Agorodd y ddyfais yn ei hanner a rhyddhawyd Oswyn Felix. Gwyrodd ymlaen a thua'r ochr nes bod ei dalcen yn cyffwrdd y teils oer, a'i law rydd yn chwilio wrth gefn ei ben am ffordd o ryddhau'r rhwymyn oedd yn dal y belen yn ei geg. Ffeindiodd mai belt lledr oedd wedi'i glymu amdano, ac agorodd y bwcwl yn ddidrafferth. Poerodd y belen goch o blastig sgleiniog allan ar y llawr. Roedd y strapiau lledr du, â stỳds arian yn eu rhibinio, wedi'u mowldio y naill ochr a'r llall i'r belen. Rhyw declyn S an' M, tybiodd Felix wrth edrych i lawr arno a cheisio gweithio asgwrn ei ên yn llac. Agorodd Neville y gefyn llaw dde gan ryddhau Felix yn llwyr o'i garchar. Disgynnodd ar ei ochr yn pesychu gwaed a phoer, a'r teils oer yn teimlo'n dda ar ei foch chwyddedig.

'Neville, ti'n ffycin hîro, ti'n gwbod hynna?' dywedodd Felix cyn chwerthin yn orffwyll. Yna cofiodd am y bocs glas, a chododd yn boenus o gyflym ar ei eistedd gan fyseddu cwlwm y rhaff uchaf o'r tair a rwymai'i goesau ynghyd. 'Dos i nôl cyllall o'r gegin, 'nei di?' dywedodd gan sylwi bod y Rottweiler wedi gwneud joban dda o'i glymu. Aeth Neville i'w boced ac estyn cyllell. Edrychodd Felix yn llonydd arno am eiliad cyn dweud, 'Ti byth yn dysgu, nag w't?'

'Jest i naddu coed a byta 'fala, fel ddudist ti,' atebodd Neville gan agor y gyllell a dechrau torri drwy'r rhaffau. Syllodd Felix ar y bocs glas ar ganol llawr y bwthyn. Doedd o ddim am i Neville weld ei gynnwys, ond roedd yn rhaid iddo gael gweld beth, neu pwy, oedd ynddo. Sylwodd Neville arno'n rhoi ei holl sylw i'r bocs.

'Be sy yn hwnna?' gofynnodd gan roi'r gyllell i Felix iddo gael rhyddhau'r rhaff agosaf ato.

'Dwi'm yn gwbod. Dos i nôl diod o ddŵr i fi o'r gegin, 'nei di?'

'Be 'di'r holl fŷgs 'ma ar lawr?'

'Paid â gofyn.'

'Ma 'na rwbath yn fflôtio yn hwnna.'

'Dos i nôl y dŵr 'na, 'nei di?' dywedodd Felix eto, braidd yn flin. Cododd ar ei draed a phob cyhyr ac asgwrn yn ei gorff yn brifo. Teimlai Oswyn Felix yn gant oed. 'Sori am weiddi arnach chdi.'

'Ma'n iawn, Felix. Ti'n edrych yn ffyc'd yp.' Doedd dim golwg symud ar Neville. 'Darren Drygs 'nath hyn i chdi, ia? Am helpu fi?'

'Pwy?' Nid oedd Felix yn cofio pwy uffar oedd Darren Drygs. 'Na, 'di hyn yn ddim byd i neud efo chdi,' dywedodd yn ddiystyriol, ei feddwl ar y bocs glas. Syllai Felix mor galed ar ei dop du nes ei fod yn gallu gweld drwy'r plastig a dychmygu pen Heddwyn yn gorwedd yno, ei dafod mawr pinc yn hongian allan o ochr ei geg.

'Be sy yn hwn, ta?' gofynnodd Neville gan gydio yn y caead du a'i chwipio oddi ar y bocs cyn i Felix gyrraedd hanner ffordd trwy weiddi NA!

'Wat's widd y garreg fawr mewn bocs, Felix?' gofynnodd wedyn. A dyna oedd yna – carreg wenithfaen, arw a gwlyb, yn gorwedd yn farwaidd ar waelod y bocs glas. 'A pam ma Heddwyn yn ista yn dy gar di tu allan? O'n i'n meddwl bo' chi off i rwla. Fysach chdi 'di gallu gneud hefo'i help o, dwi'n recynio.'

Gwthiwyd Felix yn ôl ar ei sodlau gan y rhyddhad a demlai cyn disgyn i eistedd ar y soffa, ei ben wedi'i fframio gan y *coridor aur*. Dechreuodd ei lygaid lenwi â dagrau nes bod yr ystafell yn nofio fel powlen pysgodyn aur. Llifodd y dagrau'n drwchus ac yn chwerw boeth i greu lonydd glân i lawr ei wyneb.

'Pam ti'n crio? Felix? Ti'n iawn?' Roedd llais Neville yn cilio ymhellach i mewn i niwl Dwylan. 'Felix? Dwi'n mynd i ffonio ambiwlans, a'r ffycin cops.'

Cymerodd ychydig o amser i'r niwl glirio ac i Felix gymryd sylw o beth oedd Neville wedi'i ddweud. Erbyn hynny roedd y ffôn wrth glust yr hogyn.

'Rho fo i lawr!' gwaeddodd heb emosiwn.

''Dio'm yn canu,' dywedodd Neville gan edrych ar y derbynnydd yn ei law. 'Ma'r lein 'di marw.'

'Gwd,' meddai Felix gan rwbio'i foch â chefn ei law, a'i fysedd dideimlad yn teimlo'n estron yn erbyn ei groen tamp. 'Dos i nôl dy fam. Dim copars, dim ambiwlans, ocê? Neville, dwi'n siriys, ocê?'

Nodiodd yr hogyn ac edrych yn bryderus arno. 'Dim OB, dim cashiwlti, nôl Mam.'

'A dos â Heddwyn hefo chdi. Ac estyn y tocyn 'na i fi,' dywedodd wrth bwyntio at docyn, cyfarwydd yr olwg, i'r Il Campanone yn Bergamo ar y llawr. Ers iddo roi ei gefn i orffwys ar y soffa roedd Felix wedi colli pob awydd i symud.

'Be ddaru dy was d'wytha di farw ohono fo?' mwmialodd Neville wrth godi'r tocyn, gan beri i Felix wenu'n boenus. Cymerodd y tocyn ganddo a'i astudio. Pymthegfed o Dachwedd. Dydd Sadwrn. Tri o'r gloch. Llai na mis i ffwrdd. Lle ddiawl dwi'n mynd i ffeindio tri chan mil o bunnoedd mewn llai na mis, meddyliodd.

'Un peth arall,' dywedodd gan edrych i fyny ar Neville. 'Gofyn i dy fam ffonio'r Penrhyn Arms ym Mangor. Deud wrthi am ofyn am Dylan, a gofyn iddo fo ddod i lawr yma, strêt awê. 'Nei di gofio hynna, Neville?'

'Pwy ydw i – Forest Gump, mwya sydyn? Penrhyn Arms, Dylan, strêt awê.'

'Gw'lad,' dywedodd Felix, ei lygaid yn cau a'i feddwl hefyd yn suddo fel llong danfor i ddüwch dyfroedd anymwybod.

Æs debĭtōrem leve, gravius inimīcum facit

Mae dyled bitw yn creu dyledwr, a dyled fwy
yn creu gelyn

'CROESO 'NÔL, Rip Van Winkle,' meddai Karen, ei hwyneb wedi'i oleuo'n las llachar gan sgrin y cyfrifiadur. 'Jyst tshecio'n loteri nymbyrs; 'beithio bod chdi ddim yn meindio.'

Gorweddai Felix ar wely'i dad ar lawr isaf Cefni, ei gefn yn pwyso ar lechwedd o obenyddion. Roedd Heddwyn wrth ei ochr a'i ben yntau'n gorffwys ar ei stumog yn edrych i fyny arno'n ddwys a chysglyd. Teimlai tu fewn i geg Felix fel pe bai dwy gath fenthyg wedi bod yn ymladd yno cyn i rywun ei stwffio'n llawn o wadin. Roedd ei lygad dde'n boenus, ond roedd ei olwg yn glir a chywir. Daeth y digwyddiadau diweddar yn ôl i'w feddwl mewn un llif o ddelweddau hyll. Rhoddodd ei law yn dyner ar ben Heddwyn gan edrych ar y rhwymau gwyn o gwmpas ei droed chwith a'i arddyrnau. Dechreuodd ddweud rhywbeth, ond roedd ei dafod a'i lwnc yn sych fel hen dorth.

'Disgwl am funud,' meddai Karen gan godi ac estyn gwydraid o ddŵr oddi ar y ddesg iddo.

Cymerodd Felix lymaid a dechrau tagu'n nerthol, gan yrru Heddwyn oddi ar y gwely. Deffrodd hyn bob math o boenau ynddo wrth i'w gyhyrau ymestyn a churodd Karen ef yn ysgafn ar ei gefn noeth.

'Ma hynna 'di rhoi lliw ar dy focha di, eniwê,' dywedodd gan eistedd ar erchwyn y gwely. 'W! Ma hwnna'n dal yn gynnas,' meddai hi wedyn am fan gorffwys blaenorol y ci.

'Ers faint dwi'n cysgu?' gofynnodd Felix gan godi'i law i fyny i deimlo'r graith uwchben ei lygad dde. Gallai deimlo cwpwl o bwythau'n crafu'i fysedd. Edrychai'r cyrtans ar yr ochr draw i'r stafell yn lliw hufen afloyw. Roedd hi un ai'n dywyll tu allan, neu roedd y niwl yn waeth fyth.

'Ma hi'n nos Fawrth, Felix. Ti 'di bod yn cysgu am . . .' Edrychodd Karen Milward ar ei horiawr, '. . . ddau ddeg wyth, a chydig, o oriau. Wel, dwi'n deud cysgu. Oeddach chdi 'fatha dyn ddim yn gall am sbel. Oedd Dylan 'di gorfod ista arnach chdi, mwy na heb.'

''Dio yma?'

'Dylan? Nac 'di. A'th o'n ôl neithiwr, ar ôl i chdi setlo. Ti'sho panad neu rwbath?'

Gwelodd Felix glustiau Heddwyn yn codi'n sydyn wrth iddo glywed Karen yn dweud ei hoff air, a chwarddodd yn ddistaw â'i asennau'n achosi gwewyr. Ysgydwodd ei ben ar Karen.

'Be sy mor ffyni?'

Ysgydwodd ei ben arni eto a dechrau tagu chwerthin.

Wrth iddo wyro ymlaen, disgynnodd y flanced i lawr ei gorff hyd at ei gesail a chafodd Felix gip ar ei glun noeth. Edrychodd yn swil ar Karen.

'Dim fi 'nath dynnu dy ddillad di, os 'na dyna ti'n ofyn.'

'Dyl?'

'Dim fi 'nath y pwytho 'na chwaith. Na rhoi'r bandejys am dy droed a dy dd'ylo di. Dy ecs di – Mair, ia?'

'Ecs?' dywedodd Felix, gan feddwl ei bod hi wedi camddeall eu perthynas.

'Y nyrs, Mair o Fangor. Bai ddy wei, ma hi 'di darfod hefo chdi, Felix. Er, ma hi'n cyfadda na matar o'r holl beth yn mynd capŵt oedd o mewn gwirionedd. Chwara teg iddi am patshio chdi fyny hefyd, ti'm yn meddwl?'

Hang on, meddyliodd Felix gan wgu arni, be sy'n mynd mlaen yn fama?

'Ocê,' dechreuodd Karen, gan fownsio unwaith, ddwy ar ymyl y gwely, 'dyma sy 'di digwydd ers i chdi fynd yn dilîriys. Pan gyrhaeddis i yma, oeddach chdi'n fflat awt. 'Nes i llnau chydig ar dy friwia di ac aros i dy ffrind di, Dylan, gyrradd. Roedd o'n gwbod llai na fi hyd yn oed am be uffar sy'n mynd mlaen. Wedyn dyma chdi'n deffro ac yn dechra siarad dwlali, a chwifio dy dd'ylo o gwmpas y lle fel Magnus Pike.'

'Ti'n rhy ifanc i gofio Magnus Pike,' dywedodd Felix, ac yntau heb glywed yr enw ers degawdau.

'Rwbath oedd Nain yn arfar ddeud. Eniwê. Dyma Dylan yn ca'l chdi drwadd i fama a stwffio chydig o dabledi i lawr dy gorn gwddw di. Wedyn, hei presto, ar ôl deg munud o wrando arna chdi'n mwydro am benna hyll, a'r Maffia, a bob math o sothach am thri hyndryd thawsynd pawnds, dyma chdi'n crashio.'

'A sut ma Mair yn dod i fewn i hyn i gyd?'

'Ocê, so ma Dylan yn gadal a dwi'n aros yma. Doedd o ddim yn lecio golwg y cỳt 'na dros dy lygad di, so oedd o am drio ca'l rhywun i gael golwg arno fo. Bora 'ma wedyn, a fi newydd ddod allan o'r gawod i fyny'r grisia – dau funud o'n i, gobeithio bod chdi ddim yn meindio – dyma noc ar y drws. Es i i'r ffenast llofft efo tywal rownd 'y nghanol . . .'

'Mair?'

'Iyp, didyn't lwc gwd, timbo? Beth bynnag, tw cỳt e long stori. Dyma fi allan yn gwisgo dim byd ond y tywal 'ma ac yn 'i dal hi jest cyn iddi ddreifio off. Ma rhaid 'i bod hi 'di cymryd piti drosta i neu rwbath. Hogan neis, rili del. Wel, 'nath hi neud uffar o thyry job ar llnau chdi a trwshio dy friwia di, a rhoi jab i chdi a pob dim. Wedyn dyma hi'n holi fi amdan sut dwi'n nabod chdi a petha – lot o gyrl tôc, ti'n gwbod. Wedyn dyma hi'n edrych arnach chdi'n gorfadd yn fanna am hir, ei gwynab hi'n rili trist, 'fatha bod chdi 'di marw neu rwbath. Wedyn dyma hi yn mynd i'w phwrs ac yn rhoi hwn i fi.' Tynnodd Karen oriad y Penrhyn Arms allan o boced ei thrywsus. 'Deud 'tha fi roi o i chdi a deud bod y cwbwl drosodd. Sori, Felix.'

Cymerodd Felix y goriad gan ei fyseddu, ei feddwl yn bell. 'Dyl ddaru'i gyrru hi 'ma felly, ia?'

'Ia, oeddach chdi'n mwydro bod rhaid i chdi gael siarad hefo rhyw Lyn, neu rywun. 'Nath o ffonio gynna, bai ddy wê.'

'Pwy, y Llyn?'

'Llyn? Naci, Dylan. Gofyn sut oeddach chdi.'

'Ffrind i fi 'di'r Llyn. Tegid Lewis, y Llyn ma pawb yn 'i alw fo. Mae o'n gneud synnwyr pan ti'n 'i gyfarfod o,' dywedodd Felix wrth weld y dryswch yn llygaid y ddynes fechan dlos a eisteddai ar waelod ei wely.

'Dwi'n edrych mlaen, felly. Feri enigmatig,' meddai gan chwifio'i dwylo agored bob ochr i'w hwyneb, a gwenu. Yna diflannodd y wên a gofynnodd, 'Be ddigwyddodd yn fama ddoe, Felix? Pwy 'nath hyn i chdi?'

'Fi a'r Llyn 'nath neud ffafr â rhywun a ddaru hynny landio ni ynddi braidd. Wedyn, dwi 'di ca'l dysgu ngwers ac ma'r cwbwl drosodd hefo rŵan,' dywedodd Felix gan synnu'i hun bod ei gelwydd yn swnio mor ddiffuant.

'A 'di'r boi 'ma, Llyn, 'di dysgu'i wers hefyd?'

'O! Coelia di fi, Karen, ma'r Llyn 'di cha'l hi dipyn gwaeth na fi. Ella bod 'na ddim byd i'w weld ond mae o 'di cha'l hi hefyd.'

'Mmmm. 'Nath dy chwaer di ffonio bore 'ma, hefyd. Helen, ia? O'dd hi 'bach yn sych.'

'Betia i chdi bod hynna'n yndyrsteitment,' meddai Felix yn ddirmygus.

'Yndi mae o,' chwarddodd Karen. ''Bach o'r thyrd digrî. Pwy dw i? Be dw i'n neud yma? Lle wyt ti?'

'Be ddudest ti?'

'Bo' fi'n llnau'r tŷ – sy'n wir, bai ddy wê, os 'nei di edrych drwodd yn fanna. A bod chdi'n dal yn dy wely, 'di ca'l noson fawr neithiwr, sy *hefyd* yn wir.' Plygodd ei phen gan wenu'n llydan arno.

'Grêt, diolch am hynna. Dwi'm yn gallu suddo llawer yn is yn 'i meddwl hi, beth bynnag – dim bo' fi'n gif y ffyc, cofia.'

'Dach chi ddim yn chwara hapi ffamilis?'

'Dim rili'n steil fi, Karen,' dywedodd Felix gan ddechrau tynnu'r rhwymau oddi am ei arddyrnau. Roedd o'n casáu'r ffordd roedden nhw'n edrych – fel pe bai o wedi ceisio lladd ei hun neu rywbeth sinistr felly. 'Sut ma Neville? 'Dio'm yn diodda o PTSD na ddim byd ar ôl ddoe, gobeithio?'

'Mae o 'di diodda gwaeth na hynna'i hun, Felix. A'th o â Heddwyn am dro hir pnawn 'ma, ar ôl dod adra. Oedd o'n poeni amdanach chdi bora 'ma, cofia. Ddim isho mynd i'r ysgol.'

'A' i i weld o cyn mynd, 'li. Pasia'n jîns i, 'nei di?' Rhwbiodd ei arddwrn dde biws â'i fysedd a phwyntio tuag at ei ddillad, oedd ar gefn cadair wrth droed y gwely.

'Ti'm yn mynd i 'nunlla heno, Felix. No wei!' mynnodd Karen gan godi a hel ei ddillad yn fwndel blêr yn ei breichiau. Aeth allan o'r stafell a Heddwyn wrth ei sodlau.

'Karen, siriys, ty'd â nhw'n ôl, 'nei di? Karen!' Eisteddodd Felix yn ôl yn erbyn y twmpath o obenyddion ac aros am ychydig, rhag ofn y byddai'n newid ei meddwl. Yndi, ma hynna'n mynd i ddigwydd, Felix!

Meddyliodd, wedyn, am Ernie Boyd a ddienyddiwyd fel rhyw wystl o'r Dwyrain Canol. Y Rottweiler dienaid, digyffro. Bastad o ddyn. Ond, chwarae teg, roedd Dyn y Clochdy wedi'i rybuddio. Ei bres o oedd o. A Felix oedd wedi'i golli. Felly doedd dim ots, yn y bôn, pam na sut y diflannodd y pres o'i afael. Fo oedd wedi'i golli. Tri chan mil o bunnoedd. Roedd y pres yn edrych mor ddeniadol ar sêt gefn y Golf, pan oedd o'n gyrru o'r maes awyr, ond erbyn hyn, roedd yr esgid ar y droed arall. Sut ydw i'n mynd i ffeindio tri chan mil o bunnoedd mewn llai na mis?

'Reit, MOT bach sydyn,' meddai dan ei anadl. Dechreuodd gan ystwytho'r cric yn ei wddf a darganfod nad oedd yn rhy ddrwg. Troellodd ei arddyrnau cleisiog bob sut, yn ara deg. Ychydig yn sôr, ond dim problem. Symudodd y flanced, wedyn, cyn troi ei goesau allan o'r gwely a chydio yn y gynfas wen wrth ei genitalia. Teimlai ei droed rwymedig yn ymateb i bwysau disgyrchiant gan ddyrnu'n boenus, yn un clais mawr chwyddedig, ac yn rhybudd iddo beidio meiddio â'i rhoi ar y llawr. Anwybyddodd y neges gan ddifaru'n syth wrth i'w droed gyffwrdd â'r carped. Roedd fel glanio ar blât trydanol, a'r boen yn saethu'n folltau o egni cinetig i fyny'i goes chwith.

'JISYS Ffycin . . .' Gwasgodd ar ei ddannedd aur er mwyn atal y melltithio, ond roedd Karen yno mewn fflach.

'Be ti'n neud, ffŵl gwirion?'

Gwenodd Felix arni'n pathetig. 'Mae o'n ocê rŵan. Unwaith ma'r droed ar lawr.' Edrychodd i lawr ar y gynfas yn cuddio'i swildod. 'Ga i drôns gin ti, o leia?'

'Lle ti'n mynd, Felix? Be sy mor bwysig? A sut ti'n mynd i ddreifio i 'nunlla os ti methu codi allan o dy wely hyd yn oed?'

'Dwi'n iawn 'ŵan, onest. Helpa hen ddyn allan, 'nei di?'

'Lle tisho mynd, Felix?'

'Bangor, jyst i'r Penrhyn.'

'I be?'

'Os 'di'r Llyn yn troi i fyny, i fanna eith o gynta, ocê? A dwi angen siarad hefo fo'n go handi.'

'Pam felly? Ddudist ti gynna fod yr helynt 'ma dach chi ynddo fo, drosodd hefo.'

'Yndi a nacdi,' dywedodd Felix gan ddifaru dweud celwydd ynghynt. Roedd o'n un gwael am ddilyn trywydd cywir ei gelwyddau'i hun.

'Na' i ddreifio chdi ta. Bigwn ni Neville i fyny ar y ffor'.'

Syniad da, ac uffernol o wael, meddyliodd Felix. 'Iawn, grêt. Ga i 'nillad rŵan, plis?'

Fiat lux

Bydded goleuni

ALLAN O'R NIWL ym Mhen-y-groes. Felix a Karen yn y
seddi blaen, Karen yn gyrru. Heddwyn tu ôl i'r dreifar a
Neville wedi'i stwffio'n anghyfforddus y tu ôl i Felix a'i
sêt yntau wedi'i gwthio reit yn ôl. Art Tatum, wedyn, yn
chwarae 'Cocktails for Two' ar yr iPod.

"Di'r boi 'ma ddim yn gallu chwara'r piano, hyd yn
oed,' dywedodd Neville, yn y diweddaraf mewn rhestr o
sylwadau bychanol, â chewri'r byd jazz ar *shuffle*. Roedd
Felix wedi'u hanwybyddu, ond wedi chwerthin yn dawel
bach ar ambell un. Chwedl Neville, roedd Coltrane yn
swnio fel tasa rhywun yn tshecio prostad eliffant ar
heliwm.

Roedd Felix wedi llyncu cwpwl o dabledi oedd yn
weddill o foddion Rhydian – oxycontin ac oxycodone
– cyn gadael Cefni, ac roedd y rhain, ynghyd â'r niwl a'r
tywyllwch, wedi'i roi mewn breuddwyd. Nofiai ei ben fel
bwi ar fôr llonydd. Bellach roedd y byd yn ailymddangos
wedi'i oleuo'n oren gorwych, ac yn taflu cysgodion o
siapiau aflonydd, anferth. Caeodd ei lygaid.

Invĭdiâ Sicŭli non invenêre tyranni
Majus tormentum

Ni ddyfeisiwyd dim gan y gormeswyr Sisilaidd
sy'n fwy o artaith na chenfigen

YN AMLWG, roedd y cyffuriau'n gryfach nag y meddyliodd
Felix na Karen erioed. Cofiai Felix ei hun yn ymladd i
geisio deffro wrth i Dyl Mawr a Neville ei hambygio
a'i hanner llusgo o'r Golf ac i mewn i'r Penrhyn drwy'r
cefn a chyfarth Heddwyn fel sŵn rhuthr y tonnau wrth
i ddyn blymio i'r môr. Agorodd ei lygaid eiliadau'n
ddiweddarach, a chael ei ddallu gan olau dydd yn las
llachar, drwy ffenest ei fflat uwchben y dafarn. Gorweddai
Felix ar ei gefn ar y soffa, ei droed chwith rwymedig
wedi'i chodi ar bentwr o glustogau bach. Er bod un o
flancedi gwlân ei nain wedi'i lapio drosto, roedd Felix
yn dal i wisgo'i ddillad. Clywai dwrw rhochian, yn dilyn
rhythm ei anadl, a meddyliodd Felix ei bod hi'n od ei fod
o'n chwyrnu er bod ei anadl i'w theimlo'n llifo'n rhydd o'i
ysgyfaint. Yna sylwodd ar ffynhonnell y sŵn – Heddwyn
yn gorwedd ar ei ochr ar y rŷg Persiaidd, yn cysgu'n
drwm. Edrychodd ar ei oriawr, a oedd yn sgathriadau
hyll ar ôl rhwbio'n ddiddiwedd yn erbyn y gefynnau

llaw. Bron yn ddeg munud i wyth. Roedd deuddeg awr wedi mynd ers iddo lyncu'r tabledi.

Be uffar oedd yn rheina, meddyliodd gan ysgwyd ei ben yn stiff a sydyn, mewn ymdrech i'w glirio.

Clywodd sŵn traed y tu ôl iddo a gwyrodd ei ben tuag yn ôl i weld y Llyn yn cerdded i lawr y coridor o'r gegin gefn yn cario mŷg ac yn troelli llwy ynddo.

'Wel, wel! Mae'r Ffrij Ffycyr yn ei ôl,' dywedodd y Llyn gan ddeffro Heddwyn, a hwnnw'n cyfarth ei hanner cyfarthiad cysglyd.

'Llyn,' meddai Felix yn ysgafn, heb ddatgelu pa mor uffernol o falch oedd o o'i weld.

'Dyna ma Mags yn galw chdi byth ers i chdi switshio'r plwg 'na i ffwrdd. Ffrij Ffycyr. Dim yn rhwbath ti isho ar dy garreg fedd, nac 'di? Tisho panad? Ma 'na goffi.'

Roedd Felix yn ymwybodol o'i lysenw newydd. Ond ar ôl glanhau'r hunllef anhygoel o ddrewllyd o'i oergell, mi fysa Mags Weiwei'n cael ei alw'n be uffar liciai hi, cyn belled ag yr oedd Felix yn y cwestiwn. 'O lle ddest ti, ta?' gofynnodd gan ddylyfu gên yn rhodresgar, a'i law yn cysgodi'i lygaid.

'Hwda,' dywedodd y Llyn gan luchio Ray Bans ar ben y flanced. 'Dwi yma ers neithiwr. Sioned 'di tecstio fi, deud dy fod ti mewn ryw draffath. Neb yn gwbod be yn union.'

Gwisgodd Felix y sbectol haul. Dyna welliant, meddyliodd, wrth godi i eistedd ar y soffa. Cariad Dyl Mawr oedd Sioned, ac un o ffrindiau gorau'r Llyn. Roedd ei droed chwith wedi stopio pylsio a dechreuodd dynnu'r rhwymyn yn syth ar ôl ei rhoi hi ar y llawr. 'Ti'n gwbod be ddigwyddodd, yn dwyt? Neu ti'n ama' bod chdi yn.'

'Yr Eidalwyr,' dywedodd y Llyn.

'*Très bien*,' meddai Felix.

Nodiodd y Llyn ei ben arno cyn dweud, 'Heblaw 'na Ffrangeg 'di hynna. *Molto bene* ti'n trio'i ddweud.'

'Dwi'n trio, 'dydw?' dywedodd Felix wrth grafu'r tâp gludiog oddi ar y defnydd.

'Trio a methu, wyt ti Felix? Ynta'n methu â thrio?'

'Beth bynnag, Confucius. Rho joch o rwbath yn y coffi 'na i fi, a gei di'r hanes i gyd. Lle ma Karen a Neville?'

'Y ferch 'na oedd hefo chdi neithiwr? Oedd hi wedi mynd 'nôl i Dwylan erbyn i fi gyrraedd, medda Dyl. 'Di mynd â dy gar di hefyd, a gadael Heddwyn i watshiad ar dy ôl di, 'li.' Roedd y Llyn wedi bod yn codi'i lais gan grwydro drwodd i'r gegin a gweiddi siarad arno. 'Lle ti'n cadw dy wisgi?'

Dechreuodd Felix weiddi'n ôl, 'Jyst ty'd â'r ban . . .' Ond doedd o ddim yn barod am hynny eto, a'r geiriau'n atseinio yn ei ben fel pe bai mewn eglwys gadeiriol. Cododd y rhwymyn olaf oddi ar ei droed i ddatgelu cleisiau amryliw fel enfys, oedd yn mynd yn oleuach y pellaf yr aethant i ffwrdd o'i fysedd. Roedd un plaster pinc yn cuddio'i fys canol, a hwnnw'n ddu borffor yn ei ganol lle roedd y gwaed wedi hidlo trwodd.

'Be ddudes . . . ?' Stopiodd y Llyn wrth ddod yn nes a gweld troed ei ffrind. 'Damia! Be ddigwyddodd yn fanna?'

'Chydig bach o syrjyri heb anysthetig,' dywedodd Felix gan edrych i fyny ar y cawr. 'Ma 'na botel o JB yn y ddesg, fanna. Paid â bod yn swil.'

'Be oedd y pwynt?' gofynnodd y Llyn. 'O'n i wedi esbonio'r twyll iddyn nhw. Bob dim, heblaw am enw'r ferch, yn amlwg. Doedd dim rheswn iddyn nhw ddod ar dy ôl di. Ernie Boyd, ella. Ond dim chdi, Felix, dim rheswm o gwbl.'

'Fi gafodd y pres. Fi oedd yn gyfrifol am y pres. Ernie beintiodd y llun. Fo oedd yn gyfrifol am y con. Fo gollodd 'i ben.'

'Be ti'n feddwl? Ti 'di siarad hefo'r hen gwdyn 'na, eto wedyn?'

''Di weld o, dwi ddim 'di siarad hefo fo. Mae o 'di colli 'i gorff dduda i ta. Ma hynna *yn* fwy cywir, wedi meddwl am y peth.'

'Am be wyt ti'n fwydro, Felix?' dywedodd y Llyn gan osod mỳg o goffi yn llaw Felix, ac oglau melys, sur ac alcoholaidd yn llifo'n feddwol allan ohono.

'Dau foi, y ddau o'r maes awyr yn Milan, yn jympio fi yn Cefni. Handcyffio fi i'r reidieityrs a dangos pen Victor – Ernie, beth bynnag tisho'i alw fo – i fi mewn bocs plastig. Wedyn, chydig bach o tôrtshyr a drama.' Pwyntiodd Felix at ei ben a'i droed. 'Wedyn dyma nhw'n gadal ac yn mynd â pen Ernie Boyd hefo nhw. Gadal fi hefo tocyn arall i'r ffycin Camp-a-no-ne 'na'n Bergamo, a gorchymyn i fynd yn ôl yna, hefo'u tri chan mil nhw, mewn mis.' Chwythodd Felix ar ymyl ei fŷg cyn cymryd llymaid swnllyd o'r hylif du, poeth.

'Laddon nhw Ernie Boyd?' holodd y Llyn a golwg ddryslyd ar ei wyneb.

'Dwi'n cymryd eu bod nhw wedi. 'Nath nhw tshiopio'i ben o off, beth bynnag, a'i gyflwyno fo wrth 'y nhraed i, a finnau wedi 'nghroeshoelio i'r reidieityr fatha ryw lo-rent Iesu Grist,' meddai Felix wrth chwarae ag ymylon y plaster pinc.

''Dio'n brifo?' gofynnodd y Llyn gan eistedd a llenwi'r gadair jazz, hoff gadair Felix, a'i wynebu.

'Be? Cael rhwygo dy ewin allan gan seicopath llwyr? Be *ti'n* feddwl? Un o'n hoff winadd i oedd hwnna, hefyd. Wel, yn y top twenti, beth bynnag,' dywedodd yn ysgafn cyn eistedd 'nôl ar y soffa'n nyrsio'i baned.

'Adda oedd Ernie Boyd, felly,' dywedodd y Llyn.

'Adda? Pwy 'di Adda? Victor, Ernie, Adda? Pwy 'di Adda?'

Gwyrodd y Llyn ymlaen yn y gadair jazz, ei beneliniau ar ei bengliniau a'i ddwylo fel rhawiau wrth ei glustiau.

'Yn eiconograffi y Gatholigiaeth Rufeinig, dyna ble croeshoeliwyd Crist. Wrth ymyl bedd Adda, neu Adam, y pechadur gwreiddiol. Mi weli di ei benglog o, Adam hynny yw, wrth droed y groes ym mhob portread o'r croeshoelio o gyfnod y Dadeni ymlaen, bron. Chdi oedd Crist ac Ernie Boyd oedd Adda, y pechadur gwreiddiol.'

'Ti 'di colli fi, rŵan,' dechreuodd Felix. 'Ti'm yn trio deud bod nhw wedi ail-greu rhyw fersiwn ffycd-yp o'r crwsyfficshyn yn stafell ffrynt Cefni, hefo fi yn stario fel Iesu Grist?'

'Wrth gwrs, mae modd darllen gormod i mewn i bethau weithiau,' cyfaddefodd y Llyn a phwyso 'nôl i fwced y gadair.

Ar ôl cyfnod hir o ddistawrwydd gofynnodd y Llyn, 'Glywist ti 'rioed am y tarw pres, Felix? Neu'r tarw Sisilian fel oedd rhai'n ei alw.'

'Naddo fi, be oedd o? Rhyw stŷd anhygoel?' gofynnodd Felix gan roi ei droed amryliw i orffwys ar gefn Heddwyn ac yntau'n cysgu eto.

Ysgydwodd y Llyn ei ben.

'Bocsar ta?' cynigiodd Felix wedyn.

'Dwy fil a hanner o flynyddoedd yn ôl, reit, pan oedd y Groegwyr yn rhedeg petha yn Sisili, cafodd y teirant 'ma – Phalaris, cythral brwnt go iawn – bresant go wahanol gan weithiwr pres enwog o Athen o'r enw Perillos. Tarw 'di neud o bres, a'i wddw hir wedi'i gerflunio'n wych ac yn estyn i fyny am yr awyr fel tasa fo'n rhuo'n braf mewn rhyw gae.'

'Be, solid bras? Tarw ffwl-seis wedi'i neud allan o solid bras?'

'Wel na! Roedd 'na ddrws yn ochr y bwystfil 'ma, a gwagle tu mewn. Dyma Perillos yn esbonio i Phalaris mai dyma'r lle gorau i roi ei elynion. Ar ôl stwffio'r person anffodus i fol y bwystfil a chau'r drws ar ei ôl, y peth nesa i'w wneud oedd cynnau tân mawr o dan fol y tarw.'

'Blydi 'el.' Crebachodd wyneb Felix wrth ddychmygu'r olygfa.

'Ma petha'n gwaethygu. Wrth i'r anffodusyn rostio'n fyw ym mol y tarw, esboniodd Perillos ei fod wedi rhoi pibellau cain yn ffroenau'r tarw er mwyn troi twrw sgrechian erchyll y dioddefwr yn sŵn udo dwfn a swynol – fel tarw'n brefu.'

'Ti'n tynnu 'nghoes i?' meddai Felix, a'i wyneb yn ystumio bob sut.

'Ar fy llw.'

'Ac oedd y Polaris 'ma'n iwsio'r popty pobol 'ma?'

'Phalaris. Yn ôl y sôn, y cynta i'w roi ym mol y bwystfil oedd Perillos, y gweithiwr pres, gan fod hyd yn oed *Phalaris* wedi cael ei ddychryn fod dyn yn gallu dyfeisio'r ffasiwn erchyllbeth hyfryd. A phwy oedd yr ola i ga'l 'i stwffio i fol y tarw, Felix?'

'Gan bod chdi'n gofyn, a gan mai dim ond dau gymeriad sy yn y stori, gymera i stab in ddy darc – Polaris?'

'Phalaris, Felix. Ond cywir! Da iawn ti.'

Syllodd Felix arno'n ddi-wên a'i lygaid yn drwm. Cystal â dweud, paid â 'nhrin i'n nawddoglyd, mêt.

'Cafodd Phalaris y teirant ei losgi'n fyw yn y tarw gan y criw nesa i oresgyn yr ynys. A dyna fo i chdi, Oswyn Felix, fy ffrind bach dioddefus – hanes y tarw pres.'

Gorffennodd Felix ei baned cyn dweud, 'Tydi dyn dim yn haeddu byw ar y blaned hyfryd hon, nac 'di?'

'Efallai ddim, efallai ddim.' Tynnodd y Llyn sigarét

denau allan o boced ei grys a'i dal i fyny i Felix gael ei gweld, gan godi'i aeliau'n gomig.

'Braidd yn fuan, ti'm yn meddwl?'

'Neith les i chdi, siŵr iawn,' meddai wrth fynd i boced ochr ei siaced ac estyn taniwr bach plastig. Y rhata yn y siop, siŵr o fod, meddyliodd Felix, gan ei fod o'n eu colli nhw drwy'r amser. Taniodd flaen pigog y sigarét a llenwodd y Llyn ei ysgyfaint. Gwyrodd y ddau ymlaen i gyfarfod yn y canol i drosglwyddo'r sigarét lysieuol. Tagodd y Llyn wrth i'w eiriau ddod allan ymysg cwmwl o fwg tenau, 'Ti'n gwbod be dwi 'di bod yn neud dros y pythefnos dwytha 'ma?'

'Crio, cuddio, sylcio, ffwcio, wancio? Y io's i gyd. Dwi'n agos?'

'Rhai o'r rheini. Ond yn benodol, dwi wedi bod yn gwireddu'n asedau. Pan yrrais i'r llun 'na at yr Eidalwyr mi ges i'r syniad, wrth siarad efo nhw ar y ffôn, nad oedd pethau ar ben. Bysa raid talu o leia rywfaint o'r pres yn ei ôl.'

'Oeddan nhw'n coelio chdi, pan 'nest ti esbonio'r hanes?'

'Heb os. Ond hefyd, fel ddudist ti, ni oedd yn gyfrifol am y pres.'

'*Fi* gymerodd y pres,' cywirodd Felix.

'Beth bynnag, y pwynt ydi – does ots be ti'n ddeud, fi sy'n gyfrifol am y mès 'ma. Fy nhwyllo i oedd bwriad y ferch, fy mrifo i. Difrod ystlysol wyt ti a Ernie 'di ddiodda.'

Edrychodd Felix arno'n syn.

'Colatyryl damej, Felix.'

Cododd y tafarnwr ei fys ac agor fymryn ar ei geg, heb ddweud dim.

'Ond, dyma'r newyddion drwg. Ar ôl dros ugain mlynedd o newyddiadura, fedra i ddim casglu mwy na chwe deg naw mil, wyth gant o bunnoedd. Ac efallai deg arall o fenthyciad gan y banc, os dwi'n lwcus.'

'Be am y fflat yn Llundain? A'r tŷ yng Nghaerdydd?'

'Rhentio dwi yn Llundain, ac mae'r morgais yn fwy na gwerth y tŷ'n y Rhath. Does 'na'm ceiniog o gyfalaf ynddo fo.'

'O,' meddai Felix gan ddechrau crafu'i ddannedd aur â gewin ei fys uwd.

'Ac mae hynny o bensiwn oedd gynna i wedi mynd yn ffliwt pan a'th y banciau i lawr yn Ne America llynadd. Dyna i ti beth oedd cyngor ariannol gwych,' dywedodd y Llyn yn sarcastig.

'Faint ti 'di golli, ti'n gwbod?' gofynnodd Felix gan wingo.

'O'n i 'di buddsoddi'r rhan helaeth yn yr Ariannin a Chile, a fanna sydd, wrth reswm, wedi'i chael hi waetha. 'Dio'm werth ffracshiwn o'r cyfranddaliadau gwreiddiol. Dwi wedi rhoi o leia tri chant a hanner i fewn, a dwi ofn edrych faint mae o werth heddiw – canran fechan o hynna, siŵr o fod.'

'Aw.'

'Aw, yn wir. Ond ta waeth. Hen newyddion 'di hynny,

a ti byth yn gwbod, efallai newidith petha cyn bo hir. Fel
'na ma petha parthed fy sefyllfa ariannol i. Felly 'dan ni
ryw ddau gant ac ugain, efallai tri deg, yn fyr.'

'Dwi'm wedi cael cyfle i stydio fy mhortffowlio'n fanwl
eto, nac wedi ymgynghori â 'nghyfrifydd, ond mi fedra
i gadarnhau i chdi rŵan bo' fi werth nesa peth i ffyc ôl,'
meddai Felix gan drosglwyddo'r sigarét i'w ffrind. 'Ond
mae'r llyfra 'na gynna i. Ma'r rheina werth ceiniog neu
ddwy – neu dair, medda chdi.'

'Odyn glei!' dywedodd y Llyn, cyn cofio'r rheol ac
ystumio'i wyneb wrth godi'i law mewn ymddiheuriad.
'Dwi'n nabod rhyw foi, David Prebble, dyna'r oll mae o'n
'i wneud. Delio mewn hen lyfrau prin. Prynu a gwerthu.
Gwbod 'i stwff yn well na neb. Mae o'n byw ym Mharis,
ond mi neith o deithio i unrhyw le i edrych ar gasgliad
go lew.'

'Fydd rhaid iddo fo dalu cash,' meddai Felix.

'Fydd o wrth ei fodd, gei di gynnig cymaint yn llai
gynno fo o'r herwydd.'

'Dwi'm yn dallt.'

'Wel, os wyt ti'n mynnu cael dy dalu efo arian parod,
mae hynna'n golygu dy fod am osgoi talu trethi ac efallai
am guddio'r arian oddi wrth bartner, boed yn wraig
neu'n bartner busnas. Beth bynnag, ti ddim o reidrwydd
yn gwbwl lejít os ti'n mynnu cael arian parod, ac o'r
herwydd fysa Prebble yn rhoi cynnig cymaint â hynny'n
is i chdi am y llyfrau.'

'Faint yn is?'

'Gawn ni weld, os wyt ti am iddo fo ddod draw.'

'Faint ti'n meddwl ma'r llyfra 'ma werth?' gofynnodd Felix gan chwifio'i law yn ara deg i dynnu sylw'r Llyn at y dwsin a mwy o focsys cardbord a safai'n un rhes yn erbyn wal yr ystafell.

Cymerodd y Llyn fygyn olaf ar y smôc cyn rhoi ei ben yn ôl i syllu ar y nenfwd. Ymhen ychydig, rhyddhaodd y mwg o'i ysgyfaint a thagu'n fyr cyn dweud, 'Dwi'm yn arbenigwr, ond mae hwnna'n gasgliad o faint – tri chant o lyfrau?'

'Mwy,' atebodd Felix. 'Dau gant ac ugain o'r rhai Americanaidd. Dau gant a deg o rai Saesneg, o Loegr felly.'

'Ocê, felly dwi'n deud 'tha chdi rŵan bod y rhai American yn werth o leia can mil o bunnoedd.'

'Cer o 'ma!'

'Prisiau siop dwi'n feddwl. Efallai hanner can mil arall am y lleill, os dwi'n bod yn geidwadol.'

'A be ti'n feddwl fysa'r Prebble 'ma'n 'i gynnig?'

'Hanner hynna tasa chdi'n fodlon cymryd siec – efallai ychydig yn fwy, os tasa fo'n gweld rhywbeth 'dan ni 'di fethu. Tydi o ddim yn ddyn drwg, ti'n gwbod. Dyn busnas ydi o. Fydd o 'di gwerthu hanner y llyfra 'na, a 'di ca'l 'i bres yn ôl, o fewn wythnos.'

'Felly, cash, ti'm yn disgwyl iddo fo gynnig llawer mwy na, be? Hanner can mil? Dyna ti'n ddeud?'

Nodiodd y Llyn arno gan godi'i ysgwyddau llydan a gwneud i'w wddf ddiflannu fel tasa fo'n iâr yn clwydo. 'Ti am i fi fynd ar ei ôl o?'

''Sa'm dewis, nag oes. Rhaid i ni gymyd be 'dan ni'n ga'l.'

''Dan ni'n dal yn bell o'r nod yn fama. 'Dan ni'm hanner ffordd eto,' meddai'r Llyn, gan suddo'n is yn ei gadair nes bod ei ben-ôl yn hongian dros yr ymyl.

'Un peth ar y tro – ffonia di'r Prebble 'ma, a gofyn pryd fedrith o ddod i'n gweld ni. Un peth sy'n saff i chdi, dwi ddim isho endio i fyny hefo 'mhen mewn bocs, felly fydd raid i ni siapio hi'n go handi.' Cododd Felix yn drafferthus o gloff ac anelu am ei ystafell wely. Chwiliodd yng ngwaelod ei wardrob cyn dychwelyd i'r stafell fyw yn gwisgo sandalau am ei draed. 'Sut dywydd mae hi'n neud?'

'Tydi hi ddim yn dywydd sgidia Iesu Grist. Tua phump, saith gradd selsiws os ti'n lwcus.'

'Wel, fedra i ddim gwisgo ddim byd arall. Lwc awt neb os 'dan nhw'n sathru ar 'y modia i, dyna'r oll dwi'n ddeud.'

'Ma 'na ddigon o bobol wedi bod yn gneud hynna'n barod yn ddiweddar, does?'

'Tydi o ddim yn iawn, be 'nathon nhw i'r Ernie Boyd 'na. Dim 'ntôl.' Rhwbiai Felix ei arddwrn dde â'i law chwith. 'Hen ddyn, fel 'na.'

'Well bod o 'di chal hi na chdi,' meddai'r Llyn gan godi a rhoi llaw anferth ar dop pen Felix a drysu'i wallt gwyllt am eiliad. 'Dwi'n gorfod gweithio tipyn dros yr wythnosau nesa 'ma, ond dwi am aros yn fama, os ga i? Ma gynna i ngliniadur efo fi.'

'Gliniadur?'

'Laptop, Felix.'

'Reit,' dywedodd Felix yn ara deg, 'Gliniadur? Dwi'n lecio hynna.'

Er bod ei ben yn llawn o blu ysgafn gwyn y canabis, roedd ei feddwl hefyd ar waith. Mewn eiliad, roedd Oswyn Felix wedi gwneud un o benderfyniadau pwysicaf ei fywyd.

Horror ubīque ănĭmos, simul ipsa silentia terrent

Cydia arswyd yn eu meddyliau, ac mae eu distawrwydd
yn ofnadwy

CERDDODD DYL MAWR i mewn i far y Penrhyn. O'r
diwedd, meddyliodd Felix.

'Hei Dyl, be ti'n neud yma?' gofynnodd Mags, y
cadach yn ei llaw heb stopio glanhau'r bwrdd o'i blaen.
Doedd Dyl ddim yn gweithio'r noson honno, ond roedd
Felix wedi'i ffonio a gofyn iddo ddod i mewn cyn i'r
Penrhyn agor, am bedwar. Roedd hi'n ddeng munud i
bedwar ar ddydd Mercher glawog, dau ddiwrnod ers i'r
Llyn ailymddangos.

'Trŵps. Dawn tŵls,' meddai Felix, gan godi oddi
wrth ei waith papur ar y bwrdd bach o'i flaen. Safai
Mike Glas-ai tu ôl i'r bar yn newid rhai o'r poteli optig.
Heblaw amdanyn nhw ill pedwar, a Thelonius Monk
yn gweithio'i ffordd drwy'i albym *Brilliant Corners* ar y
bŵm-bocs bach, roedd y Penrhyn yn wag. Canai nodau
uchel a swynol y seiloffon i rythm ling-di-long adran
bres 'Pannonica'.

Eisteddodd Felix ar y bwrdd pŵl wrth ei ochr, ei ben i

lawr wrth aros i'r staff gasglu at ei gilydd yng nghrombil y bar.

'Be sy?' gofynnodd Dyl, yn blwmp ac yn blaen.

'Dwi jest isho rhoi heds-yp i chi, hogia,' dechreuodd Felix gan edrych yn benodol ar Mike a Dyl.

'O! Be, dwi ddim yma, nadw?' gofynnodd Mags yn flin.

Mae Mags wedi bod yn flin ers rhai wythnosau bellach. Ers i'r hogyn 'na, Dave, 'i dympio hi, siŵr o fod, meddyliodd Felix.

Anwybyddodd Felix y ferch benboeth. 'Taswn i'n chi, 'de bois, fyswn i'n bod yn neis iawn wrth y ddynas 'ma . . .' nodiodd tuag at Mags a gwenu'n wirion, '. . . o hyn allan.'

Edrychodd y tri arall ar ei gilydd am rai eiliadau. 'Be ti'n falu cachu, Felix?' gofynnodd Mags.

'Ti'n gwbod y ffordd ma dy dad yn casáu'r ffaith bod chdi'n gwrthod mynd i coleg? Ac yn wastio dy amsar yn gweithio mewn pỳb am nesa peth i ddim.'

''Y musnas i 'di hynna. Coc-ôl i neud efo chdi, Ffrij Ffycyr,' dywedodd y ferch yn blaen, ei dwylo ar ei chluniau. Chwarddodd Mike a Dyl yn fyr.

Gwenodd Felix ei wên aur a dweud, 'Dyna lle ti'n rong, 'li, smartâs. Fy musnes i, ydi, yn llythrennol, dy fusnas di.'

'Be?' dywedodd Mike a Mags efo'i gilydd.

'Dwi allan,' meddai Felix gan rwbio'i ddwylo'n gyflym. 'Ffinishd, capŵt, dỳn, hasta la fista! Dwi 'di seinio'r les drosodd i chdi, Mags. Ma Misdyr Weiwei Wa, tad Mags, wedi prynu fi allan. 'Bach o sioc i chi gyd, ella, ond dyna fo. Dyna'r big niws.'

Daeth 'Pannonica' i ben a disgynnodd y distawrwydd fel angladd dros y bar. Pawb yn edrych ar ei gilydd fel gynslingyrs cyn iddynt fynd am eu gynnau.

'Pam?' gofynnodd Dyl yn y diwedd.

'Paid â ffwcio,' meddai Mags.

'Ti'n siriys?' gofynnodd Mike. Pawb yn tynnu'u gynnau ar unwaith.

Neidiodd Felix oddi ar y bwrdd pŵl gan lanio ar ei droed dde i arbed ei droed chwith, oedd yn dal mewn sandal. 'Dechra mis Rhagfyr, chdi fydd y bòs, Mags. 'Bach o waed ifanc.'

''Bach yn *rhy* ifanc, tydi hi ddim, Felix? Faint wyt ti, Mags? Twenti wan, twenti tŵ?' dywedodd Mike, ychydig yn flin.

'Dwi'n twenti thri jest cyn Dolig, Mike. Ti'n cofio? Yr amser 'na pan ti'n prynu presant shiti i fi bob blwyddyn, ac yn deud 'i fod o yn cyfro 'myrthdei i a'r Dolig. Potal fach o fodca rhad, fel arfar.'

'Be ti'n ddisgwl ca'l? Porsche coch hefo rhuban mawr gwyn arno fo 'di barcio tu allan?' atebodd Mike gan wthio'i sbectol i fyny'i drwyn. Swniai ychydig bach yn flin o hyd ond roedd yn trio chwerthin siarad, a ddim cweit yn llwyddo.

'Olreit, olreit. Blant, blant, blant – tshil awt am funud. I ateb dy gwestiwn di, Dyl, dwi ddim am ddeud clwydda, dwi angen y pres. I ateb dy gwestiwn di, Mike, dwi'n meddwl bydd Mags yn ffycin briliant i'r hen le 'ma. Be 'sa'n well gin ti – rhywun diarth yn rhedag y lle 'ma, ta Mags yn fama?'

'Mae'n dibynnu, tydi.'

'Nacdi 'dio ddim. Paid â bod yn fabi,' meddai Felix gan afael yn ysgwyddau Mike. 'Ti'n ffycin caru'r hogan 'ma, 'sa chdi mond yn cyfadda.' Edrychodd Mike ar ei sgidiau. Pwniodd Mags ef ar ei fraich, yn ddigon caled i wneud i Mike dynnu wyneb arni.

'Busnas y gewin 'na? Dyna pam ti'n gor'od gwerthu, ia?' gofynnodd Dyl, gan bwyntio at droed chwith Felix a gwichian crafu sêt bren o'i lecyn dan y bwrdd i eistedd arni'n drwm.

'Ia.'

'Pwy oeddan nhw? 'Dan ni'n ca'l gwbod?'

'Sa'm pwynt deud 'tha chdi, Dyl. O ddifri. Bai fi oedd o. Mistêc.'

'Felly, ti'n ca'l helpu ni pan 'dan ni mewn trwbwl, ond . . .' Cododd Dyl Mawr ei ddwylo o'i flaen i ddangos ei rwystredigaeth cyn eu gollwng yn glec ar jîns tyn ei gluniau trwchus.

'Ffyc off, Dyl. Ti wedi helpu. Pwy 'nes i ffonio gynta dwrnod o'r blaen? Betia i bod chdi 'di gyrru fath â ffwl gwirion yr holl ffordd i Dwylan. Ti wedi helpu, y llabwst twp.'

'Lle ti'n mynd i fyw, Felix?' gofynnodd Mags. 'Os 'di'r fflat yn dod hefo'r lîs?'

'Yndi. Chdi bia'r fflat. Neu chdi fydd, ym mis Rhagfyr. Dwi'n mynd i aros yn Cefni am chydig, os na newidith petha. Dyna 'di'r plan, beth bynnag.'

'Fyddi di'n troi i fewn i cyntri bympcin,' dywedodd Mags yn ysgafn.

'Faint gest ti, os dwi'n ca'l gofyn?' gofynnodd Mike gan ddod i eistedd ar ymyl y bwrdd yn y canol rhwng Mags a Dyl.

''Run faint â dalish i deg mlynadd yn ôl, hefo ugain mlynadd i fynd,' atebodd Felix yn syth.

'Pedwar deg pump?' holodd Dyl Mawr. Nodiodd Felix arno. 'A 'di hynna'n ca'l chdi allan o'r twll?'

Nodiodd Felix eto, cyn dweud y celwydd golau, 'Mae o'n mynd â fi'n bell i lawr y lôn, Dyl. Digon pell.'

'Dyna faint sy ar ôl ar y lîs?' gofynnodd Mags. 'Twenti îyrs?'

'Iyp,' meddai Felix. 'Fyddi di'n hŷn na dwi rŵan os 'nei di syrfeifio, Mags.'

'So dyna ni,' meddai Mike Glas-ai, 'ddy end of yn îra.'

'Cymon,' dywedodd Felix gan estyn ei freichiau'n uchel allan o'i flaen ac amneidio â'i ddwylo ar ei ffrindiau i ddod tuag ato. Cofleidiodd y pedwar yn gylch yng nghanol bar y Penrhyn Arms, eu breichiau wedi'u plethu dros eu hysgwyddau. 'Y drîm tîm, bois. Ffrindia am byth!'

'Ffrindia am byth!' medda pawb efo'i gilydd, wedyn – rhai yn fwy brwdfrydig nag eraill.

Nihil ērĭpit fortūna nisi quod et dedit

Chymerith ffawd ddim, ond yr hyn
a roddwyd ganddi

'OES 'NA BOBOL?' bloeddiodd y Llyn wrth ddringo'r grisiau cul o'r bar i'r fflat.

Cododd Felix oddi ar ei bengliniau, yn cydio mewn cwpwl o lyfrau allan o'r bocsys cardbord. Agorodd y drws ar dop y grisiau a daeth y Llyn i lenwi'r gwagle.

'Felix, dyma David Prebble.' Camodd i mewn i'r stafell a safai dyn bach canol oed, gwylaidd a pheniog yr olwg, yn yr adwy. 'David, ddis is Felix.'

'Glad to meet you,' dywedodd Prebble gan gynnig ei law i Felix.

Symudodd Felix y llyfrau o'i law dde i'w law chwith cyn ei hysgwyd yn gadarn. 'Laicwais,' meddai, gan sylwi'n fodlon bod Prebble hefyd yn coelio mewn ysgwyd llaw go iawn.

'I see you've been sorting through some books already,' dywedodd Prebble, gan symud stribedyn crwydrol o'i wallt oddi wrth ei sbectol fffram ddu, drwchus.

Syth at fusnes. Digon teg, meddyliodd Felix. 'Wyd iw laic symthing? Tî? Coffi?'

'I'm good to go, thanks. Got a train to catch back to London tonight,' atebodd gan lygadu'r llyfrau yn llaw Felix a thynnu'i gôt law Berghaus, ddrud yr olwg.

'Ocê. Wel, ddy best thing is iff iw jyst go thrw ddy bocsys iôrselff, and asc mî if ther's enithing iw want tw nôw.'

'Sounds good,' dywedodd yr ymwelydd cyn pwyntio at y llyfrau yn ei law. 'Do you mind?'

Cyflwynodd Felix y cyfrolau iddo – un gan Steinbeck a'r llall gan Hemingway – ac yn syth newidiodd osgo a gwedd corff Prebble, gan ddifrifoli a sythu. Cerddodd Heddwyn drwodd o'r gegin, ei ên yn diferu dŵr. Cyfarthodd ei hanner cyfarthiad wrth weld y dyn diarth, a gafaelodd y Llyn yn ei goler wrth iddo agosáu at Prebble.

'Don't maind him,' dechreuodd y Llyn. 'Hi's y big soffti.'

'Big being the operative word,' dywedodd Prebble, heb symud.

'A' i â fo am dro, 'li. Lawr at y Pier.' Edrychodd Heddwyn yn gariadus ar y Llyn wrth glywed y geiriau hud, *am dro*.

'Syniad da,' dywedodd Felix. Roedd hi'n bump o'r gloch ar brynhawn Gwener ac roedd murmur isel y jiwcbocs a phobl yn codi o'r bar islaw. Roedd dau ddiwrnod wedi mynd ers i Felix ddweud wrth ei staff ei fod wedi gwerthu'r les i Weiwei Wa, a phrin y gallai Mike a Dyl siarad ag ef, oherwydd eu sioc a'u siomedigaeth. Roedd y ddau ar ddyletswydd i lawr grisiau yn gwasanaethu'r criw pêl-droed pump bob ochr, ac ambell i gwsmer diotgar oedd yn awyddus i gychwyn ar ei benwythnos.

'Sî iw in y bit, David,' dywedodd y Llyn wrth fachu'r tennyn ar goler Heddwyn a chychwyn am y grisiau.

Cododd Prebble ei law heb ateb. Roedd eisoes ar lawr yn cloddio drwy'r cyntaf o'r rhes o focsys, ei siaced wedi'i phlygu'n glustog dan ei bengliniau. Edrychodd Felix i lawr ar ei gorun moel, wedi hanner ei guddio gan steil ei wallt golau a thenau – fel Bobby Charlton. Symudai'r ymwelydd yn gyflym, ond yn ofalus, gan osod y llyfrau'n fwndeli taclus o flaen y bocs, rhai'n dyrau llawer uwch nag eraill. Gobeithio 'na rheina 'di'r rhai drud, meddyliodd Felix o'i sedd ar y soffa allan o'i ffordd erbyn hyn. Roedd yn mwynhau gwylio Prebble wrthi; roedd yn drefnus ac yn amlwg yn gweithio i system. Llyfr yn ei ddwy law. Agor y clawr, un, dwy, tair, pedair tudalen. Yna, chwip cyflym ond gofalus reit drwy'r gyfrol cyn cyrraedd y diwedd a thynnu'r siaced lwch a'i harbedwr plastig. Rhoddai sylw arbennig i'r siaced, yn fwy felly nag i'r llyfr gan amlaf, cyn ei ailorchuddio a symud ymlaen yn yr un modd at y nesaf. Llai na hanner munud i bob llyfr. Sgriblai rywbeth, yn achlysurol, yn ei lyfr nodiadau bychan gyda'i lifbin aur drwchus. Ni ddywedodd yr un gair am ugain munud. Yna, 'I've sold this book once,' meddai, gan ddychryn Felix allan o'i syrthni.

'Sori?'

Daliai'r copi o'r *Winter of our Discontent* gan Steinbeck

yn ei law. 'I sold this about five years ago in a book fair in Frankfurt, this one and a couple of Twains, first editions. Older gentleman, professor type. Paid cash.'

'Cwd wel haf bîn mai ffaddyr,' dywedodd Felix. 'Hî wys on ddy lectshyr syrcit, Inglish lit. Trafyld y lot.'

'Are these all his?' gofynnodd a nodiodd Felix ei gadarnhad. 'He's given them to you to sell, then?'

'Hî's ded, lefft ddem tw mi.'

'Sorry to hear that. He had a real eye. This is about as good as it gets in the little leagues.'

'Lityl lîgs?'

'Outside the big hitters, the millionaires, the rock stars. Libraries and museums. Some of these books I could sell in a phone call.'

'Wat taim did iw sei iôr trein lefft?'

'I don't think I'm worried about my train any more. I take it there are plenty of hotels in this town of yours?'

'It's y siti, Misdyr Prebble,' dywedodd Felix gan godi ar ei draed. 'Ai'm hafing y coffi, wyd iw laic wyn?'

'Brilliant, black no sugar. And please, call me David.'

'Ai'm not siôr wî'r ffrens iet, Misdyr Prebble.'

'Fair point,' dywedodd y dyn bach gan wenu a dychwelyd at ei waith.

Dychwelodd Heddwyn a'r Llyn, ymhen hir a hwyr, y ddau'n wlyb socian.

''Di'n bwrw?' gofynnodd Felix. Ni wenodd y Llyn na Heddwyn chwaith.

Nodiodd y Llyn i gyfeiriad Prebble ar y llawr â'i gefn ato. Gwyrodd Felix ei ben ychydig i'r ochr gan ollwng ymylon ei wefusau caeedig a nodio'n ysgafn. Addawol, oedd y gair nad ynganwyd. Sychodd y Llyn ei hun ag un o dywelion Felix, a sychodd Felix y ci ag un o'r dwsin o'r hen dywelion carpiog a gafodd o Cefni. Yna eisteddodd y tri ar y soffa fawr yn gwylio Prebble yn gwagio'r bocsys ac yn agosáu atynt â phob un. Stopiodd weithio am hanner awr i rannu têcawe o Wa's ar draws y ffordd, ac yna aeth y Llyn i lawr am beint cyn dychwelyd ar alwad gan Felix i ddweud bod Prebble ar fin cychwyn ar y bocs olaf.

Caeodd Prebble y llyfr olaf a'i osod ar ben un o'r bwndeli taclus cyn codi, gan riddfan, oddi ar ei benliniau. Tynnodd ei sbectol a'i glanhau â godre'i grys. Roedd ei lygaid tywyll yn fach fel rhai twrch daear. Pwyntiodd â'i lyfr nodiadau yn ei law tuag at y sêt jazz, a nodiodd Felix ei ganiatâd cyn iddo eistedd ynddi. Rhoddodd y sbectol yn ôl ar ei drwyn.

'Wel? Âr wi going tw bi ffrens, Misdyr Prebble?'

'I hope so, Mr Felix.'

'Jyst Felix,' dywedodd y Llyn ar ran ei ffrind.

Gwenodd Prebble yn fyr cyn parhau, 'As I told you earlier, this is a very good collection. And I would be glad to take them off your hands. It's just a matter of agreeing on a price we can all be happy with. Agreed?'

'Sei hâff y miliyn and wî'l sheic on it,' dywedodd

Felix heb godi o'r soffa a chynnig ei law iddo. Gwenodd Prebble yn fyr, unwaith eto.

'I'll tell it like it is, see what you think.' Agorodd ei lyfr nodiadau. 'Four hundred and twelve books, divided into three categories. First editions signed, first editions unsigned, and signed non-first editions. There are two hundred and eighty-one in the first category, one hundred and five in the second, and twenty-six signed non-firsts. Prices, if these were sold in a specialist sale, would be roughly as follows.' Syllodd y tri ohonynt yn daer ar yr arbenigwr, wrth i'w eiriau lifo'n rhwydd a di-dor. 'First category, sixty-seven thousand. I've rounded these figures off. Second category, eight thousand. Third category, three thousand. That's a total of seventy-eight thousand pounds, gentlemen. Double that if they were to be sold in a shop, or online. What do you think?'

'Ai thinc ddat's abawt ffiffti short,' dywedodd Felix heb symud modfedd.

'You have your opinion,' dechreuodd Prebble, cyn symud ei ben-ôl i flaen y gadair, 'And I have mine,' ychwanegodd gan ddal ei lyfr bach nodiadau i fyny o'i flaen.

'Wat's ddy offyr, Misdyr Prebble? Let's sî iff wî'f weistyd awyr Ffraidei îfning,' dywedodd Felix, ei lais yn ddistaw ac yn ddigynnwrf.

'Mr Lewis, Tegid, mentioned that this would be a cash transaction?' Nodiodd Felix. 'Then my offer to you is fifty-five thousand, cash – first thing Monday morning.'

Edrychodd Felix ar y Llyn, a'r cawr yn gwneud ystumiau arno fel pe bai newydd lyncu pry. Rhoddodd ei wefus isaf dros ei wefus uchaf am rai eiliadau cyn ateb, 'Sefnti-ffaif and wî'f got y dîl.'

Dyma dro'r ymwelydd i wneud ystumiau a rhwbio'i foch â chledr ei law. Cododd ar ei draed gan estyn ei law allan. 'Final offer, Felix. Sixty thousand pounds. I'll be perfectly honest with you, I'll make most of that back in half a dozen phone calls and still have half the books left. But that's the highest I'm willing to go.'

Rhoddodd Felix ei law allan a bron iawn â chyffwrdd â llaw Prebble. 'Sicsti-ffaif, and wî'l sheic.'

Caeodd Prebble un llygad, a bron y gallai'r ddau ffrind glywed yr olwynion yn troi yn ei ben. 'You've got a deal,' dywedodd o'r diwedd, ac ysgwyd llaw Felix yn gadarn a brwdfrydig.

Rhoddodd Felix swaden ar gefn y Llyn a gwenodd y tri dyn ar ei gilydd yn braf.

'Haw's abawt y drinc? On ddy haws,' dywedodd Felix a nodiodd y ddau arall eu pennau'n frwdfrydig.

Aut hoc quod produxi testium satis est, aut nihil satis

Un ai mae'r dystiolaeth a gynhyrchaf yn bodloni,
neu ni fydd dim yn bodloni

EISTEDDAI'R LLYN wrth y bwrdd, yn ysgwyddau i gyd,
a'i ben i lawr wrth iddo astudio dogfen hynafol, ei lygaid
prin chwe modfedd i ffwrdd o'r papur brau, trwchus.
Eisteddai Felix wrth ei ymyl yn edrych ar y mynd a'r
dod o'u blaenau. Roedd y ddau yng nghefn yr ystafell
ymchwil yn y Llyfrgell Genedlaethol yn Aberystwyth.
Yn gynharach yn yr wythnos, roedd y Llyn wedi trefnu
iddynt gyfarfod â Dr Glyn Huxley yno am ddau o'r gloch.

Os oes rhywun yn gwbod, be ufflwm mae dy dad yn 'i
feddwl, Doctor Huxley fydd hwnnw – dyna roedd y Llyn
wedi'i ddweud.

Chwaraeai Felix, yn ddifeddwl, â'r papur ar y bwrdd
o'i flaen. Copi wedi'i brintio o ddarn o'r llythyr gan
Rhydian oedd wedi disgyn allan o'r llyfr *Beau Geste* yng
Nghefni.

Lle na all y pili-pala ddianc o'i glyw.

Trysor, fy mab. Trysor!

Nid oedd y ddau ffrind yn meddwl ei bod yn syniad da dangos yr holl neges i neb, na datgelu eu bod nhw ar ryw fath o helfa drysor. Wel, dyna oedd y gobaith. Roedd y ddau wedi rhoi cynnig ar bob math o ffyrdd o ddatrys y pos. Wedi treulio oriau ar y we, yn dyfeisio pob math o gyfuniadau a chyfieithiadau, heb unrhyw lwc. Wedyn dyma'r Llyn yn gofyn, yn hwyr ar y nos Lun, a'r llyfrau prin wedi cael eu cyfnewid am yr arian, beth oedd maes arbenigedd Rhydian Felix? Dyn yr Anglo-Welsh oedd o, atebodd Felix, pawb o W. H. Davies i Jon Gower heddiw. Darlithydd English Lit. am ddegawdau. Wel, dyna ni ta, roedd y Llyn wedi'i ddweud. Glyn Huxley amdani. Fo 'di dyn y Llyfrgell ar lenyddiaeth Saesneg yng Nghymru. Nabod o'n reit dda. 'Bach yn fusneslyd ydi o, felly bydd raid bod yn reit ofalus.

Manteisiodd y Llyn ar y cyfle i bori dros ychydig o bapurau am Iolo Morganwg, fel rhan o'i ymchwil ar gyfer yr erthygl am Eisteddfodau roedd yn gweithio arni, ond doedd dim diddordeb gan Felix. Roedd hi'n ddeg munud i dri, ac roedd Felix eisoes wedi holi wrth y ddesg ddwywaith ble roedd Dr Huxley. Doedd dim clem gan y ddynes, ac roedd hi'n swnio fel pe bai hynny'n beth cwbl arferol a derbyniol wrth gyfleu'r neges. Grêt, meddyliodd Felix, wrth ddychwelyd i'w sêt wedi llyncu mul.

'Fel 'na mae o, 'sti,' meddai'r Llyn heb edrych i fyny o'r ddogfen. 'Fydd o yma cyn bo hir, gei di weld.'

'Ma hi'n cyn bo hir yn barod,' meddai Felix.

Nid atebodd y Llyn, a dychwelodd Felix at ei bwdu proffesiynol.

Ddeng munud yn ddiweddarach, brasgamodd corrach o ddyn i mewn i'r stafell ymchwil anferth, yn cario bocs ffeil o dan ei fraich, ac yn anelu'n syth amdanynt. Gwisgai drywsus melfaréd porffor a chrys siec hufen, ac roedd ei sbectol yn dolian ar gortyn du am ei wddf.

'Tegid!' dywedodd y corrach yn uchel, fel pe bai'n rhydd o reolau'r llyfrgell.

Neidiodd y Llyn allan o'i groen wrth gael ei lusgo mor sydyn allan o'r bedwaredd ganrif ar bymtheg. Gwenodd Felix, gan fwynhau'r olygfa.

'Doctor Huxley,' dywedodd y Llyn, ei lais yntau'n annaturiol o uchel.

'Glyn, plis,' meddai Huxley.

'Felix,' dywedodd Felix gan gynnig ei law i'r dyn nad oedd yn ddim mwy na phum mlynedd yn hŷn nag o, siŵr o fod. Ysgydwodd Huxley ei law yn gynnes cyn gwneud yr un peth gyda'r Llyn.

'Be fedra i wneud i chi, gyfeillion?' gofynnodd Huxley, gan erfyn arnynt i eistedd a gwneud yr un peth ei hun. Yna sylwodd ar y graith uwchben llygad dde Felix a syllodd yn bryderus arno.

'Hwn?' dechreuodd Felix gan bwyntio'n ddifater at ei wyneb. 'Torri'n hun yn shafio. Dim ond un cwestiwn i chi, Glyn,' dywedodd wedyn gan wthio'r darn papur ar hyd y ddesg hir. Rhoddodd y Llyn ei law ar y darn papur a'i wthio'n ei flaen tuag at yr ysgolhaig. 'Ydi hwn yn golygu unrhyw beth i chi?'

Cydiodd Huxley yn y papur a'i ddal led braich oddi wrtho gan geisio'i ddarllen, ei wefusau'n symud gyda'i lygaid. Ymhen ychydig ildiodd i'r gwirionedd a rhoddodd ei sbectol am ei drwyn. 'Lle . . . pili-pala . . . o'i glyw . . . trysor,' dywedodd wrth ddarllen. '. . . pili-pala ddianc o'i glyw?' dywedodd wedyn a gafael yn ei sbectol gan roi un o'r breichiau yn ei geg i ruglo. 'Mae 'na gloch yn canu yn rhywle.'

'O?' dywedodd Felix.

'Reit dda,' dywedodd y Llyn. 'Be dach chi'n feddwl, Glyn?'

'Am be ma hyn, hogia?' gofynnodd Huxley wedyn, gan anwybyddu'r Llyn.

Roedd Felix wedi paratoi am y cwestiwn. 'Rhywbeth roedd fy nhad, Rhydian Felix, yn gweithio arno cyn iddo farw, ychydig yn ôl.'

'Eich tad chi oedd Rhydian?' holodd Huxley, fel pe bai'n amau'r peth. 'Wyddwn i ddim fod ganddo fo fab. Dwy ferch, ia. Ond chlywis i 'rioed am fab.'

'Wel, dwi'n gaddo i chi ei fod o, Glyn,' meddai'r Llyn. 'Efallai ychydig yn estron, ond yn fab iddo, heb os.'

Gwridodd Felix, gan nad oedd wedi clywed neb yn cyfeirio ato fel mab ers tro byd.

'A beth ydi hwn? Rhyw fath o ddarn o farddoniaeth?' gofynnodd Huxley wedyn, yn chwifio'r darn papur.

'Efallai,' dywedodd y Llyn a nodiodd Felix ei ben.

'Yn annog pobl i gofio am un o gewri llenyddiaeth Eingl-Gymreig, efallai?'

'Mwy nag efallai,' dywedodd y Llyn, a dechreuodd Felix nodio'n fwy brwdfrydig.

'Dylan Thomas?' gofynnodd Felix.

Stopiodd Glyn Huxley a syllu ar Felix am amser hir cyn dweud, 'Dylan Thomas? Nage wir.' Ysgydwodd ei ben arno'n siomedig. 'A dach chi'n siŵr eich bod chi'n fab i Rhydian?'

'Dwi'n fodlon cymryd DNA test os dach chi isho,' dywedodd Felix yn blaen, wedi cael llond bol.

'Caradoc Evans. Ydych chi'n gyfarwydd â'r enw?' gofynnodd Huxley.

Nodiodd y Llyn ac ysgydwodd Felix ei ben.

'*My People*,' dywedodd y Llyn.

'Dyna chi, Tegid. Ac mae eich tad yn cyfeirio at,' pwyntiodd Glyn Huxley ei drwyn tuag at Felix cyn cau'i lygaid yn dynn, '. . . gadewch i mi feddwl rŵan . . . byri mi so ddat ddy fflai-ing bytyrfflai shal not escêp mai iyr. Rhywbeth tebyg,' dywedodd Huxley wrth ddychwelyd o'r ystafell gyfrifiadurol anferth yn ei ben.

'A be 'di hwnna, darn o farddoniaeth gan Caradoc Evans?' gofynnodd y Llyn.

'Nage, nage,' dechreuodd Huxley. 'Dyna'r geiriau sydd ar ei garreg fedd, er dwi'n credu mai Evans ei hun ddaru'u hysgrifennu nhw. Mae hi'n arysgrif syml, ond prydferth iawn, hefyd. Dach chi'm yn meddwl?'

Roedd Felix yn rhy brysur yn meddwl am Trysor, fy mab. Trysor! 'A lle ma'r bedd 'ma?' gofynnodd.

'Wel, yn Llundain y gwnaeth Caradoc ei farc wrth gwrs, oddeutu cyfnod cychwyn y Rhyfel Byd Cyntaf. A fanna fuodd o am ddegawdau wedyn, yn golygu cylchgronau ac yn ysgrifennu llyfrau, ac un ddrama hefyd. *Taffy.* Roedd 'na raiyts yn ddy strits pan geision nhw 'i llwyfannu hi, cofiwch, dim ond unwaith dwi'n cre . . .'

Ia, ia, da iawn. Ty'laen, 'nei di, sgrechiodd Felix yn ei ben.

'. . . du, y llwyddwyd i gael perfformiad o gwbwl. Priododd ryw fath o Gowntes wedyn. Be oedd ei enw hi, hefyd? Rhyw enw egsotig, dwyrain Ewropeaidd, dwi'n credu . . .'

'Felly yn Llundain y claddwyd o?' holodd Felix yn ddiamynedd.

'Nage, nage. Er, fysa dyn ddim yn credu'r peth, o ddarllen ei lyfrau. Dwi'n credu bod Caradoc yn caru'i famwlad. Yma ddaeth o, pan oedd o'n hen ddyn. Yma y bu farw, ac yma y'i claddwyd o.'

'Yn lle yng Nghymru, dach chi'n gwbod, Glyn?' gofynnodd y Llyn.

'Dyna dwi'n ddweud. Yn New Cross – pum munud o daith allan o Aberystwyth – y claddwyd Caradoc Evans.'

Cernĭte sim qualis; qui modo qualis eram

Gweler yr hyn ydwyf; a'r hyn oeddwn
ryw ychydig ynghynt

ROEDD Y TYWYDD braidd yn wlyb ac yn oer, ac roedd
Felix a'r Llyn yn ceisio'u gorau i edrych yn barchus a
hamddenol wrth gerdded o olwg yr hen wraig, a Felix
dal i hercian ar ei sawdl chwith. Dringodd y ddau y
llwybr serth i'r fynwent wrth gefn yr hen Gapel Salem
yn New Cross.

'Come to see Caradoc, have you?' oedd ateb y
ddynes i gais Felix am gyfarwyddiadau i'r fynwent. 'I get
asked half a dozen times a year, and he's never moved
yet! Students mainly, though you two are a bit old for
studying, aren't you?'

'Matiwyr stiwdynts,' cynigiodd Felix.

'O,' dywedodd y ddynes wedyn gan wenu a phwyntio
heibio i ochr ei chartref yn yr hen gapel. 'Up there, lads.
He's about half way along on the top row. Got the best
view there.'

Gan nad oedd yr un garreg fedd i'w gweld o'r ffordd fawr
oedd yn mynd heibio'r hen gapel, nid oedd yn syndod

fod pobl yn gorfod holi'r hen wraig. A'i chymdogion hefyd, siŵr o fod, meddyliai Felix, a'r peth da am hynny ydi, os 'dan ni'n methu gweld y lôn o'r fynwent, tydi'r lôn ddim yn gallu'n gweld ni.

Brasgamodd y ddau'n llawer cynt ar ôl diflannu o olwg ffenestri cefn y capel a daeth y fynwent i'r golwg tu ôl i ddarn o dir llawn tyfiant drain gwyllt. Er ei gloffni, cyrhaeddodd Felix y cerrig beddau'n llawer cynt na'r Llyn ac wrth ddilyn cyfarwyddiadau syml y ddynes daeth o hyd i garreg Caradoc Evans. Roedd Felix wedi darllen yr arysgrif ddwywaith erbyn i'r Llyn gyrraedd.

CARADOC EVANS
DIED 11TH JANUARY 1945

BURY ME LIGHTLY SO THAT
THE SMALL RAIN MAY REACH
MY FACE AND THE FLUTTERING
OF THE BUTTERFLY SHALL NOT
ESCAPE MY EAR

CARADOC EVANS

'Ma honna'n dipyn o garreg fedd,' dywedodd Felix wrth i'w ffrind duchan wrth ei ochr.

'Tlws ryfedda,' dywedodd y Llyn. 'Trist a llawen ar yr un pryd, sy'n beth Cymreig iawn hefyd, wrth gwrs.'

'Be ma'r nodyn 'ma'n ddeud?' Edrychodd Felix ar y darn papur yn ei ddwylo, gan ddechrau darllen yn uchel. 'Dychmyga dy hun yn cloddio union ddeg troedfedd i fyny o'r lle na all y pili-pala ddianc o'i glyw. Trysor, fy mab. Trysor!'

'Deg troedfedd i fyny, ti yn y cae drws nesa, heibio'r clawdd 'ma.' Edrychodd y ddau ar y clawdd trwchus o'u blaenau, yn llawn drain a choed ifanc, ar ben wal isel o gerrig.

'Bydd raid i ni ffeindio ffordd drwodd,' meddai Felix gan ddechrau hercian i'r chwith ar hyd y clawdd oddi wrth y bedd.

'Mi â'i ffor' 'ma ta,' meddai'r Llyn gan gychwyn i'r dde.

Cyrhaeddodd Felix ben draw'r clawdd heb weld yr un man gwan. Be uffar rŵan ta, meddyliodd, gan edrych yn ôl ar y Llyn. Ysgydwodd hwnnw'i ben a dal ei ddwylo anferth i fyny fel adenydd awyren cyn eu gadael i ddisgyn yn drwm yn erbyn ei gluniau. Dim lwc yr ochr honno chwaith. Yna gwelodd Felix giât fferm islaw, i'r chwith y tu ôl i'r Llyn, a phwyntiodd tuag ati. Nodiodd y cawr cyn cerdded, fel pe bai ar y lleuad, drwy lecyn o ddrain trwchus rhyngddo fo a'r giât. Brysiodd Felix drwy'r gwlithlaw i ymuno â'i ffrind, ei galon yn dechrau curo'n gynt yn ei frest. Roedd Felix yn dechrau cyffroi. Diflannodd y Llyn dros y giât, ac erbyn i Felix ei gyrraedd cafodd gip ar goes chwith y Llyn yn dilyn gweddill ei gorff o'r golwg dros y clawdd yn uwch na'r fynwent a thu ôl iddi. Aeth i'w boced, estyn ei ffôn symudol pinc a deialu rhif y Llyn.

'Dwi'n mynd yn ôl at y bedd i chdi ga'l gwbod yn union lle i edrych, wedyn 'na i joinio chdi, iawn?'

'Hei, Felix? Chdi sy 'na?' Llais Mags, gan milltir i ffwrdd.

'Shit, sori Mags. Ffonia i chdi leityr on,' meddai Felix, cyn diffodd yr alwad a chychwyn deialu eto yn fwy pwyllog. 'Helo Llyn?'

'Ia, siŵr iawn. Pwy ti'n ddisgwl? Dafydd ap Gwilym neu rywun?'

'Sut ma petha'r ochr yna? Ydi hi'n ocê?'

'Mae 'na chydig o ddefaid pen draw'r cae, ond fel arall . . .'

'Dwi'n mynd at y bedd i chdi ga'l dy bêrings, wedyn ddo' i draw, 'li.'

'Rojyr hynna,' meddai'r Llyn, roedd Felix yn gallu'i glywed er bod ei ffôn eisoes wedi'i ddiffodd.

Cerddodd Felix yn ôl at y bedd a chydio mewn cangen o ochr y clawdd, tua thair troedfedd o hyd ac yn eithaf syth a thenau. Cyrhaeddodd fedd Caradoc a dweud helo wrth y clawdd, drosodd a throsodd, fel rhywun ddim yn gall. Ond ymhen ychydig atebodd y clawdd.

'Dwi yma,' dywedodd y Llyn.

'Reit, mae hi'n ddwy droedfedd at y clawdd o gefn y bedd,' dechreuodd Felix, 'ac mae'r pren yma tua thair troedfedd a dwi am drio'i stwffio drw' hwn. Ti'n barod?'

'Iawn.'

Gwthiodd Felix y gangen gan ei throi bob sut, ac ymhen ychydig clywodd y Llyn yn dweud, 'Iawn, mae o gynna i. Faint sy gin ti ar ôl ar d'ochr di?'

'Dim gwerth, hannar troedfedd ella.'

'Iawn felly. Gei di ddod draw. Na' i aros amdanach chdi, 'li.'

'Be? I fi ga'l gneud y tyllu i gyd, ia?'

'Bod yn gwrtais, dyna'r cwbwl, Oswyn. Dy sioe di 'di hon.'

Brasgamodd Felix drwy'r fynwent ar y bryn, a'r glaw mân troellog o'i gwmpas yn tywyllu'n gyflym. Awr arall ac mi fydd hi fel bol buwch yma, meddyliodd. Dringodd dros y giât fferm gan ddilyn trywydd amlwg y Llyn, yn slaesys tywyll yn y gwair gwlyb, i fyny'r cae. Gwelai ei ffrind, drwy adwy arall, i lawr wrth y clawdd yn y cae drws nesaf. Roedd o'n cydio'n dynn â'i law dde yn llabedau'i siaced wrth ei wddf ac yn stompio'i draed. Gwelodd Felix a chodi'i law chwith arno. Gafaelodd Felix mewn darn o lechen to biws drwchus a wasgwyd i'r clawdd pridd-a-charreg wrth ymyl yr ail giât a dechrau ei thynnu'n rhydd. Dringodd drosodd â'i raw gwneud-tro yn ei law. Pan gychwynnodd o Fangor y bore hwnnw, doedd Felix ddim wedi cysidro am un eiliad y byddai mewn sefyllfa i ddechrau tyllu am drysor Rhydian Felix. Siwrnai seithug, dyna oedd o'n ddisgwyl. Cynnig heb obaith, heb yr un ffordd arall o ddarganfod dros gan mil o bunnoedd, a dim ond pythefnos i fynd tan y dedlein yn Bergamo.

'Hen law diog 'di hwn,' meddai'r Llyn. 'Mae o'n mynd yn syth drw' ddyn, tydi?'

Gwelai Felix ben y gangen yn y clawdd a dechreuodd gamu'r pum troedfedd yn syth i fyny o fôn y gwrych gan anwybyddu'i ffrind. 'Pump,' dywedodd. 'Reit, ma hi'n t'wllu ffwl sbîd, felly fydd raid tyllu'n gynt, bydd.' Plannodd Felix sawdl ei esgid cerdded Karrimor yn y tir pori a disgynnodd i'w bengliniau y tu ôl i'r marc yn y ddaear. Dechreuodd drywanu'r llawr gan ryddhau tywarchen flêr troedfedd sgwar o wair a'i chodi i ddatgelu'r pridd tywyll oddi tani.

'Dio'm i weld yn anodd iawn – ddoth hwnna'n reit handi,' sylwebodd y Llyn wrth i Felix dynnu talpiau o bridd da allan o dwll bas.

''Di'r Pyramids ddim yn edrych yn anodd pan ti'n edrych arnyn nhw chwaith, ond fyswn i ddim yn lecio gorod bildio un,' atebodd Felix gan drywanu'r geiriau allan â'i lechen, un ar y tro.

Penderfynodd y Llyn fod o gymorth o'r diwedd a dechreuodd hel y pridd wrth ymyl y twll yn bellach o'r dibyn â'i sgidiau Hush Puppies swêd.

'Ti'n mynd i ddifetha rheina,' meddai Felix.

'Colledion rhyfel, fel ma nhw'n ddeud,' atebodd y Llyn yn siriol.

Disgynnai'r llechen dro ar ôl tro, ffid, ffid, ffid. Yna cymerodd Felix lond llaw o'r pridd rhydd a'i rofio allan o'r twll. Yna, ffid, ffid, ffid, ffid. Erbyn hyn roedd o'n crafu pridd hyd at ei benelin.

Ffid, ffid, ffid, ffyd . . . newidiodd y nodyn. Cododd Felix ei ben ac edrych ar y Llyn, oedd wedi sefyll yn stond yng nghanol symud rhagor o bridd. Mae o'n debyg i gi'n codi'i goes, meddyliodd Felix, gan wenu arno'n obeithiol a chodi'i aeliau.

Ymunodd Felix yn y dynwared wedyn, gan dyllu yn y twll â'i ddwy law fel Jack Russell ar drywydd nyth llygod. Cafodd afael mewn cwlwm bag plastig du, a daeth golau o ffôn y Llyn i ddangos eu bod wedi bod yn tyllu ychydig yn rhy agos at y clawdd. Roedd Felix yn penlinio ar y man cywir. Symudodd i ochr arall y twll a dechrau tynnu'r bag sbwriel du i mewn i'r twll roedd wedi'i greu drws nesaf iddo. Heliodd ragor o'r pridd allan o'r chwarel drysor cyn ceisio eto. Ildiodd y bag o'r diwedd, gan lithro'n llyfn allan o'i nyth, fel eiliadau olaf geni babi. Disgynnodd Felix ar ei ben-ôl ar y gwair gwlyb a'r bag plastig yn drwm ar ei gluniau.

'Wel, ma 'na ffycin rwbath yno fo,' dywedodd Felix gan ysgwyd y pecyn oblong tywyll, y plastig yn siffrwd rhwng ei ddwylo a rhywbeth caletach i'w deimlo y tu mewn.

'Agor o, ta!' mynnodd y Llyn dan anelu tortsh y ffôn ar y pecyn.

'Yn fama?'

'Na, 'nôl ym Mangor,' dywedodd y Llyn yn ysgafn cyn chwyrnu. 'Ia, wrth gwrs, yn fama.'

Ceisiodd Felix agor cwlwm dwbl y bag sbwriel, heb lwyddiant. Yna gafaelodd yn y llechen a'i gwasgu i mewn i'r plastig trwchus gan greu man gwan llwydaidd. Gwasgodd ei fysedd i mewn i'r man gwan teneuaf, a rhwygodd y bag yn agored. Ymhen dim roedd y bag plastig wedi'i rwygo ar agor, a gorweddai bag hamdden lledr coch y tu mewn iddo. Adidas, a dwy streipen wen ar ei ochr. Rhedai zip ar hyd ei grib a heibio'i ddwy ddolen fwa coch.

'Jisys, ffycin, Craist Olmaiti,' dywedodd Felix, er nad oedd yn ymwybodol ei fod wedi dweud unrhyw beth.

Chwibanodd y Llyn ddau nodyn byr, un isel cyflym ac yna un uchel.

Gafaelodd Felix yn y zip ar ochr chwith y bag ac edrych i gyfeiriad ei ffrind a oedd wedi diflannu i'r tywyllwch, y tu draw i olau'r ffôn. Tynnodd ar y zip a gwahanodd y dannedd arian yn nodau stacato cryg.

Roedd bag plastig du arall y tu mewn i'r bag ac amlen wen, mewn bag plastig dal brechdan a zip arno. Cododd Felix yr amlen gan ei rhwygo'n rhydd oddi wrth y tâp gludiog a'i daliai wrth y bag du. Agorodd y bag brechdan, yna'r amlen, a neidiodd ei galon i'w wddf wrth weld ysgrifen unigryw Rhydian Felix ar y dudalen drwchus o bapur yn ei ddwy law. Dechreuodd ddarllen yn araf ac yn uchel.

Oswyn Felix,

Gan fawr obeithio wrth ysgrifennu mai chdi, fy mab, sydd yn darllen y llythyr hwn. Llongyfarchiadau ar ddatrys y pos. Er nad oedd y llwybr yr anoddaf i'w ddilyn, roedd yn un na allai fawr neb arall fod wedi'i droedio. Dwi'n mawr obeithio bod yr arian, mewn papurau deg ac ugain punt, wedi goroesi eu cyfnod o dan y pridd. Ti'n siŵr o fod eisiau gwybod y cyfanswm.

£150,000 – Dim ceiniog yn llai, dim ceiniog yn fwy.

Tydi'r arian hwn ddim i gael ei rannu gyda dy chwiorydd na'r llywodraeth (pwy bynnag sydd yn gwneud poetsh o bethau yn San Steffan wrth i ti ddarllen hwn). Pres i chdi ydi hwn, Oswyn.

Cei ei alw'n bres am edrych ar ôl fy nghi, os wyt ti'n betrus o'i dderbyn fel rhodd. Ci da ydi Heddwyn, dwi'n gobeithio dy fod yn cytuno.

Beth ddigwyddodd rhyngom ni yr holl flynyddoedd yn ôl? Mi wn fy mod ar fai – tydi dyn ddim yn dda i gyd, Oswyn. Tydi dyn ddim yn ddrwg i gyd, chwaith.

Gobeithio dy fod yn hapus gyda dy fywyd, Oswyn Felix. Mae o drosodd mewn dim.

Hwyl fawr fy mab,

Rhydian Felix.

O.N. Ti'n siŵr o fod mewn penbleth ynghylch y betio. Roeddwn wastad yn mynd i wario £60,000 fel rhan o'r cynllun i dwyllo'r dyn treth, a dy chwaer, Helen! Ond cefais un llwyddiant annisgwyl. Bloody Mad Mary yn Wincanton 50–1, gyda bet o £550. Cefais £28,050 o fonws a gododd y pot o'r £120,000 a fwriadwyd.

'Fedri di goelio'r peth?' dywedodd y Llyn, yn y gwyll. Rhoddodd Felix y llythyr yn ôl yn yr amlen a dechrau tynnu ar gwlwm y bag plastig teneuach yn y bag Adidas.

''Yn sports bag i oedd hwn,' dywedodd Felix, 'pan o'n i'n hogyn ysgol. Pa mor nyts ydi hynna?' Agorodd y cwlwm yn rhwydd, ac wrth agor y bag gwelodd y ddau ffrind fwndeli o bapurau wedi'u lapio mewn bandiau rwber rhuddgoch.

'Ffyc mi,' meddai Felix.

'Yn wir,' ategodd y Llyn.

'Nôl yn y Golf, ar ôl iddynt ailgladdu'r bag plastig trwchus – yn wag y tro hwn – a cherdded yn hamddenol drwy'r fynwent a heibio'r capel heb weld neb, trodd Felix i edrych ar ei ffrind. Roedd y ddau ohonynt yn wlyb socian ac roedd rhibiniau o fwd brown golau yng ngwallt du Felix. Gorweddai'r bag Adidas, yn disgleirio â haen o wlith, yn y gwagle traed rhwng coesau'r Llyn ar ochr y teithiwr. Cododd Felix ei aeliau arno wrth danio'r peiriant a gwenu gwên anferth, y metal gwerthfawr yn disgleirio allan o'i wyneb lleidiog.

Dywedodd y Llyn, ei lais yn chwyrnu'n ddwfn –

'Â dannedd aur dyna ddyn
Yn rhydd o boenau'i wreiddyn.'

Edrychodd Felix ar y dŵr yn diferu oddi ar wyneb ei ffrind cyn gofyn, 'Be 'di hwnna i fod? Metaffor neu rwbath?'

'Neu rwbath,' atebodd y Llyn.

Exclūdat jurgĭa finis

Boed i'r taliad hwn fod yn ddiwedd ar bob anghydfod

'ATGOFFA FI ETO, pam naethon ni'm mynd â'r Golf i Bergamo?' gofynnodd y Llyn wrth gydio yn y ddolen law uwchben drws cefn tacsi Signore Bianchi.

'Rhag ofn iddyn nhw'n dilyn ni,' atebodd Felix. 'Fel ma nhw'n neud, rŵan.'

'Ond be 'di'r ots? Mae'r pres gynnyn nhw,' meddai'r Llyn gan edrych allan o'r ffenest gefn a gweld Bergamo'n prysur ddiflannu yn y pellter wrth iddynt hyrddio i lawr y draffordd am Milano.

'Yn union. Felly pam maen nhw'n dal i'n dilyn ni?'

'Dwi'm yn dallt,' meddai'r Llyn.

'Edrych arni fel hyn. Os 'dyn nhw'n 'yn gweld ni mewn tacsi'n mynd o Bergamo i Milan, maen nhw'n mynd i feddwl 'yn bod ni'n mynd i'r maes awyr, tydyn?'

'Yndyn?'

'Ond 'dan ni'n mynd adra yn y Golf, ar hyd yr un ffordd ddest ti,' dywedodd Felix.

'Pam 'dan ni'n gorfod gneud hynny? Dyna 'di'r pwynt dwi'n trio'i wneud.'

Roedd Felix wedi bod yn yr Eidal ers tridiau, yn aros yn y JFK, gwesty'r chwilod duon mawr. Hedfanodd o

Fanceinion ar ôl i'r Llyn ei ollwng yno ar y dydd Mercher. Yna gyrrodd y Llyn yn y Golf yr holl ffordd i Dover, a chroesi ar y fferi i Calais. Gyrrodd wedyn yr holl ffordd ar draws y cyfandir i Milano gyda thri chan mil mewn arian parod wedi'u stwffio i wagle o dan y sêt gefn. Ar y bore Sadwrn hwnnw, roedd y Llyn wedi parcio yn y maes parcio aros cyfnod-hir ger y *Stazione Centrale* yn Piazza Duca d'Aosta. Cyfarfu'r ddau ffrind wedyn yn yr orsaf, a dal y trên i Bergamo gyda bag teithio du yn llawn o bapurau pres. Cyrhaeddodd y ddau i'w hapwyntiad yn y clochdy ar amser, ac roedd yr un ddynes sych yn y swyddfa docynnau i'w cyfarch. Doedd neb yno, ar y llawr uchaf, i gymryd yr arian, ond gorffwysai llun – portread Ernie Boyd o'r bachgen ifanc, yn llawn crafiadau treisgar – yn erbyn y rheilen. Gadawyd y bag o bres wrth ei ochr, a ffoniodd Felix Signore Bianchi i ddweud eu bod yn barod i gael eu casglu o waelod y clochdy.

'Yr endgêm ydi hwn,' dywedodd Felix wrth ei ffrind a eisteddai wrth ei ochr ar y sedd gefn. 'Meddylia amdana fo. 'Dan ni 'di talu'r pres yn ôl, felly pam ma nhw'n dal i'n dilyn ni?'

'I neud yn siŵr 'yn bod ni'n gadal?'

'I be? Be ffwc ots ydi o iddyn nhw os 'dan ni'n mynd i gwffio ffycin llewod yn y Colysîym, neu'n mynd i bwshio'r ffycin tŵr 'na drosodd yn Pisa? Ma nhw 'di ca'l 'u pres, felly ddylian nhw roi llonydd i ni, dim 'yn dilyn ni.'

'Felly be ti'n feddwl 'di'u gêm nhw?'

'Dwi'm yn gwbod, dim byd neis, beth bynnag.'

'Felly be 'dan ni'n mynd i neud?'

'Gei di weld,' atebodd Felix wrth i'r Llyn syllu arno'n syn.

Gyrrodd Bianchi oddi ar y draffordd brysur ar gyrion y ddinas gan ddilyn cyfarwyddiadau llais melys merch yn llifo'n swynol a thawel, mewn Eidaleg, allan o'r *sat nav*. Roedd y gyrrwr tacsi wedi rhoi'r cyfeiriad a gawsai gan Felix yn Bergamo i'r peiriant wrth gychwyn am Milano.

'Lle 'dan ni'n mynd?' gofynnodd y Llyn, gan sylwi nad oeddynt yn anelu am galon y ddinas.

Aeth Felix i'w boced ac estyn y ffôn pinc. Deialodd rif, heb ateb y Llyn. 'Hei, Eliana,' dywedodd, ymhen ychydig. 'Ffaif minuts. Âr iw redi? Briliant.' Rhoddodd y ffôn yn ôl yn ei boced.

'Be wyt ti'n neud?' gofynnodd y Llyn, ei dalcen yn rhychau i gyd.

'Darfod y peth 'ma, unwaith ac am byth.'

Gyrrodd y tacsi drwy ardal swbwrbaidd lle roedd cartrefi'r ddinas, fflatiau anferth yn codi, ddwsin o loriau uwch eu pennau, a channoedd o ffenestri – dillad yn sychu ar reilenni'r balconïau llydan. Nid oedd fawr o draffig ar y ffordd lydan a gwelai Felix fod car yn eu dilyn wrth iddo edrych allan o'r ffenest gefn.

'Aroun' here, *signore*?' gofynnodd Bianchi.

'Lefft hîyr,' atebodd Felix a throdd y Llyn eto yn ei sêt wrth sylwi bod Felix yn gyfarwydd â'r ardal ddifreintiedig hon, ardal oedd yn gwbl ddiarth i'r twristiaid arferol a ddeuai i Milano. Trodd Bianchi i'r chwith ac i mewn i grombil sgwâr o bedwar adeilad anferth a channoedd o fflatiau ynddynt. Roedd parc chwarae a choed yng nghanol y sgwâr, ac âi'r lôn unffordd mewn cylch o'u cwmpas gyda ffordd allan o'r canol drwy dwnnel byr yng nghanol pob un o'r pedwar bloc. 'Draif thrw ddy necst wan,' dywedodd Felix, gan bwyso ymlaen.

Ufuddhaodd Bianchi gan yrru drwy'r twnnel nesaf. Roedd sgwâr arall o flociau o fflatiau yr ochr draw, ond un tipyn llai y tro hwn, a'r tri adeilad yno efallai'n hanner uchder y bloc yr oeddynt newydd yrru drwyddo. Roedd y ffordd yn lletach ac yn mynd yn syth ymlaen a thrwy dwnnel arall yn llawr isaf y fflatiau o'u blaenau.

'Streit thrw, and dden stop,' dywedodd Felix.

Nodiodd Bianchi. Edrychodd Felix allan o'r ffenest gefn a gweld y car yn eu dilyn i mewn i'r ail sgwâr. Gwelodd y fan fawr wen wedyn yn gyrru ar draws adwy'r twnnel ac yn ei gau. Neidiodd gyrrwr y fan allan o'r cerbyd, yn gwisgo hances dywyll wedi'i lapio dros hanner isaf ei wyneb, cyn diflannu i fyny'r grisiau wrth ymyl y twnnel. Yna roedd Bianchi'n gyrru i mewn i'r ail dwnnel yr ochr arall i'r sgwâr. Daeth i stop yr ochr draw i'r twnnel, a lluchiodd Felix ddau bapur can ewro tuag ato wrth agor y drws cefn ar yr un pryd. 'Stei ddêr, Signore Bianchi. Wî'l bi rait bac,' meddai. 'Ty'd!' dywedodd wrth y Llyn wedyn. Llusgodd y Llyn ei gorff anferth allan o'r tacsi a gweld fan wen arall yn blocio'r adwy i'r ail dwnnel a Felix yn siarad â merch dlos wrth ei ymyl. Roedd ganddi graith ddychrynllyd ar ei thalcen.

'Eliana, ddis is mai ffrend, Tegid Bala, iw can tôc tw him in whatefyr langwij iw laic, hi'l probabli understand iw.'

Nodiodd y ddau ar ei gilydd gan wenu, a golwg ddryslyd ar wyneb y Llyn.

'Lle 'dan ni'n mynd? Pam 'dan ni'm yn miglo hi o 'ma?'

''Dan ni yn mynd i weld nhw, sy'n well na nhw'n dod i weld ni, ti'm yn meddwl? Sori am dy gadw di'n y twllwch, fysa chdi 'mond wedi poeni.'

'Poeni? Dwi ar goll, mewn mwy nag un ystyr,' dywedodd y Llyn gan grafu'i ben.

'Jyst cyfieitha i fi, 'nei di?' dywedodd Felix, gan stwffio drwy'r bwlch cul rhwng y fan wen a'r twnnel.

Gwasgodd y Llyn drwodd ar ei ôl, gan sugno'i fol cwrw sylweddol i mewn wrth fynd. Cerddodd Felix am ganol y sgwâr ac anelu am y BMW glas tywyll, ei ddwylo o'i flaen ac i fyny wrth ei ysgwyddau. Roedd yr holl sgwâr yng nghysgod yr adeilad anferth tu ôl i'r BMW. Roedd rhesi unffurf o rodfeydd yn dynodi lloriau'r fflatiau o'u cwmpas, ac yn gwasanaethu cyfres o ddrysau amryliw. Doedd dim golwg o neb o gwmpas. Cyrhaeddodd Felix o fewn ugain troedfedd i'r car cyn stopio, y Llyn wrth ei ysgwydd. Gwelodd y dau ddyn oedd yn Cefni yn eistedd yn y BMW, y Rottweiler yn sedd y gyrrwr. Gwenodd Felix arnynt cyn agor ei siaced a dangos iddynt nad oedd yn cario dryll. Edrychodd Felix ar y Llyn er mwyn i'r geiniog gael disgyn, ac wedi rhai eiliadau, dechreuodd ei ffrind ei efelychu.

Dringodd Dyn y Clochdy allan o'r car a phwyso yn erbyn y drws agored gan syllu arnynt drwy sbectol dywyll.

'*Denti d'oro!*' dywedodd o'r diwedd. 'We meet again.'

'Dwi ddim am wastio dy amser di, dim ond un peth dwi isho'i ddeud,' dywedodd Felix cyn edrych ar y Llyn. Edrychodd hwnnw i fyny i'r dde a'r chwith cyn dechrau parablu'r cyfieithiad Eidaleg. Nodiodd Dyn y Clochdy.

'Mae o drosodd,' dywedodd Felix. 'Ti 'di ca'l dy bres, a dyna ddiwedd arni.'

Cyfieithodd y Llyn, gan rwbio'i ddwylo gyda'i gilydd yn sydyn wrth orffen. Tynnodd Dyn y Clochdy ei sbectol dywyll. 'We only make for certain you leave in peace, Signore Felix.'

'Dwi byth isho dy weld di eto,' dywedodd Felix, cyn bloeddio'n uchel. '*Vaffanculo!*'

Agorodd dwsinau o ddrysau'r fflatiau o'u cwmpas, a cherddodd tua hanner cant o bobl ifanc yn gwisgo capiau pêl-fas ar eu pennau a hancesi neu sgarffiau pêl-droed am eu hwynebau. Safai'r giang, rhai'n pwyso yn erbyn rheilen y rhodfa, yn llonydd a distaw gan edrych i lawr ar y BMW unig yng nghanol y sgwâr.

Trodd Felix a cherdded allan o'r sgwâr, heb edrych yn ôl. Clywodd Ddyn y Clochdy'n dweud rhywbeth a'r Llyn yn ei ateb mewn Eidaleg. Daliodd y Llyn i fyny â'i ffrind yn y twnnel byr, a gwasgodd y ddau heibio'r fan wen ac allan i oleuni llachar mis Tachwedd.

'Eliana, wi haf tw go. Ai thinc ddat wyrcd,' dywedodd Felix wrth ei ffrind gan ei chusanu ar ei thalcen a gwasgu'i hysgwyddau am eiliad.

'Be safe,' dywedodd Eliana. 'Be careful.'

Ysgydwodd y Llyn ei llaw, ymestynnodd Eliana i blannu cusan ar ei foch flewog. '*Prenditi cura di lui,*' sibrydodd yn ei glust.

'*C'è chi si prende cura di me,*' atebodd y Llyn gan wenu arni'n drist.

Ymunodd y Llyn gyda Felix ar sedd gefn y tacsi.

'Ocê, Signore Bianchi, *Stazione Centrale, per favore,*' meddai Felix.

Cychwynnodd y tacsi a dechrau symud. Edrychodd Felix drwy'r ffenest gefn ar Eliana'n mynd yn llai nes ei bod hi'n ddim mwy na morgugyn.

'Faint gostiodd y sioe fach yna?' gofynnodd y Llyn.

'Saith mil o ewros, ac yn werth pob dima,' atebodd Felix. Eisteddodd yn ôl yn ei sêt a gwenu gwên o ddannedd aur ar ei ffrind. 'Be ddudodd o wrthach chdi cyn i ni fynd?'

'*Denti d'oro, testicoli di acciaio.* Dannedd aur a cheilliau o ddur.'

Felix qui nihil debet

Mae'r sawl sydd heb ddyled yn hapus

CYMERODD Y DDAU ffrind y llyw am yn ail wrth yrru'r Golf ffyddlon drwy ogledd yr Eidal ac yna drwy Ffrainc. Siwrnai deuddydd o yrru'n hamddenol a chael saib yn aml a chyson. Doedd dim brys gwyllt ar y ddau ffrind. Dal y fferi wedyn o Calais i Dover a chyrraedd Bangor yn oriau mân bore dydd Mawrth, y ddau'n teimlo fel milwyr yn dychwelyd o ryfel. Cododd Mags o'i gwely, gwely Felix, pan ddechreuodd Heddwyn gyfarth i'w cyfarch nhw drwy ddrws y fflat.

'Lle ffwc ti 'di bod?' gofynnodd Mags gan rwbio Huwcyn o'i llygad; roedd hi'n gwisgo gŵn nos Felix. 'Dau ddwrnod ddudest ti, bron i wsos yn ôl.'

'Sori, Mags,' dywedodd Felix gan roi mwythau i'r bwystfil o gi, a hwnnw'n gwenu'n llydan a'i gynffon bwt yn siglo'n wyllt. 'Meddylia amdano fo fel drai rŷn.'

'Drai rŷn,' atseiniodd Mags yn ddirmygus cyn troi ar ei sawdl. 'Dwi'n mynd 'nôl i'r gwely. Heddwyn, cau dy geg.'

'Fysa'n neis gallu deud 'i bod hi'n braf bod adra, ond tydi hynna ddim cweit yn wir,' dywedodd Felix wrth i Mags roi clep ar ddrws y stafell wely.

'Pam ddim, felly?' gofynnodd y Llyn o'i sêt yn y gadair jazz.

'Achos, os na fedra i ffeindio naw deg mil o bunnoedd yn y pum mlynedd nesa, does gynna i ddim cartre, nag oes?'

'Fydd raid i ni anghofio am hyn a dechrau eto, Felix. Anghofio am y cyfan.'

'Ma gynna i un peth arall i neud cyn galla i neud hynna.'

'O?' dywedodd y Llyn.

*

Cerddodd Felix tuag at y giât godi wrth ymyl bwth y porthorion ger y fynedfa i bentref Portmeirion. Roedd yn gwisgo tei ac yn cario sgrepan ledr dros ei ysgwydd.

'Dwi yma i weld y rheolwr,' dywedodd wrth y porthor.

'O, pob lwc,' dywedodd y dyn gan bwyntio i gyfeiriad yr adeiladau gwyn tu ôl i'r bwth. 'Jyst gofynna yn yr offis, ail ddrws i lawr. Gei di banad gynnan nhw os ti'n lwcus.'

Roedd ymateb y porthor wedi drysu Felix braidd, ac yntau'n disgwyl cael ei holi am ei gais. Roedd llwch ei dad yn gorwedd yn y sgrepan ac roedd Felix yn awyddus i gael gwared ohono.

'Helo. Oswyn Felix. Dwi yma i weld y rheolwr,' dywedodd wrth ddynes ganol oed hynod brysur yr olwg wrth iddo fentro drwy'r drws.

'Steddwch, fydd o ddim yn hir,' dywedodd hithau cyn

diflannu allan o'r drws heibio i Felix yn cario pentwr o ffeiliau ac yn gwasgu ffôn symudol i'w chlust â'i hysgwydd.

Eisteddodd Felix mewn cadair rad ond gyfforddus, a gwylio dau bry cop yn cwffio ar y sil ffenest. Gwthiwyd y drws ar agor ymhen ychydig, a cherddodd dyn tua hanner cant oed, yn gwisgo siwt dywyll. Roedd ei wyneb fel mellt a tharanau.

'Helo, pwy dach chi?' gofynnodd yn ddi-wên wrth weld Felix yn eistedd o flaen ei ddesg.

'Oswyn Felix,' meddai Felix gan gynnig ei law, ond roedd y dyn eisoes wedi troi i osod papurau ar y ddesg ac estyn ei ffôn symudol.

'A be dach chi'n neud, Oswyn?' gofynnodd gan bwnio'r ffôn â'i fawd.

'Dwi'n rhedeg y Penrhyn Arms ym Mangor Ucha,' atebodd yntau. 'Wel, am wsos arall, beth bynnag.'

'O?' dywedodd y dyn heb edrych i fyny o'i declyn.

'Dwi newydd werthu'r lîs.'

'O? Ac ers faint wyt ti wedi bod yn rhedeg tafarn, Oswyn?'

'Dros ddeg mlynedd,' dywedodd Felix yn ceisio meddwl am ffordd i ofyn am gael caniatâd i wasgaru llwch ei dad.

'Felly ti'n gallu cychwyn streit awê, wsnos nesa 'ma?' dywedodd y dyn gan roi ei ffôn ar y ddesg ac eistedd.

'Sori?' dywedodd Felix.

'Os ti'n hapus hefo'r telerau 'dan ni'n gynnig, fedri di gychwyn wsnos nesa 'ma?'

'Yyyy, be 'di'r telerau'n union, Misdyr . . . ?

'Watkins, Hugh Watkins. Mae'n ddrwg gynna i, Oswyn. Mae hi fel ffair yma heddiw. Bar manejyr, thri mynth traiyl, twenti-sics y flwyddyn, neu twenti-wan os dach chi angen byw yma'n y pentref. Sut mae hynna'n swnio?'

'Grêt,' meddai Felix yn methu coelio'i lwc ac yn anwybyddu'i dad yn y sgrepan.

Cafwyd parti mawr yn y Penrhyn ar ddiwedd y mis, ond dihangodd Felix ar ei ganol i gychwyn ar ei fywyd newydd. Cafodd gynnig bwthyn bach ar gyrion pentref Portmeirion, ac roedd lle yno i Heddwyn hefyd – cyn belled â'i fod yn cael ei gadw ar dennyn bob amser. Roedd Felix wedi dechrau gweld mwy fyth ar Karen, ac erbyn y Nadolig roedd y ddau'n gariadon.

Aeth y tri mis cyfnod prawf heibio mewn fflach, a Felix yn ffeindio'r gwaith yn hawdd a'r awyrgylch yn y pentref swreal yn hamddenol a braf. Heblaw am ambell barti priodas gwyllt, âi bywyd yn ei flaen heb unrhyw gyffro. Am hyn, roedd Oswyn Felix yn ddiolchgar. Cafodd hyd i waith i Neville yn garddio ar ôl iddo adael yr ysgol yr haf hwnnw, ac roedd gan ei fam ddulliau arbennig o ddangos ei gwerthfawrogiad iddo. Fydd raid i mi ffeindio ffyrdd eraill o fod yn neis wrth Neville, meddyliodd Felix wrtho'i hun. Gwelai'r Llyn o bryd i'w gilydd pan ddeuai yntau i aros yn y gwesty, os oedd y costau'n caniatáu.

Aeth Felix ddim yn ôl i'r Penrhyn, er bod hiraeth mawr ganddo ar ôl ei ffrindiau. Nid oedd hyn yn gwbl gywir chwaith; dychwelai Felix i'r Penrhyn Arms yn aml yn ei freuddwydion.

Consummātum est

Dyma'r diwedd

Haf 2011

TYNNODD FELIX ei siaced denim du a'i hongian, gyda gweddill cotiau'r staff, y tu ôl i'r bar hir. Cydiodd yng ngwaelodion ei wasgod borffor wrth sicrhau bod ei grys gwyn wedi'i hel yn daclus y tu mewn i fand gwasg ei drywsus du. Cydiodd yng nghanol ei ddici-bô du a defnyddio'i afal freuant fel mesur i ganoli'r tei ar ei wddf. Llyfodd ei fysedd cyn hel darnau o'i wallt trwchus yn daclus o gwmpas cefn ei glustiau.

'Felix,' meddai Meical, yn ymddangos yn y bar tywyll ar yr ochr. Roedd yna gaead haearn yn gwahanu'r diodydd oddi wrth lolfa'r gwesty yr ochr draw. 'Ma 'na foi yn y bei window lawnj isho peint o Guinness. Big tipyr,' dywedodd Meical gan godi papur decpunt dan drwyn Felix a'i adael o yno.

'Haleliwia!' meddai Felix yn fwyn. 'Ti'n gwbod lle ma'r gwydra'n ca'l 'u cadw, dwyt?'

'Mae o 'di gofyn amdana chdi, bai neim. Mistyr Seen, rŵm sefyn.'

'Dwi'm yn nabod o. Neithiwr ddoth o i fewn?' Nodiodd Meical. 'Do'n i'm yn gweithio. Saith ddudist ti?' Nodiodd Meical eto wrth i Felix estyn gwydryn peint a'i osod ar y badell diferion cyn dechrau tynnu'r cwrw tywyll i mewn iddo. 'Gwatshad hwnna i fi, 'nei di? Na' i roi'r tip i un o'r gwrachod 'na'n rishepshyn,' dywedodd wedyn gan chwipio'r papur decpunt o law Meical a'i roi drwy'r til. Cerddodd allan o'r bar gan nyddu'i ffordd drwy goridorau cefn y gwesty i gyfeiriad y dderbynfa. Nid oedd hen ferched y dderbynfa wedi cymryd at Felix am amryw o resymau, ac felly roedd o'n gobeithio mai Bob oedd yno'r bore hwnnw.

Reit dda, meddyliodd, wrth weld Bob yn sefyll wrth ei gyfrifiadur, ei fysedd bach tew yn dawnsio ar y bysellfwrdd.

'Bobws Macsimws,' cyhoeddodd Felix yn uchel, a dim ond y ddau ohonynt yn yr ystafell fawr agored a'r haul braf yn llenwi'r dderbynfa â golau.

'Felix,' dywedodd Bob yn ddrwgdybus. 'Be tisho? Ti 'mond yn galw fi'n hynna pan ti isho rwbath.'

Edrychodd Felix yn syn ac yna'n ddiniwed arno. 'Gan bod chdi'n gofyn, fedri di tshecio pwy sy'n rwm sefn i fi?'

'Mister Seen, Y. K. Jyst inishyls, dim enwa cynta,' atebodd Bob mewn fflach.

'Ar Gwgl dwi'n feddwl, jyst am eiliad.'

Edrychodd Bob arno am rai eiliadau, ei ên wedi'i gwthio allan a chloriau'i lygaid yn drwm.

'Mae o'n nabod fi, dwi ddim yn 'i nabod o, 'na i gyd,' dywedodd Felix.

Ymlaciodd Bob ei wyneb a dechreuodd dawns y bysedd unwaith eto. Diflannodd dwy, yna tair ffenest oddi ar y sgrin o'u blaenau cyn i wefan gartref Gwgl ymddangos. Pwniodd Bob y bysellfwrdd eto am eiliad ac ymddangosodd rhestr o ganlyniadau am 'Y. K. Seen' mewn dyfnodau.

'Dyna chdi,' dywedodd Bob, gan symud ei gorff sylweddol o'r ffordd. 'Rhyw fath o ffwtbol eijynt, bai ddy lwcs of it.'

Dyma Felix yn bwrw golwg gyflym drwy'r rhestr ac yn codi bawd ar Bob. 'Diolch, mêt. Arna fi beint i chdi.'

'Felix, ti'n gwbod bod fi'm yn yfed.'

'Peint o côc, peint o lefrith, beth bynnag,' dywedodd Felix gan osod papur pumpunt a phentwr o newid ar y ddesg. 'At y tips,' dywedodd cyn diflannu i'r un cyfeiriad ag y daeth.

Roedd Meical wedi diflannu, gan adael y peint yn dri chwarter llawn dan y tap cwrw. Rhoddodd y tap 'nôl i lifo cyn estyn hambwrdd a rhoi doili bapur fach wen arno. Gosododd y peint llawn ar y doili a ffwrdd â fo.

'Tecwyn Keynes, mun uffar i,' dywedodd Felix, a'r dyn o'i flaen yn troi o edrych allan o ffenest grom anferth y lolfa ganol.

'As ai lif and brîdd. Sut wyt ti, Felix? Long taim no

sî,' dywedodd Tecwyn Keynes. Edrychai'n llewyrchus mewn siwt ddrud yr olwg.

'Tecwyn Keynes. Y. K. Seen. Ffycin hel, dwi'n dwp weithia.'

Nid oedd Felix wedi gweld Tecwyn ers saith mlynedd, dim ers y noson pan ddringodd allan o ffenest cegin y Penrhyn Arms wedi'i orchuddio mewn chwd, mwd a gwaed sych ei frawd marw, Carwyn Keynes. Y noson pan ddarganfu Felix gorff Carwyn wedi'i saethu'n farw yn eu cegin, ac yna eu tad Christopher Rutherford Keynes wedi'i ladd yn ei ystafell wely. Roedd gweld ei gorff anferthol fel darganfod morfil wedi marw ar y traeth. Y noson cyn i Felix hel y dyn oedd yn gyfrifol am yr holl alanast i'w farwolaeth – rhywbeth y meddyliai amdano bron yn ddyddiol.

Siaradodd y ddau am rai munudau am eu bywydau, a Tecwyn yn dweud ei fod wedi'i synnu o weld Felix yn gweithio mewn gwesty yng nghanol 'nunlle.

'Cymon, Tecwyn, 'di o ddim fath â mod i'n gweithio fel rent boi lawr y docia, nac 'di? Rheolwr bar yn un o westai mwyaf eiconig y genedl, ai'l haf iw now,' oedd ateb Felix. A bu'r ddau'n trafod bywyd newydd Tecwyn fel asiant pêl-droed llwyddianus, cyn i Felix ei holi pam ei fod wedi ymddangos unwaith eto yng ngogledd Cymru, ar ôl yr holl flynyddoedd. Yna daeth yr ateb. Cwestiwn i Felix. Cynnig i roi newid ar ei fyd.

'Sut bysach chdi'n licio gneud can mil o bunnoedd am lai na mis o waith?'

Edrychodd Felix i fyw llygaid Tecwyn Keynes. Meddyliodd yn syth am y Penrhyn – meddyliodd am y blynyddoedd o hiraethu am ei fywyd cynt, y bywyd coll. Meddyliodd am y cymal y mynnodd ei gyfreithwraig, Alys Campbell, ei roi yn y cytundeb wrth werthu'r les i Weiwei Wa. Pum mlynedd i'w brynu'n ôl am naw deg mil o bunnoedd. Pum mlynedd, a blwyddyn i fynd hyd nes y byddai'r Penrhyn Arms yn mynd o'i afael am byth.

A rŵan dyma Oswyn Felix, gyda llai na mil o bunnoedd yn y banc, yn sefyll o flaen dyn o'i orffennol. Dyn y gallai'i drystio. Dyn â gwerthoedd digon tebyg i'w rai fo'i hun. Dyn oedd yn cynnig dyfodol gwahanol iddo. Can mil o bunnoedd. Diolch, Alys. Diolch, Tecwyn. Diolch i Dduw, meddyliodd yr anffyddiwr, yn olaf.

Digwyddodd hyn oll mewn eiliadau o syllu i lygaid y cynigiwr.

Rhwygodd felcro'i ddici-bô gan ei adael yn hongian fel dringwr mynydd ar ddibyn ei grys. Gafaelodd yn y peint o gwrw du wrth ei ochr a'i yfed ar ei dalcen heb dynnu'i lygaid oddi ar Tecwyn Keynes.

'Pwy dwi'n gorfod lladd?' gofynnodd, ei ddannedd aur yn fflachio o dan fwstásh o ewyn cwrw.

Ystyr y Lladin ar dudalen 103

Ubicunque ars ostentātur, vērĭtas abbese vidētur

Lle bynnag yr arddangosir celf, ymddengys
fod y gwir yn absennol

Hoffwn ddiolch o galon i Elinor Wyn Reynolds a phawb yn Gomer am eu cefnogaeth barod a'u gwaith caled wrth baratoi'r *Tarw Pres*. Diolch hefyd i'r Cyngor Llyfrau am gadw'r blaidd o'r drws ac i Sion Ilar am waith celf y clawr.

Codaf wydriad mewn diolch hefyd i'r beirdd sydd wedi cyfrannu i'r gyfrol ac yn arbennig i Pennog am roi cwpled y 'dannedd aur' yng ngheg y Llyn!

Diolch i Hawis am ei chariad, ei chyfeillgarwch a'i chyngor bob amser.